1967

Un viol sans importance, roman, Sillery, Septentrion, 1998

La Souris et le Rat, roman, Gatineau, Vents d'Ouest, 2004

Un pays pour un autre, roman, Sillery, Septentrion, 2005

L'été de 1939, avant l'orage, roman, Montréal, Hurtubise HMH, 2006

La Rose et l'Irlande, roman, Montréal, Hurtubise HMH, 2007

Les Portes de Québec, tome 1, *Faubourg Saint-Roch*, roman, Montréal, Hurtubise, 2007, format compact, 2011

Les Portes de Québec, tome 2, *La Belle Époque*, roman, Montréal, Hurtubise, 2008, format compact, 2011

Les Portes de Québec, tome 3, *Le prix du sang*, roman, Montréal, Hurtubise, 2008, format compact, 2011

Les Portes de Québec, tome 4, *La mort bleue*, roman, Montréal, Hurtubise, 2009, format compact, 2011

Haute-Ville, Basse-Ville, roman, Montréal, Hurtubise, 2009 (réédition de *Un viol sans importance*), format compact, 2012

Les Folles Années, tome 1, *Les héritiers*, roman, Montréal, Hurtubise, 2010, format compact, 2013

Les Folles Années, tome 2, *Mathieu et l'affaire Aurore*, roman, Montréal, Hurtubise, 2010, format compact, 2013

Les Folles Années, tome 3, *Thalie et les âmes d'élite*, roman, Montréal, Hurtubise, 2011, format compact, 2013

Les Folles Années, tome 4, *Eugénie et l'enfant retrouvé*, roman, Montréal, Hurtubise, 2011, format compact, 2013

Félicité, tome 1, *Le pasteur et la brebis*, roman, Montréal, Hurtubise, 2011, format compact, 2014

Félicité, tome 2, *La grande ville*, roman, Montréal, Hurtubise, 2012, format compact, 2014

Félicité, tome 3, *Le salaire du péché*, roman, Montréal, Hurtubise, 2012, format compact, 2014

Félicité, tome 4, *Une vie nouvelle*, Montréal, Hurtubise, 2013, format compact, 2014

Les Années de plomb, tome 1, *La déchéance d'Édouard*, Montréal, Hurtubise, 2013

Les Années de plomb, tome 2, *Jour de colère*, Montréal, Hurtubise, 2014

Les Années de plomb, tome 3, *Le choix de Thalie*, Montréal, Hurtubise, 2014

Les Années de plomb, tome 4, *Amours de guerre*, Montréal, Hurtubise, 2014

Jean-Pierre Charland

1967

tome 1

L'âme sœur

Roman historique

Hurtubise

Catalogage avant publication de Bibliothèque et Archives nationales du Québec et Bibliothèque et Archives Canada

Charland, Jean-Pierre, 1954-

    1967

    Sommaire : t. 1. L'âme sœur.

    ISBN 978-2-89723-567-3 (vol. 1)

    I. Charland, Jean-Pierre, 1954-   . Âme sœur. II. Titre. III. Titre : Soixante-sept.

PS8555.H415A65 2015   C843'.54   C2014-942724-7
PS9555.H415A65 2015

Les Éditions Hurtubise bénéficient du soutien financier des institutions suivantes pour leurs activités d'édition :

- Conseil des Arts du Canada ;
- Gouvernement du Canada par l'entremise du Fonds du livre du Canada (FLC) ;
- Société de développement des entreprises culturelles du Québec (SODEC) ;
- Gouvernement du Québec par l'entremise du programme de crédit d'impôt pour l'édition de livres.

Conception graphique : René St-Amand
Illustration de la couverture : Alain Massicotte
Maquette intérieure et mise en pages : Folio infographie

Copyright © 2015 Éditions Hurtubise inc.

ISBN : 978-2-89723-567-3 (version imprimée)
ISBN : 978-2-89723-568-0 (version numérique PDF)
ISBN : 978-2-89723-569-7 (version numérique ePub)

Dépôt légal : 2e trimestre 2015
Bibliothèque et Archives nationales du Québec
Bibliothèque et Archives Canada

Diffusion-distribution au Canada :
Distribution HMH
1815, avenue De Lorimier
Montréal (Québec) H2K 3W6
www.distributionhmh.com

Diffusion-distribution en France :
Librairie du Québec / DNM
30, rue Gay-Lussac
75005 Paris
www.librairieduquebec.fr

Imprimé au Canada
www.editionshurtubise.com

Avant-propos

En soixante-sept tout était beau
C'était l'année d'l'amour, c'était l'année d'l'Expo
Le blues d'la métropole – Beau Dommage

Dans mon souvenir, les années 1960 s'accompagnent de musique. Non pas avec un casque d'écoute sur les oreilles, pour des solitaires juxtaposés à d'autres solitaires, mais une musique partagée dans les restaurants, les cafés, les sous-sols décorés de filets de pêche et de casiers à homards, les salles de danse, les chambres d'adolescent(e), les pièces dotées d'un téléviseur, et à tous les endroits où quelqu'un traînait sa radio transistor.

J'évoque beaucoup de chansons dans ce roman. Vous pourriez les écouter tout en lisant ces pages (on les trouve sur Internet, légalement), pour remonter plus facilement dans le temps et renouer avec les émotions de l'année de l'Expo.

Jean-Pierre Charland

Les personnages

Berger, Adrien: Né en 1926, fils de Perpétue et Ernest Berger, frère de Maurice et de Justine. Il est curé de la paroisse Saint-Jacques.

Berger, Ann (née Johnson): Née en 1929, elle épouse Maurice Berger et donne naissance à Marie-Andrée en 1950. Elle meurt dans un accident de voiture en 1963.

Berger, Ernest: Né en 1899, père de Maurice, Adrien et Justine, il fait commerce de machines agricoles en périphérie de Saint-Hyacinthe.

Berger, Justine: Née en 1928, fille de Perpétue et Ernest Berger. Religieuse hospitalière (portant le nom de sœur Saint-Gérard), elle travaille à l'Hôtel-Dieu de Saint-Hyacinthe.

Berger, Perpétue: Née en 1901, mère de Maurice, Adrien et Justine, épouse d'Ernest Berger.

Berger, Marie-Andrée: Née en 1950. Son père, Maurice, l'élève seul depuis la mort de sa mère, Ann, en 1963. En 1967, elle termine la classe de Versification, la quatrième année du cours secondaire classique, et entre à l'école normale (pour la formation d'enseignants) en septembre.

Berger, Maurice: Né en 1924, fils de Perpétue et Ernest Berger, il a suivi le cours classique. À la déception de sa mère, plutôt que d'entrer dans les ordres, il devient enseignant en 1944.

Labonté, Fernand : Jeune collègue avec qui Maurice Berger a maille à partir.

Léveillé, Jeannot : Élève de la classe de Versification (quatrième année du cours classique) de Maurice Berger, il fréquente Marie-Andrée.

Marois, Denise : Fille de voisins de Maurice Berger. Meilleure amie de Marie-Andrée Berger depuis la petite enfance.

Tanguay, Mary (née Johnson) : Née en 1927, elle est la sœur d'Ann, feu l'épouse de Maurice Berger. Le nom de Tanguay lui vient de son époux, policier à Montréal, lui aussi décédé.

Tanguay, Nicole : Fille de Mary Tanguay. Née en 1947, elle devient hôtesse à l'Expo 67.

Trottier, Émile : Né en 1922, il a été frère de l'instruction chrétienne jusqu'en 1965. Ayant quitté la congrégation, il épouse Jeanne Poitras en 1966.

Trottier, Jeanne (née Poitras) : Veuve, elle épouse Émile Trottier en 1966.

Chapitre 1

Saint-Hyacinthe, 17 mars 1967

Mille neuf cent soixante-sept! Cette année-là, aux yeux des Québécois, tout ce qui était survenu auparavant appartenait à un passé révolu que l'on souhaitait gommer. Aujourd'hui, c'était déjà le monde de demain, mis en scène à Terre des hommes, l'exposition internationale qui se tiendrait à Montréal. Il fallait être moderne ou laisser la place aux autres. Toute la société tentait de marcher au même pas que sa jeunesse.

Pourtant, hier hantait toujours Maurice Berger, et demain demeurait menaçant.

Devant des élèves excités par l'arrivée de la fin de semaine, une interrogation « surprise » représentait la façon la plus simple de ramener le calme. En vérité, aucun des élèves n'en fut surpris; le professeur Berger avait dans sa manche autant de ces petits examens qu'il y avait de vendredis dans l'année scolaire, et il les utilisait sans vergogne. Cela faisait partie de l'arsenal d'un enseignant comptant vingt-deux années d'expérience, bientôt vingt-trois.

L'homme était de taille moyenne. En fait, tout s'avérait moyen chez lui: la taille, la beauté et tout le reste. Cela ne se limitait pas à sa personne : ses vêtements, son auto, sa maison étaient moyens aussi. Une seule chose dans sa vie se révélait exceptionnelle : sa fille, Marie-Andrée. Toutefois, à ses yeux, cela tenait à l'héritage reçu de la mère de l'adolescente : intelligence, beauté, personnalité. En comparaison de sa fille unique, tout le reste de la vie de Maurice Berger prenait la teinte grise ou beige.

L'humeur morose de l'enseignant était peut-être attribuable à la neige sale dans la cour d'école, qu'il scrutait par la fenêtre. Le redoux du mois de mars la faisait fondre, révélant les souillures accumulées pendant l'hiver. Cela ressemblait à son univers personnel : sous une blancheur immaculée se dissimulaient les immondices. Des désirs de moins en moins répressibles.

Puis une apparition lui mit un sourire sur les lèvres : une jeune femme blonde marchait dans l'allée entre l'école et la rue. Il s'agissait de Renée, la secrétaire du directeur. Celui-ci, un frère de l'instruction chrétienne sensible au charme des yeux bleus, l'avait sans doute autorisée à quitter le travail un peu plus tôt que d'habitude. Le manteau de la demoiselle se terminait à la hauteur des fesses, la robe à mi-cuisse, l'une de ces minijupes dévoilant beaucoup. Soudain, pour l'enseignant, de longues jambes effaçaient les dégâts de l'hiver.

Un bruit l'amena à quitter son poste d'observation, près de la fenêtre.

Ses quatre ans d'abstinence le poussaient à soumettre les femmes à un examen de ce genre. Tout de suite après venait un sentiment de honte pour ses pensées coupables. Quatorze ans d'études dans des institutions catholiques, vingt-trois ans d'enseignement sous la direction des Frères de l'instruction chrétienne, et il en était là : un veuf tenaillé par le désir.

— Un regard sur la copie du voisin, déclara-t-il, ou une seule parole vous vaudra un gros zéro. À celui qui regarde ou qui parle bien sûr, mais aussi à celui qui laisse voir ou écoute.

Les mots étaient sévères, mais la voix demeurait mesurée, indolente peut-être. Son caractère aussi se révélait tiède, médiocre ; en un mot, moyen. Il ne suscitait pas la crainte. À preuve, un élève se sentit autorisé à justifier ses murmures :

— Monsieur, je disais à Tremblay où nous irions ce soir avec les copines.

— Prenez vos rendez-vous à l'heure de la pause ou après la classe.

Le mot « copine » agaçait toujours un peu Maurice. Que signifiait-il ? On le trouvait accordé au féminin ou au masculin. Les moins de vingt ans ne voulaient pas d'un autre titre. À leurs yeux le monde se divisait en deux : les copains et les autres. Dans les journaux, on avait la rubrique à l'intention des copains, une émission de télévision s'appelait *Le coin des copains*, le magazine français *Salut les copains* tirait à des centaines de milliers d'exemplaires, une chanson de Georges Brassens s'intitulait *Les copains d'abord*.

À quoi cela rimait-il ?

Demain, ces jeunes occuperaient les postes importants de la société. Peuplée de copains, à quoi ressemblerait alors la province de Québec ? Tout le monde parlait du conflit des générations. Quelle étrange situation de voir les plus jeunes appartenir à une autre culture que leurs aînés !

Le son aigrelet d'une cloche mit fin à sa rêverie maussade.

— Du calme, du calme ! clama-t-il. De toute façon, vous ne passerez pas la porte plus d'un à la fois.

Les écoliers lui prouvèrent le contraire. Les jours de grande excitation, en se bousculant beaucoup, ils y arrivaient à trois en même temps. Certains devaient avoir un sixième sens. Trente secondes avant le signal, leur stylo à plume déjà bien vissé, les fesses levées de leur siège, ils ressemblaient à des *sprinters* au moment du départ.

— Déposez votre copie sur mon pupitre.

La cohorte d'adolescents connaissait la routine. Dans la cacophonie ambiante, Maurice entendit des souhaits de bonne fin de semaine prononcés sur tous les tons, certains sincères, d'autres ironiques.

— Bonne fin de semaine à vous aussi. Faites attention à vous.

Cette invitation à la prudence devait leur sembler bien étrange. Ils allaient dans la vie avec une confiance absolue en leur propre immortalité, comme il convient quand on a seize, dix-sept ou dix-huit ans. Le décompte des accidents de voiture mortels dans les journaux du lundi ne les ramenait pas à un plus grand réalisme.

❖

Alors que la plupart des élèves étaient déjà sortis dans le couloir, un grand jeune homme aux joues couvertes d'acné s'approcha du bureau du professeur Berger, hésitant.

— Oui, monsieur Tremblay?

— Mes notes ne sont pas très bonnes et les examens de fin d'année approchent…

Au terme d'une onzième année dans une école publique, dont quatre à l'ordre secondaire, seulement les meilleurs pourraient suivre les quatre dernières années du cours classique dans un établissement du secteur privé. À moins qu'on décide d'alléger grandement les conditions de passage, celui-là ne serait pas du nombre.

L'enseignant se priva de lui dire quelque chose comme : «Si vous consacriez vos vendredis soir à l'étude plutôt qu'aux copines, vos résultats s'amélioreraient. » De toute façon, envoyer cette génération apprendre le latin ne favoriserait les intérêts de personne. Il fallait aussi des ouvriers et des techniciens. Chez les experts de l'éducation, une conviction nouvelle se forgeait lentement : les langues mortes ne servaient à rien, il serait tout aussi convenable de donner plutôt des cours de cinéma. Cette formation ne se révélerait pas plus utile quand ces jeunes, promis à la société des loisirs, arriveraient sur le marché du travail, mais ils en tireraient tout de même avantage.

— Monsieur Tremblay, profitez de la fin de semaine pour identifier les notions qui vous échappent. Lundi, nous pourrons préparer ensemble un horaire de rattrapage. Je veux bien sacrifier mes heures de lunch pour aider à vous mettre à niveau.

— … merci, monsieur Berger.

L'adolescent quitta la classe la tête basse. Celui-là ne s'était pas attendu à augmenter ses heures d'étude pour réussir ; il avait plutôt espéré que son professeur le laisserait passer « par charité ».

Maurice mit quelques minutes à former une pile bien nette avec les copies dispersées sur le bureau, puis les glissa dans son vieux sac de cuir, un cadeau que lui avait fait son épouse décédée au tout début de leur mariage.

Quand Maurice Berger approcha de la porte du salon des professeurs – un nom pompeux pour désigner la pièce où ils laissaient leur manteau et leur chapeau le matin, et où ils prenaient leur repas de midi, assis à de mauvaises tables –, ce fut pour entendre une voix railleuse depuis le couloir :

— "Madame, s'il y avait possibilité que par votre courrier je puisse découvrir un compagnon sincère et compréhensif…"

Trois de ses collègues occupaient la pièce, dont deux dans la jeune vingtaine, embauchés au cours des deux années précédentes. Caron, l'un de ceux-là, tenait un journal grand ouvert sous ses yeux, et il lisait pour le profit des autres.

— "Je me sens relativement heureuse, pourtant je voudrais tellement partager mon bonheur et rendre ce compagnon, que je désire rencontrer, tout à fait heureux."

— Elle, a connaît ça ! commenta Fernand Labonté en imitant plus ou moins la voix d'Olivier Guimond, tout en levant son pouce droit.

« Une culture différente, ou pas de culture du tout », songea Maurice. Au lieu d'auteurs classiques, ces jeunes professeurs citaient des publicités de bière ou les dialogues de téléromans pour enjoliver leur discours.

— Voilà une bonne fille toute prête à faire le bonheur d'un homme, continua Labonté.

Lui aussi se trouvait en début de carrière. La province de Québec, confrontée au défi de scolariser la nombreuse génération des baby-boomers, embauchait une pléthore de nouveaux instituteurs. Dans les circonstances, impossible de se montrer regardant sur le degré d'instruction et sur l'éducation reçue. Ces deux recrues-là se distinguaient surtout par l'absence de l'une et de l'autre.

Maurice alla jusqu'à son casier pour récupérer son paletot et son chapeau. Au passage, il échangea un regard agacé avec Émile Trottier, un collègue d'à peu près son âge. Ils se côtoyaient dans cette école depuis plus de vingt ans. Les deux autres continuaient leur lecture commentée du journal.

— Le bonheur d'un homme ? se moqua Labonté. Pour l'accompagner à la messe, je suppose. Écoute la suite : "Mon caractère n'est pas compliqué. J'aime les choses simples et belles. J'ai pensé que vous pourriez résoudre mon cas. Je suis une célibataire au début de la quarantaine étant demeurée avec mes parents, aujourd'hui décédés."

— Jésus-Christ! Être vierge à quarante ans, ça doit être comme porter une culotte de tôle. Personne ne peut percer ça.

La remarque fit raidir Maurice. Il intervint:

— Monsieur Labonté, le règlement interdit de jurer dans les murs de l'école.

L'autre ne dissimula pas son agacement.

— Les élèves sont partis, ils ne peuvent pas entendre.

— Moi, je vous entends. Je n'aime pas ce genre de langage.

Les deux plus jeunes échangèrent un regard excédé. Comme ils auraient aimé que ces vieux dinosaures leur laissent toute la place! Labonté décida d'ignorer la mise en garde. Il demanda plutôt à son ami:

— Alors, dis-moi ce que cette vieille fille a à offrir, en plus de son bonbon périmé.

— Si ça n'intéresse pas les autres, je continue pour ton seul profit: "Je travaille comme secrétaire dans un établissement commercial. Ayant suivi des cours de coupe..."

— De coupe?...

— Oui, la coupe de vêtements. Tu ne connais pas?

— Chez nous, on parle de couture.

— Bon, tu viens d'apprendre une nouvelle expression. Un jour ton vocabulaire comptera quatre cents mots.

«Jamais il n'ira au-delà de deux cents, songea Maurice Berger. Le niveau des meilleurs chiens de cirque.» De nouveau, il regarda Trottier, en colère.

— Maintenant, reprit Caron, tu arrêtes de m'interrompre et tu écoutes: "J'ai suivi également des cours d'art culinaire. Je mesure cinq pieds cinq pouces, j'ai les cheveux châtains et les yeux bruns. Il me semble que si je rencontrais quelqu'un de sympathique et de sincère, dont l'âge serait de quarante-cinq à cinquante ans, ce serait parfait. Celui qui voudra m'écrire recevra une réponse."

— Peut-être que les vieux qui ne bandent plus se jetteront sur ses petits plats.

— Elle signe Kiki. Comme elle ne dit rien sur son poids, elle doit être grosse.

Le jeune homme replia le journal pour le jeter sur une table.

— Bon, moi je m'échappe de ce collège. Même si c'est une école publique depuis trois ans, les murs sentent encore le curé ou le vieux frère.

Émile Trottier, le quatrième enseignant toujours sur les lieux, accusa le coup. Peu de temps auparavant, il portait encore une robe noire.

— Collé ici depuis lundi dernier, insista Caron, j'ai peur d'être contaminé.

— Viens me rejoindre à la salle de danse ce soir. Tu verras, on trouvera des visages de moins de quarante ans. J'ai encore l'odeur de ma dernière chatte sur le bout des doigts.

Labonté les porta à ses narines, comme pour se rappeler un bon souvenir.

— Monsieur, c'est assez, ordonna Maurice. Je ne tolérerai plus votre méchanceté et votre grossièreté.

Dans des circonstances semblables, sa voix prenait une certaine autorité. Il savait parler très fort. Toutefois, son émotion y mettait aussi un petit soupçon d'hystérie.

— Baptême ! Berger, te voilà monté sur tes grands chevaux. Si t'avais pas une fille, je penserais que tu as encore ta "josepheté".

L'allusion à Marie-Andrée fit monter sa colère d'un cran. Le simple fait que ce salaud connaisse son existence lui semblait une menace.

— Et moi, Labonté, si je n'avais pas vu ton diplôme, je penserais que tu as été élevé dans une porcherie, la gueule dans l'auge !

Le jeune homme fusilla son aîné du regard, prêt à se précipiter sur lui.

— Viens-t'en, dit Caron en lui prenant le bras. Nous avons mieux à faire que de traîner ici avec des vieux débris.

L'autre résista bien un peu pour la forme, puis se laissa entraîner.

❖

Quand ils furent sortis, la main un peu tremblante, Maurice alla chercher l'hebdomadaire *Nos Vedettes* pour le déchirer en deux et le jeter dans la corbeille à papier.

— Je me demande si c'est lui qui achète cette revue à potins, ou si c'est un élève qui l'a laissée dans sa classe. La presse à sensation dans les mains d'un professeur, voilà qui fait un bel exemple.

— Alors, je ne te conseille pas de fouiller dans les affaires de tes jeunes collègues, le prévint Trottier. J'ai aperçu le roman *Après-ski* dans le sac de l'un d'eux.

Certains apportaient donc de la vraie pornographie à l'école ! Ce texte dépeignait la liberté sexuelle régnant dans les centres de villégiature, du moins selon ce que prétendait l'auteur Philippe Blanchot. On trouvait l'ouvrage dans les écoles secondaires, dans les mains d'adolescents à la recherche d'un peu d'excitation.

Si un collègue avait vu le roman, n'importe quel étudiant pouvait le remarquer aussi. Pareille négligence pouvait se trouver évoquée dans les journaux, si elle s'ébruitait. Les rumeurs les plus folles couraient sur le personnel des établissements d'enseignement en pleine transformation.

— Les choses ont bien changé, déclara Maurice, et pas pour le mieux. Il y a cinq ans, on n'aurait jamais entendu des mots comme ceux-là dans nos murs.

— À cette époque, nous enseignions dans un collège réservé à une minorité d'élèves de la région, avec l'espoir que les meilleurs entrent en religion. Là, on doit accueillir tout le monde, et les préparer à la vie en société.

Peu de temps auparavant, les Frères de l'instruction chrétienne cédaient leur établissement à la commission scolaire. L'ensemble du réseau éducatif semblait pris dans une tornade depuis 1964, à cause des conclusions de l'enquête de la Commission Parent. Le vent de changement touchait aussi les individus. Deux ans plus tôt, Émile Trottier portait encore une soutane. Comme des milliers d'autres dans la province, il avait défroqué, fatigué de règles qui le privaient d'une existence normale.

— Au moins, tous les deux, nous sommes à peu près sûrs de passer au niveau supérieur l'année prochaine, remarqua Maurice. Au plus tard, cela aura lieu en 1969. Tu as vu que la loi créant les cégeps va être adoptée.

Les collèges d'enseignement général et professionnel. La désignation trop longue amenait les gens à n'utiliser que l'acronyme. Dans ces établissements, on trouverait un amalgame d'enseignants des collèges classiques, des écoles normales et des écoles techniques.

— Tu crois que ce sera mieux ?

L'ancien religieux se questionnait sur la cohabitation des personnels de ces diverses écoles. Celui qui serait son voisin de table dans deux ans enseignerait peut-être la mécanique automobile.

— Cela peut-il être pire ?

Émile haussa les épaules. Sept ans auparavant, le chef libéral avait été élu avec un slogan évocateur : « C'est le temps que ça change. » Et ça changeait, au point que les gens de plus de trente ans ne s'y reconnaissaient plus.

❈

Ailleurs dans la ville de Saint-Hyacinthe, une autre école, réservée aux filles celle-là, accueillait aussi quelques centaines d'élèves du premier cycle des études classiques. Dans la classe de Versification, les adolescentes terminaient un exercice de mathématique. Cette matière soulevait peu d'enthousiasme. Certaines poussaient de grands soupirs. Là aussi, les dernières minutes de la semaine servaient à mesurer l'acquisition des connaissances.

Au son de la clochette, toutes répétèrent les mêmes gestes que leurs camarades de sexe masculin : revisser le capuchon du stylo à plume ou du stylo-bille pour le ranger dans son sac, se lever et marcher vers la porte. Il existait une différence toutefois : le niveau sonore. Les murmures faisaient un bruit soutenu, sans montée soudaine des décibels. Des prénoms de garçon se distinguaient çà et là dans les conversations. Au moment de passer la porte, chacune y allait d'un « bonne soirée » ou « bonne fin de semaine, ma sœur ».

— Mademoiselle Berger, voulez-vous m'accorder une minute ? demanda l'institutrice.

Celle-ci échangea un regard avec une condisciple, une blonde arborant quelques livres en trop.

— Je t'attends près des casiers.

Dans la salle maintenant déserte, la religieuse continua :

— Avez-vous reçu des nouvelles de l'école normale ?

— Malheureusement aucune. Je commence sérieusement à m'inquiéter. J'espère en avoir très bientôt.

— Ne vous inquiétez pas, vous êtes une très bonne élève, vous serez certainement admise.

Le compliment tira un sourire reconnaissant à Marie-Andrée Berger.

— Tout de même, je me sentirai mieux quand je recevrai une lettre pour me le confirmer.

Sœur Saint-Lucien hocha la tête. Cette jeune fille réservée méritait l'estime des enseignantes. Lors de son entrée dans l'établissement, sa mère venait tout juste de mourir dans un accident de voiture. La fibre maternelle de chacune des religieuses les avait incitées à lui offrir un accueil particulièrement attentionné.

— Comme c'est dommage que notre école normale soit maintenant fermée. Vous auriez pu y obtenir votre brevet d'institutrice.

— Je sais bien. Je serai obligée de passer les quatre prochaines années à Montréal. Ça coûtera une fortune à papa.

— Tenez-moi au courant. Bonne fin de semaine.

— Bonne fin de semaine, ma sœur.

L'adolescente quitta la classe, songeuse. Toutes les petites écoles vouées à la formation des enseignantes fermaient leurs portes. Son père affirmait que dans deux ou trois ans, les maîtres seraient formés dans les universités, même ceux des écoles primaires. Cela comptait au nombre des changements de ces années de « révolution tranquille ». Si l'aspect financier la préoccupait, l'idée d'emménager dans la grande ville lui procurait un mélange délicieux de crainte et d'excitation.

❖

Pour regagner le rez-de-chaussée, Marie-Andrée descendit le grand escalier aux marches couvertes de *terrazzo*. Des élèves s'attardaient, formant des paires ou des trios. Certaines devraient attendre un long moment l'arrivée des autobus qui les ramèneraient à la maison, un trajet durant parfois jusqu'à une heure.

L'une d'elles l'interpella :

— Hé ! Marie-Andrée, te décideras-tu à venir danser demain ? Les Gants Blancs seront à la salle Pelletier.

L'adolescente percevait toujours une moquerie dans cette question souvent formulée. Parce qu'elle n'y allait jamais, les autres la raillaient, la traitaient sans doute de « pas déniaisée » dans son dos.

— Non, je dois étudier.

— Il faut s'amuser parfois, sinon tu vas finir vieille fille.

La châtaine préférait passer pour exagérément studieuse, plutôt que de révéler son malaise devant ces activités destinées aux jeunes. Justement, au bas du grand escalier, trois écolières chantaient un succès de Pierre Lalonde vieux de cinq ans :

Nous on est dans le vent
Dans le vent, dans le vent
À chacun son temps

Quel était le temps de Marie-Andrée ? Pour une jeune adolescente aussi réservée qu'elle, si facilement intimidée, le présent devenait bien menaçant. Il s'agissait d'une période dont elle ignorait les règles, tellement son père souhaitait la protéger. Les garçons lui paraissaient appartenir à une espèce étrange, aussi étrange que celle des Klingons dans *Star Trek*. Fille unique, elle ne pouvait compter sur un frère pour lui présenter ses amis. Son oncle et ses deux tantes n'avaient eu, au total, qu'une fille. Alors les cousins aussi lui faisaient défaut.

Son malaise devant les jeunes hommes s'expliquait sans mal : il n'y en avait eu aucun sur sa route. L'époque où un garçon demandait au père la permission de rendre visite à sa fille, où toutes les fréquentations se déroulaient sous l'œil protecteur des parents aurait sans doute été plus rassurante pour elle.

Affligée, elle arriva dans un grand espace dégagé où, les jours de mauvais temps, les élèves se retrouvaient nombreuses. En cette fin d'après-midi, la plupart préféraient attendre dehors. Il en restait toutefois une douzaine, dont trois juchées sur un banc pour se trémousser. Les autres chantaient :

Serre-moi fort, dis-moi que tout n'est pas fini
J'me sens si seul, tu es l'amour de ma vie

Les journaux à potins soulignaient la réapparition des Baronets après une brève éclipse. Avec cette chanson, ils avaient repris un succès des Beatles, *Hold Me Tight*. Marie-Andrée s'arrêta pour regarder ses camarades, enviant leur assurance. Jamais elle n'oserait s'exhiber de cette manière. Cela valait peut-être mieux.

— Mesdemoiselles, intervint une religieuse, arrêtez tout de suite.

— Nous jouons simplement à *Jeunesse d'aujourd'hui*, ma sœur.

Cette dernière ne devait pas connaître l'émission phare de la jeunesse québécoise, ou alors elle n'approuvait pas, car elle continua :

— Ce n'est pas un jeu, ces danses de sauvages. Arrêtez votre exhibition indécente.

Marie-Andrée crut discerner les mots « maudite pisseuse » dans les murmures fâchés, mais les artistes en herbe descendirent de leur piédestal et se dispersèrent avec les spectatrices. Elle accéléra le pas, inquiète à l'idée que Denise soit partie sans elle.

❖

Les casiers des élèves, au nombre de quelques centaines, se trouvaient au rez-de-chaussée. Denise Marois se tenait près de l'un d'eux. Écartant les pans de sa veste, elle enroulait sa ceinture à sa taille afin de raccourcir sa jupe de cinq bons pouces, pour révéler totalement ses genoux. Cela donnait une minijupe particulièrement coquine, car il s'agissait de son uniforme d'écolière, une jupe à carreaux.

— Je ne comprends pas pourquoi tu te donnes la peine de faire ça. Avec ton manteau, personne ne remarquera rien, puis tu devras tout dérouler en arrivant à la maison.

— Au moins, pendant dix minutes, je me sentirai dans le vent, pas comme une couventine.

Dans le vent. Tout le monde tentait d'être dans le vent, mais les règles demeuraient incertaines, et les comportements nécessaires parfois bien aventureux.

Les deux jeunes filles se retrouvèrent bientôt à l'extérieur de l'école. Il était près de cinq heures. Après une journée plutôt clémente, le froid se faisait un peu vif. Malgré tout, Denise Marois gardait les boutons de son manteau détachés pour montrer un peu plus ses jambes.

— Nous rejoindras-tu ce soir, au petit restaurant ?

— Euh… Je ne crois pas. Mon père aime que je sois à la maison.

— Arrête tes "diguidis ha ha". En réalité, il ne te laisse pas sortir.

Tout le monde regardait *Moi et l'autre*, et les expressions utilisées par les comédiennes passaient dans le langage populaire.

Maurice Berger ne formulait jamais vraiment d'interdits à l'intention de sa fille. Ce n'était pas utile ; Marie-Andrée cherchait à deviner sa volonté pour s'y soumettre. Le pauvre homme faisait de tels efforts pour qu'elle ne manque de rien, malgré l'absence d'une mère, que se montrer l'enfant la plus sage possible servait en quelque sorte de remerciement.

— Ce n'est pas ça.

— Vous faites une famille bien étrange. La fille passe ses soirées à garder son père.

Cette façon de décrire la réalité troubla un peu Marie-Andrée Berger. Ses propres motivations s'emmêlaient. Devant l'air peiné de Maurice, l'adolescente se sentait obligée de lui tenir compagnie. L'enfant s'occupait vraiment du parent. Était-ce un choix, ou une soumission à une règle implicite ? Elle ne le saurait qu'au moment de demander à son père la permission de se joindre aux jeunes de son âge.

— Tu exagères, dit-elle pourtant. Après la mort de maman, il était si malheureux. Je ne veux pas lui faire de peine.

Son amie ne sut quoi répondre. Le côté un peu confus de cette situation lui échappait. Quand elles s'engagèrent dans la rue Couillard, Denise entreprit son opération de déroulage. Son défi aux âmes bien pensantes n'avait duré que le temps d'un court trajet. La minijupe redevint un uniforme scolaire bien sage.

Puis elles s'arrêtèrent devant une maison cossue. On en voyait de semblables dans les magazines de décoration américains.

— Bon, alors, on se téléphone ?

— Oui. Comme d'habitude, demain je t'appelle. Amuse-toi bien avec les autres, ce soir.

Marie-Andrée, songeuse, continua seule son chemin. Son sentiment d'exclusion lui pesait. Toutes les autres

adolescentes de dix-sept ans ne parlaient que des garçons,
de leurs rendez-vous avec eux, de leurs attentes amoureuses.
De son côté, elle ne connaissait de la vie que la compagnie
d'un père taciturne et des rêveries imprécises sur un préten-
dant dont elle composait les traits en s'inspirant des vedettes
de la chanson ou du cinéma.

Chapitre 2

La maison familiale des Berger s'avérait la plus modeste de ce quartier recherché. Construite sur un seul étage, elle comptait trois chambres. L'automobile, une petite Volkswagen, était garée dans la cour, aussi Marie-Andrée lança au moment d'ouvrir la porte :

— Bonsoir, papa !

— Bonsoir. Viens me rejoindre dans la cuisine.

L'adolescente accrocha son manteau dans la penderie, plaça son béret sur la tablette du haut. Son père se tenait devant la cuisinière électrique, une longue cuillère à la main.

— Nous mangerons des pâtes.

Devant son air un peu déçu, il se justifia :

— Le vendredi, nous ne mangeons pas de viande.

— Moi, je suis en pleine croissance.

En disant cela, Marie-Andrée lui tendit la joue pour recevoir une bise.

— Si tu veux, je te prépare autre chose…

L'homme ne ménageait aucun effort pour lui rendre la vie agréable. La jeune fille le remercia d'un sourire, puis lui dit :

— Non, non, je blaguais. Je peux t'aider ?

— Regarde plutôt sur la table.

Dans son assiette déjà posée à sa place, il y avait une enveloppe blanche. Dans le coin droit, les lettres CND identifiaient l'expéditeur : Congrégation Notre-Dame. Un peu nerveuse, Marie-Andrée décacheta l'enveloppe, puis après un court instant, lança joyeusement :

— Je suis acceptée !

Maurice s'approcha pour poser ses lèvres sur son front.

— Bravo ! Je te l'avais bien dit, aucune école ne pouvait te refuser.

— À la condition de vouloir prendre une fille avec la moitié d'un cours classique…

— Si tu veux le terminer, c'est possible.

— Je sais, papa, tu me l'as offert déjà, mais je ne me vois pas encore à l'école à vingt-trois ou vingt-quatre ans. Puis, ce serait dans quel but ?

Pour justifier son désir de quitter l'école assez jeune, il y avait bien sûr le souci de ne plus dépendre de son père. Surtout, les jeunes filles de son âge devenaient secrétaire, infirmière ou institutrice et, pour les audacieuses, hôtesse de l'air. À moins d'être très riche, on n'investissait pas dans des études supérieures pour ensuite s'engager dans une carrière qui s'arrêterait avec le mariage. Se montrer plus ambitieuse la rendrait suspecte de prétention, une situation intenable quand on était aussi timide.

Et puis, la fille d'un enseignant à l'ordre secondaire ne traînait pas à l'école jusqu'à vingt-cinq ans.

— Rappelle-toi que tu as le droit de choisir.

— Tu es gentil. Je vais me changer avant de passer à table.

Quand elle s'engagea dans le couloir, Maurice la suivit des yeux. Son uniforme scolaire – l'habituelle veste bleu foncé, le chemisier blanc et la jupe à carreaux – lui donnait un air de charmante petite fille sage. Puis il se corrigea tout de suite : « Une jeune femme, plutôt. » Les cheveux châtains, les yeux gris lui rappelaient tellement sa femme au moment de leur rencontre, en 1945. Heureusement, Marie-Andrée paraissait plus robuste, en meilleure santé qu'Ann ne l'avait été. À cinq pieds cinq, sa fine silhouette la flattait.

Bientôt, l'adolescente quitterait la maison. Cette perspective attristait le père devenu veuf trop tôt. La petite demeure deviendrait immense, tout d'un coup.

Quelques minutes plus tard, il la servait, puis prenait place.

— Ta future école se trouve rue Sherbrooke, à une distance raisonnable de la maison de ta tante Mary. Si tu veux, nous irons la visiter. Comme ça, en septembre, ces lieux te seront un peu plus familiers.

— Oui, ce serait bien.

La démarche viserait à la rassurer, à réduire son anxiété devant ce départ. « Ou ma propre inquiétude ? » se demanda le père. À la fin, chacun finissait par renforcer la peur de l'autre, à force de délicates attentions.

— Ce soir, as-tu prévu de sortir avec des amis ?

En demandant cela, Maurice ouvrait-il vraiment une porte, ou tentait-il seulement d'affecter une tolérance qui lui échappait ? Le père se souvenait de la remarque de Fernand Labonté sur les jeunes vierges. L'un de ses collègues rêvait-il de mettre sa main dans la culotte de sa fille ? « Pas une enfant si jeune, tout de même. »

Encore une fois, ses yeux se portèrent sur Marie-Andrée. Elle avait revêtu un pantalon et un chandail qui la moulait un peu trop parce qu'il était tout usé. Lui seul s'entêtait à voir une enfant. Les jeunes hommes quant à eux s'intéresseraient à sa silhouette bien tournée. Cette pensée l'amena à proposer :

— Demain soir, nous irons au cinéma.

En se tenant près d'elle, il la préserverait de toutes les tentatives de séduction.

— Oui, si tu veux.

Le père ne remarqua même pas son manque d'enthousiasme.

— Nous regarderons dans le journal, pour savoir ce qu'on présente.

— Bien sûr.

Ainsi, aucun des deux ne passerait seul la soirée du lendemain. « Qui garde qui ? » se demanda-t-elle en fronçant les sourcils. Denise semblait bien avoir raison.

À huit heures, Marie-Andrée était absorbée dans un livre. Sa présence silencieuse meublait la pièce. Autrement, son père aurait éprouvé une impression de solitude totale. Il parcourait le journal ligne après ligne. Les mêmes thèmes revenaient sans cesse : contestations et grèves. Lui-même avait déserté le travail quelques semaines plus tôt pour se joindre à une ligne de piquetage. Absent de sa classe, il s'était senti comme un déserteur. Heureusement, une loi spéciale l'y avait rapidement ramené.

À quoi tenait toute cette folie de changement ? Tout n'était pas parfait, mais là, ces excités risquaient de détruire à la fois le meilleur et le pire. Finalement, il replia le quotidien pour éviter de se mettre tout à fait de mauvaise humeur. L'idée lui vint de prendre l'air. Le prétexte était tout trouvé : dix minutes plus tôt, sa pipe s'était éteinte, et il ne lui restait plus de tabac.

— Je vais aller chercher de quoi fumer, annonça-t-il en se levant. Veux-tu que je te rapporte quelque chose ?

— Non, pas vraiment.

— Aimerais-tu venir marcher avec moi ?

— Par ce temps ? Je préfère demeurer bien au chaud.

La maison était confortable, un bastion pour protéger père et fille de toutes les menaces. Ils prenaient des habitudes de vieux couple. Dans le salon, Maurice occupait toujours le même fauteuil, sa fille préférait s'étendre à moitié sur le canapé. Dans un angle de la pièce, la télévision jouait en sourdine, comme pour leur offrir une troisième présence.

— Je reviens tout de suite.

Couvre-chaussures aux pieds, paletot sur le dos, chapeau enfoncé sur le crâne, une minute plus tard, l'homme sortait. À cette heure de la soirée, un froid humide resserrait son emprise sur la ville. Un petit magasin, situé à deux coins de rue, permettait de se procurer tout ce dont on pouvait avoir besoin après l'heure de fermeture des autres commerces.

Le tabac et les cigarettes étaient rangés derrière le comptoir, des journaux, des magazines et des romans populaires de poche s'alignaient sur tout un mur. Maurice remarqua un titre, *Après-ski*, mentionné plus tôt à la fin des classes. Il aurait aimé l'ouvrir juste pour en lire une page. Simple curiosité, ou curiosité coupable ? Il s'abstint, car quelqu'un aurait pu l'apercevoir. Présenter en tout temps une figure de citoyen irréprochable était impératif.

Sur les rayonnages les plus élevés, les couvertures des revues montraient des photographies suggestives, parfois carrément révoltantes. Plantés là, un client feuilletait *Playboy*, un autre, *Hustler*. Maurice ressentait une grande envie de faire la même chose. Depuis la mort de sa femme, il n'avait vu aucun corps féminin nu. Les seins d'une comédienne se découvraient bien parfois dans les films présentés en fin de soirée à la télévision. Des occasions rarissimes, des scènes d'une seconde ou deux. Il se faisait l'impression d'être un adolescent pervers, prêt à demeurer debout une partie de la nuit juste pour se repaître d'une image un peu osée.

— C'est pas une bibliothèque, icitte ! lança bientôt le propriétaire de l'établissement. Les revues, c'est pour vendre, pas pour se rincer l'œil sur place.

Les deux voyeurs n'entendaient visiblement pas payer pour satisfaire une inclination coupable, car ils remirent les magazines sur les rayons. La déception se lisait sur leurs visages. Maurice cessa de contempler les couvertures des revues pour s'attarder sur *Nos Vedettes*. Cette feuille paraissait le mercredi ; en trouver encore un exemplaire le vendredi soir le surprit.

En la posant sur le comptoir, il crut nécessaire d'expliquer :

— C'est pour ma fille.

Il ne voulait surtout pas qu'on l'imagine s'intéressant aux journaux jaunes, et encore moins à des magazines indécents. Dans une si petite ville, on pourrait le reconnaître. Être vu avec un texte pornographique dans les mains vaudrait des ennuis à un professeur. Un renvoi peut-être. La loi scolaire exigeait du corps professoral un comportement exemplaire. Tout de même, la Révolution tranquille avait du bon : une sévérité excessive à l'égard d'un coupable serait condamnée sur la place publique.

— Avec un paquet de tabac.

De la main, il désignait sa marque de prédilection.

— Toutes les jeunesses se passionnent pour ça, des journals avec jusse des photos d'artistes. Comme si y savaient pas lire.

Le professeur jugea inutile de commenter le français plutôt hasardeux de son interlocuteur. Il paya, puis rentra à la maison. La revue fut déposée sur la tablette supérieure de la penderie de l'entrée, sous les chapeaux. Ensuite, dans son fauteuil, il bourra sa pipe en écoutant distraitement la fin du film présenté au canal 10, au *Cinéma Kraft*.

Un peu avant dix heures, Marie-Andrée tendit une joue à son père pour recevoir une bise et un souhait de bonne nuit.

— J'irai dormir aussi après les informations, précisa-t-il sans motif.

À dix heures, le présentateur commença une longue énumération des mouvements de contestation du jour. Les Noirs américains multipliaient les coups d'éclat, souvent violents, pour obtenir des droits aussi élémentaires que d'aller voter ou de fréquenter l'école de leur choix. La majorité blanche leur rendait ces coups au centuple. L'opposition grandissante au recrutement pour aller combattre au Vietnam fit aussi l'objet de longs commentaires. Pour y échapper, plusieurs jeunes hommes émigraient au Canada.

❖

Quand Maurice eut la conviction que sa fille dormait à poings fermés, il alla récupérer la revue qu'il avait cachée. Tout de suite, il chercha la section dont le jeune Caron avait lu un long extrait en fin d'après-midi. Il retrouva sans mal la lettre de Kiki, cette femme assez généreuse pour demeurer avec ses parents jusqu'à leur mort, quitte à devoir chercher un amoureux très tard dans sa vie.

Même s'il l'aurait formulé avec infiniment plus de respect que Labonté, lui non plus ne se sentait pas enclin à rencontrer une femme comme elle. Pas à cause d'un hymen possiblement impénétrable, mais de sa souffrance, lisible entre les lignes. Toutefois, la lettre signée par une « Perle de quarante ans » lui inspira plus de sympathie. Peut-être parce qu'elle précisait : « On ne m'en donne pas plus de trente-deux. » Lui en avait quarante-trois, mais en faisait sans doute un peu plus. Dans ce cas, l'écart d'âge demeurait-il raisonnable ?

Une phrase retint son attention : « Comme passe-temps, j'ai toujours fait de la photographie. » Après venait une précision : « En amateur, évidemment. » Ce seul détail la lui rendait intéressante. Puis le naturel lui revint.

— Les gens qui s'annoncent ainsi dans les journaux, comme du savon ou du dentifrice, font plutôt pitié, et les gens qui les contactent encore plus.

Prononcés dans un murmure, ces mots ne risquaient pas d'attirer l'attention de Marie-Andrée. Oui, seuls des laissés-pour-compte utilisaient cette stratégie, des gens ayant perdu tout respect d'eux-mêmes. Il aurait bien trop honte de faire cela. Pourtant, juste à imaginer se retrouver avec l'une ou l'autre de ces compagnes offertes, l'excitation le gagnait.

Située à peu près au milieu du périodique, la grande page de l'agence de rencontres était toujours flanquée de celle du courrier du cœur. Il parcourut les lettres pitoyables, larmoyantes de jeunes filles empêtrées dans des histoires d'amour impossibles. « M'aime-t-il ? » « Jusqu'où doivent aller les caresses intimes entre jeunes gens ? » D'autres correspondantes ne s'étaient pas posé ces questions assez tôt : une gamine de seize ans confiait être enceinte. Devant ce récit, un sentiment de pitié envahit Maurice.

— Celle-là a détruit totalement sa vie.

Ces inquiétudes occupaient-elles aussi les pensées de Marie-Andrée ? Il préférait la voir comme une éternelle enfant. Sa fille demeurerait sous sa bonne garde, pour que rien de pareil ne lui arrive. Dehors, les loups rôdaient.

Le samedi après-midi, Maurice Berger profitait du congé scolaire pour effectuer différentes courses, parfois rencontrer des connaissances. Inévitablement, Marie-Andrée et Denise se téléphonaient, puis l'une se rendait chez l'autre.

Le plus souvent, la première se déplaçait vers la maison cossue de son amie. Elle s'y rendait régulièrement depuis la première année de sa scolarité. Par habitude, elle frappait et entrait tout de suite, sans attendre la réponse.

— Bonjour, madame Marois, dit-elle depuis le seuil.

— Bonjour. Va la rejoindre dans sa chambre, l'invita la maîtresse de la maison. Tout à l'heure, je vous apporterai des chips et du Coke.

— Merci, vous êtes gentille.

La visiteuse suspendit elle-même son manteau. Quand elle passa devant la porte de la cuisine, l'hôtesse l'accueillit avec un sourire de bienvenue. Puis elle remarqua le journal dans ses mains.

— As-tu peur de t'ennuyer au point de venir avec de la lecture, maintenant?

— C'est *Nos Vedettes*. Nous pourrons le lire ensemble.

L'adolescente hésita, puis demanda:

— Si vous nous le permettez, bien sûr.

— Évidemment. Un moment, j'ai eu peur que tu apportes *Le Devoir* dans la maison.

Les yeux moqueurs de madame Marois lui signifièrent de ne pas la prendre trop au sérieux. La ménagère n'appréciait visiblement pas ce quotidien.

— Jamais je ne ferais cela, madame, affirma la visiteuse sur le même ton.

Puis Marie-Andrée gagna la chambre de son amie, pour la trouver étendue sur le lit en train de feuilleter *Magali, le nouveau magazine de la femme moderne*. Cette littérature convenait plus au ton de la maison que *Le Devoir*. Sans quitter sa place, Denise commenta:

— Il y a un nouveau photo-roman. Je te le prêterai, si tu veux.

— Non, je n'aime pas beaucoup ce genre d'histoire.

Surtout, elle devinait que son père froncerait les sourcils devant un récit à la moralité douteuse. Les protagonistes étaient toujours pris dans des histoires d'amour qui, si elles n'étaient pas sulfureuses, se déroulaient en dehors des liens sacrés du mariage. Dans le meilleur des cas, ils passaient devant l'autel à la dernière image.

Elle enleva ses chaussures pendant que Denise se poussait sur le lit pour lui faire une place. Bientôt, les adolescentes furent étendues l'une à côté de l'autre. Malgré ses visites fréquentes, Marie-Andrée s'étonnait toujours devant les dimensions et le luxe de cette pièce. Son amie avait son propre téléphone et son propre appareil de télévision. Chaque fois qu'elle évoquait cette opulence à la maison, son père remarquait d'une voix grinçante :

— Comme tu vois, les médecins gagnent pas mal plus que les professeurs du secondaire.

Marie-Andrée le mesurait très bien. Ces gens avaient même un téléviseur couleur de vingt-cinq pouces dans le salon.

— Toi, qu'est-ce que tu apportes ?

Elle leva son journal pour lui montrer la une.

— Connais-tu ça ?

— *Nos Vedettes*. Maman l'achète, quand ce n'est pas *La Patrie* ou *Le Petit Journal*.

Denise venait d'énumérer les hebdomadaires à grand tirage misant sur les nouvelles artistiques, la chronique cinéma et des avis pas très réfléchis sur tout et sur rien, de la tarte à la citrouille à la « mort de Dieu ». Il s'agissait d'une version « dans le vent » des échanges sur le parvis de l'église.

— Tu l'as déjà lu ? continua Denise.

— Non, pas vraiment.

— C'est amusant, parfois. Passe.

L'adolescente tendit la main pour prendre la revue, chercha les pages centrales.

— Il y a un courrier du cœur. Tu sais ce que c'est ?

Puisqu'elle vivait dans une maison où n'entraient que des journaux sérieux, Marie-Andrée pouvait bien tout ignorer de ce nouveau type de confessionnal. Des femmes connues – celles qui ne l'étaient pas dès le départ le devenaient – jouaient le rôle de conseillères spirituelles. L'une d'elles, Madame X, ajoutait des apparitions radiophoniques à une chronique dans un hebdomadaire.

Soucieuse de partager ses connaissances, Denise continua :

— Tu trouves toujours des histoires de filles stupides là-dedans. Tiens, regarde ce titre.

Du doigt, elle montra les mots « … enceinte pour un baiser ? ». Puis elle enchaîna en lisant :

— "J'ai déjà quatorze ans et je suis très désemparée. Voici mon problème : je rencontre un garçon de seize ans et, comme je ne suis pas très au courant des choses de la vie et que je n'ai personne pour me renseigner, j'aimerais savoir si c'est péché d'embrasser un garçon et si ça peut rendre enceinte."

De vraies confessions, semaine après semaine, venues de jeunes qui, comme l'exprimait si bien cette gamine, se sentaient désemparés.

— Tu parles d'une niaiseuse. Tomber enceinte pour un baiser.

Fille de médecin, Denise, elle, avait quelqu'un pour la renseigner. Tout de même, il s'agissait plus probablement de sa mère que de son père. Marie-Andrée n'avait ni praticien, ni maman pour jouer ce rôle. Cela la condamnait à glaner, mine de rien, des informations disparates au gré des conversations.

— Bien sûr que les curés disent que c'est péché, embrasser un garçon, affirma la fille de la maison comme si cette correspondante se trouvait à portée de voix. Alors, tu ne leur en parles pas, tout simplement.

— Tu caches des choses, au confessionnal ?

— Bien sûr. Je n'ai pas envie de subir les remontrances d'un prêtre empestant le vieux garçon moisi.

Bonne fille, Denise ne demanda pas : « Toi, tu lui dis tout ? » Sur ce sujet du moins, son amie n'avait sans doute rien à cacher.

— Que répond la courriériste ?

— "Pas une semaine ne se passe sans qu'une adolescente me demande si des baisers peuvent rendre enceinte."

La lectrice marqua une pause, puis jugea :

— Ça se peut pas que de si nombreuses filles soient ignorantes à ce point.

— Elle dit avoir seulement quatorze ans.

Pour Marie-Andrée, cela semblait bien concevable. Elle-même savait ses connaissances dans ce domaine incertaines. Sa curiosité demeurait d'autant plus vive.

— La réponse, ce n'est pas juste ça.

— Attends. Voilà : "Eh bien, non, cent fois non ! Les baisers sont cependant fort dangereux : ils ouvrent le chemin qui conduit à l'acte sexuel d'où proviennent les bébés. Lisez, je vous prie, le livre du docteur Lionel Gendron : *L'adolescente veut savoir*."

Ce petit volume, Denise Marois devait l'avoir quelque part dans sa chambre. La timidité empêcha Marie-Andrée de le lui demander.

— Elle devrait l'apprendre par cœur, ce livre. Autrement, il va lui arriver la même chose qu'à celle-là. Écoute la lettre suivante : "Je me suis laissé caresser par ce jeune homme, et ce qui devait arriver arriva. Je me retrouve enceinte et je ne sais pas comment le dire à mes parents."

La peur de tomber en famille, aux yeux des jeunes filles, remplaçait maintenant celle de l'enfer. Les conséquences ne consistaient pas seulement en une colère noire des parents, mais aussi en un ostracisme social.

Marie-Andrée restait perturbée par la lettre précédente : le baiser qui entraînait vers la maternité.

— Toi, tu as déjà embrassé des garçons comme ça ?

— Comme quoi ?

— Oh ! Tu sais ce que je veux dire.

— Ça ?

Denise sortit la langue, l'agita en faisant mine de s'approcher de son amie.

— Pouah ! C'est dégueulasse ! cria celle-ci.

Puis toutes les deux furent prises d'un fou rire nerveux. À ce moment, après avoir frappé à la porte, la maîtresse de la maison entra avec deux Coca-Cola et un sac de chips dans les mains.

— Je vais vous aider, madame Marois, proposa Marie-Andrée en quittant le lit.

Les bouteilles furent déposées sur la table de travail de son amie.

— Vous vous amusez bien, d'après ce que j'ai entendu.

— Nous lisons le courrier du cœur, expliqua Denise.

— Et vous y trouvez un motif pour rire à gorge déployée ?

— Une fille voulait savoir si on pouvait tomber enceinte en embrassant un garçon.

Le regard de la ménagère passa de l'une à l'autre, grave, puis elle conclut en quittant la pièce :

— Je ne vois rien de drôle là-dedans. Seulement beaucoup de tristesse. Bon, je vais vous laisser seules, maintenant. Je dois aller au Centre d'achat Douville.

Après son départ, les deux filles gardèrent le silence un instant.

✦

Denise ouvrit le sac de croustilles pour le tendre à son amie. Cette dernière décida d'occuper la chaise devant la table, l'autre demeura assise sur le lit.

— Tu ne m'as pas répondu, reprit Marie-Andrée.

— Pour les baisers ? Évidemment. Hier soir encore, Paul est venu me reconduire jusqu'à la porte. Des fois, il me donne l'impression d'avoir huit mains, comme une pieuvre.

De nouveau, le fou rire les prit. Tout à fait faux, dans le cas de la visiteuse. Son innocence lui faisait honte.

— Et toi, tu as déjà embrassé ?

Le rose lui monta aux joues, ses yeux fixèrent le tapis.

— … oui.

— Pourtant, je ne te vois jamais avec un garçon.

— Ceux d'ici ? Ils sont tellement "colons". Mais j'ai des cousins…

— Ton oncle est curé, ta tante religieuse.

— Du côté de ma mère, à Montréal.

Sa voix manquait tellement d'assurance ! Charitable pour une fois, son amie choisit de ne pas insister. Agir autrement aurait été cruel. À la place, elle décida de tourner le tout à la blague.

— Montréal, c'est loin. Tu ne dois pas les voir souvent, ces cousins. En attendant, tu peux t'entraîner seule.

Devant la mine intriguée de Marie-Andrée, Denise leva la main gauche, plaça son pouce sous son index en lui montrant sa main.

— Tu vois, on dirait une bouche.

La ressemblance n'était pas si évidente, mais avec un peu de bonne volonté, on pouvait voir deux lèvres formées par les doigts. L'autre les tourna vers son visage, sortit une langue un peu souillée par les croustilles et l'enfonça entre ses doigts en laissant échapper un « humph » qui se voulait énamouré.

— Ouach ! Dégueulasse, répéta Marie-Andrée.

« Tu dis ça parce que tu n'y connais rien, songea son amie. Je me demande même si tu as la moindre idée de ce dont on parle. » À haute voix, elle se mit en tête de lui lancer un défi.

— Viens dans le bureau de mon père, je vais te montrer ce que la fille du courrier du cœur devrait savoir au plus vite.

— Mais… tu n'as pas le droit d'y aller, tu me l'as déjà dit.

Enfant, la blonde présentait cette pièce comme un lieu mystérieux, magique même. « Là-dedans, mon père apprend comment sauver la vie des gens. » Jamais, alors, elle n'aurait proposé d'y mettre les pieds.

— Si personne ne me dénonce, comment veux-tu qu'il le sache ?

Ses yeux disaient : « Jamais tu n'oseras le faire. »

— Allez viens, tu vas aimer ça.

Impossible de résister à une volonté pareille. Voilà bien dix ans que Marie-Andrée cédait aux moindres caprices de Denise. Chacune de ses quelques bêtises d'enfant tenait à son influence. L'une guidait l'autre dans le domaine scolaire, la situation s'inversait pour tout le reste.

Chapitre 3

Le bureau du docteur Marois avait été aménagé au sous-sol. On y comptait aussi une grande salle familiale où se trouvaient à peu près tous les jouets proposés par la publicité à la télévision. Denise devait vraiment être intimidée par ces lieux, car elle frappa avant d'ouvrir.

— Ton père ne risque pas d'arriver pour nous surprendre? s'inquiéta son invitée.

— Le samedi, il fait du bureau en ville. Jamais il ne revient avant cinq heures. Regarde tous ces livres.

Des armoires vitrées longeaient un mur entier. De gros volumes s'y alignaient dans un ordre parfait. Denise commença par prendre une clé dans le tiroir du bureau, puis elle ouvrit l'une d'elles.

— Papa n'est pas très bon pour cacher les choses. Il verrouille tout, mais laisse la clé à portée de main.

L'adolescente choisit un gros livre et le posa sur le pupitre. L'ouvrage portait le titre *Human Anatomy*. Elle l'ouvrit.

— Là-dedans, tu as des photos et des dessins de toutes les parties du corps, du dehors et du dedans.

Comme pour appuyer l'information, elle lui montra une double page où un corps paraissait débarrassé de sa peau. On y voyait les muscles en rouge, rose et blanc. L'image suivante montrait le réseau des veines et des artères, et la dernière, le squelette.

— Le meilleur bout commence à la page 362. Tu vas voir.

Marie-Andrée vit bientôt. D'abord un homme et une femme debout, de face. Nus.

— Regarde comme elle a des poils. Et lui aussi.

Les pubis se révélaient touffus. Toutefois, les yeux de la châtaine se portèrent sur le sexe masculin, bien visible. Elle avait aperçu ceux des petits garçons qu'elle gardait parfois, mais là, c'était tout autre chose.

— Il a une grosse…

Quel mot Denise s'empêchait-elle de prononcer? Queue? Pissette? Pine? Probablement pas verge. Elle tourna la page. Cette fois, un dessin présentait les entre-jambes des deux sexes: pour une pose aussi audacieuse, les auteurs évitaient la photographie. L'un des schémas lui renvoyait l'image de son propre sexe, mieux qu'elle ne le connaissait, du clitoris à l'anus, avec tous les noms médicaux de ces endroits.

— Le gars la met là.

Du doigt, son amie désignait l'entrée du vagin.

— Comme ça, on croirait que c'est trop petit, mais comme un bébé sort par ce passage…

Elle eut un petit rire, puis ajouta:

— À moins qu'il en ait une grosse, une très grosse, ça rentre bien.

Marie-Andrée se sentait mal à l'aise. Pour ne pas susciter les railleries de sa compagne, il lui fallait feindre que tout cela lui était familier et que ces allusions ne heurtaient pas sa pudeur.

— Grosse comme un bébé, même naissant, impossible, dit encore Denise.

Oui, Marie-Andrée savait tout cela… D'une façon un peu floue, elle faisait l'assemblage des discussions qu'elle avait eues avec sa mère à onze ou douze ans, des bouts de conversation entendus, des graffitis sur les murs de toilettes publiques, des émissions télévisées et des articles de journaux au vocabulaire moins abscons que d'habitude.

Maintenant, les photographies, les schémas sous ses yeux rendaient le tout si limpide. D'ailleurs, la page de droite montrait le dessin d'un sexe masculin en érection, puis en coupe, pour voir l'intérieur. La dernière illustration représentait les deux sexes emboîtés l'un dans l'autre.

— Après, c'est plutôt effrayant.

Très vite, Denise tourna les pages exposant les détails de la grossesse, puis de l'accouchement. Là encore, l'injonction divine formulée après la faute au paradis terrestre se lisait entre les lignes : tu enfanteras dans la douleur. Peut-être ce grand livre de médecine contenait-il ailleurs une référence à la pilule, qui permettait de séparer plaisir et conception.

— Avais-tu déjà vu ça ?

Dans ce cas, répondre honnêtement ne lui vaudrait pas les railleries de son amie.

— Bien sûr que non. On ne trouve aucun livre de ce genre à la librairie Morin.

— Voilà l'avantage d'avoir un père docteur. Grâce au tien, tu connais des romans compliqués, moi, j'ai ça.

Elles entendirent un craquement, sans doute celui d'une poutre de la maison. Ce bruit suffit à les effrayer.

— Ne nous attardons pas ici. Des fois, papa reçoit moins de patients que d'habitude.

Pour donner le change, elles passèrent dans la salle familiale juste à côté et étalèrent un jeu de Monopoly sur une table.

❖

De retour à la maison, Marie-Andrée Berger prit la revue *Nos Vedettes* avec elle. Son père n'était pas encore rentré. Aussi, affalée sur le divan du salon, elle relut, deux fois plutôt qu'une, toutes les lettres du courrier du cœur.

Évidemment, on ne faisait pas des bébés en s'embrassant. Toutefois, si on l'avait invitée à décrire dans le détail les étapes de l'acte sexuel avant ce jour-là, elle se serait emmêlée bien vite. Quatre ou cinq ans plus tôt, sa mère l'avait rencontrée dans sa chambre pour « la conversation ». Ses paroles s'adressaient alors à une enfant bien pudique. Toutes ses camarades de classe, Denise Marois comme les autres, devaient la trouver niaiseuse, le pire qualificatif pour une adolescente. Elle n'était pas dupe de leurs silences. Ceux-ci soulignaient son ignorance. Le petit cours de cet après-midi-là visait à la mettre mal à l'aise. La blonde se moquait des connaissances de son amie, elle ne cherchait qu'à montrer l'étendue des siennes. Pour une fois, la bonne élève se faisait faire la leçon par la médiocre.

Jamais son père ne parlait de sexualité avec elle. Dans le cas contraire, lequel des deux aurait été le plus intimidé ? Elle, de montrer son intérêt pour ces sujets-là – les bonnes filles n'y pensaient jamais, ne les nommaient même pas –, ou son père de les aborder ? Même avant le décès de sa femme, il se montrait terriblement prude, tellement il avait bien intégré les principes venus de ses parents et de ses éducateurs. Pour la moindre allusion à des fonctions naturelles du corps, il utilisait de telles circonvolutions verbales que personne ne le comprenait. Alors, informer sa fille lui était tout à fait impossible.

◈

Maurice Berger faisait ses courses le samedi après-midi, parfois seul, quand il lui fallait passer par des endroits aussi ennuyeux qu'une quincaillerie, d'autres fois avec sa fille. Sur le chemin du retour à la maison, il aimait s'arrêter pour prendre un verre. En stationnant son auto près de la taverne, l'homme secoua la tête. Ce rassemblement de buveurs souvent mal embouchés ne le ravissait pas trop.

À peu de distance se situaient la gare et le dépôt des lignes d'autobus. Le petit café de l'établissement ouvrait dès le matin et ne fermait qu'en fin de soirée. Il trouva la place remplie de voyageurs, surtout des hommes. Toutes les petites tables étaient occupées. Il restait toutefois un siège au comptoir. L'idée de passer une heure coude à coude avec un inconnu ne lui procurait aucun plaisir, surtout dans une grande pièce enfumée par les cigarettes, mais il préféra cela à l'option de rentrer aussitôt.

Le professeur s'installa sur le tabouret recouvert de plastique vert et plia savamment son journal afin de ne pas encombrer la surface de formica de même couleur.

— Monsieur ? fit la serveuse en s'avançant vers lui.

— D'abord un café.

Elle se retourna afin de saisir la cafetière sur un réchaud. Maurice remarqua ses jambes bien formées. Son uniforme d'un mauvais brun se terminait quelques pouces au-dessus du pli du genou. Le vêtement de tissu synthétique la serrait un peu trop, soulignant l'arrondi de ses fesses.

Quand elle versa la boisson chaude, Maurice put apprécier la poitrine généreuse, la taille fine et le ventre plat.

— Avec un morceau de ce gâteau.

Il désigna celui au chocolat. Plusieurs desserts s'alignaient sur le comptoir, sous des cloches de verre. Machinalement, il porta sa main à sa ceinture, apprécia le petit bourrelet à sa taille. Les desserts soulageaient sa libido depuis son veuvage.

Un instant plus tard, avec l'assiette devant lui, Maurice remercia la jeune femme. De beaux yeux bruns, des cheveux de la même couleur, une bouche très bien dessinée. «Elle est trop jolie pour cet endroit», songea-t-il. Comme si les traits du visage donnaient à chacun sa place dans la vie. Pourtant, très souvent, c'était le cas. Celle-là n'occupait pas la bonne.

Son attention se partagea entre la serveuse et le journal. Quand elle lui apporta l'addition, il laissa un pourboire plus généreux que les circonstances ne le demandaient. Ce devait être un tribut à ses formes séduisantes. Le gros homme tenant la caisse, une cigarette presque entièrement consumée à la bouche, lui adressa un clin d'œil de connivence pendant qu'il payait.

❖

Comme son père n'arrivait pas, Marie-Andrée tenta de chasser son ennui en prêtant attention à la page de l'agence de rencontres de *Nos Vedettes*. Au centre, en caractères gras, le lecteur trouvait le mode d'emploi. Un premier groupe de personnes désireuses de rencontrer l'âme sœur envoyaient une lettre pour se présenter et énumérer leurs attentes. Toutes signaient d'un pseudonyme. Pour les joindre, les candidats au mariage devaient leur écrire «au soin» de l'hebdomadaire, et le personnel transmettait les requêtes.

«Moi, je n'oserais jamais», se dit la jeune fille. Pourtant, des personnes de son âge, ou à peu près, vantaient leurs charmes. L'une avouait même avoir eu un enfant hors mariage! Qui voudrait bien d'elle, maintenant? Il y avait les femmes avec qui couchaient les hommes célibataires, et celles qu'ils épousaient. Enfin, c'était sa compréhension des conversations entendues.

Elle posa le journal sur la table basse, s'allongea tout à fait et se perdit dans ses pensées. Le bruit du verrou de la porte l'amena à se redresser. Son père n'aimait pas la voir couchée en plein jour dans une pièce commune, à moins qu'elle soit malade.

— Je suis là, lança-t-elle à son intention.

— Déjà rentrée de chez les Marois?

— Ils devaient recevoir, je crois. À quatre heures, j'ai entendu des bruits de chaudron, alors je suis revenue avant qu'ils ne me demandent de jouer à la servante. Je m'apprêtais à aller préparer le souper.

— Nous allons le faire ensemble.

Quand l'homme entra dans le salon, il aperçut le journal sur la table. Il n'avait aucun talent pour les cachettes.

— Nous pourrons consulter l'horaire des cinémas là-dedans, dit-il pour donner le change, et surtout les critiques. Mais je n'ai pas envie de rouler jusqu'à Montréal ce soir, aussi j'ai pris *Le Clairon* au passage.

En présentant les choses de cette façon, il espérait que sa fille ne le penserait pas désespéré au point de consulter les annonces d'une agence de rencontres. Dans le cas contraire, il se sentirait totalement dévalué à ses yeux.

— J'ai même eu le temps de le feuilleter en prenant un café rue Principale. Il y a *Quatre bassets pour un danois*.

— Papa, j'ai dix-sept ans!

Une pointe de réelle irritation marquait sa voix. Bien sûr, avec ce chandail et ce pantalon, personne ne lui aurait donné onze ans.

— Viens t'occuper des pommes de terre, et apporte le journal. Tu pourras même l'utiliser pour mettre les épluchures.

Dans la pièce voisine, la jeune fille s'installa à table pour effectuer sa part de la corvée du repas. Après un moment de silence, Maurice Berger reprit:

— Il y a aussi *Sœur Sourire*. Tu sais, on n'a pas l'embarras du choix dans cette ville.

Comme il venait d'exclure l'idée d'un voyage à Montréal, c'était à prendre ou à laisser.

— D'accord, mais ne te plains pas si je chante *Dominique-nique-nique* tous les jours de la semaine prochaine.

— Ce n'est pas bien passionnant, je sais. La route est souvent glissante en mars. Mais promis, quand le pavé sera sec, nous irons fréquemment à Montréal.

— Tous les samedis ?

— Tous les mois… Bon, toutes les deux semaines. Samedi ou dimanche.

Marie-Andrée eut un petit sourire de victoire. Une victoire mitigée, car cela signifiait qu'elle continuerait de sortir avec son père. Mais dans le cas contraire, y aurait-il quelqu'un d'autre ? Elle laissait tomber les épluchures sur une page grande ouverte de *Nos Vedettes*. Cela la ramena à ses préoccupations de l'après-midi.

— Papa, j'aimerais avoir le livre *L'adolescente veut savoir*.

Son père s'immobilisa devant la cuisinière électrique, sans rien dire. D'une toute petite voix, Marie-Andrée continua :

— Je suis même un peu vieille pour cette lecture. Je dois faire du rattrapage.

Comme il ne disait rien, elle ajouta, plus piteuse encore :

— Il a été écrit par un médecin, ce n'est pas un mauvais livre. Évidemment, ce n'est pas comme si maman était toujours là. Je n'ai personne à qui poser des questions.

L'homme n'osa pas répondre : « Je suis là. » Il céda plutôt :

— Je te remettrai l'argent, tu pourras t'arrêter à la librairie lundi, en revenant de l'école.

Trop intimidé pour faire cet achat lui-même – que penserait-on d'un homme d'âge mûr intéressé par un livre destiné aux adolescentes? –, il lui abandonnait cette démarche.

�֎

Au restaurant de la gare routière, l'achalandage augmentait beaucoup à l'heure du souper, au point qu'une file d'attente se formait à la porte. Le préposé à la caisse pendant l'après-midi s'attacha au service aux tables en plus de sa tâche habituelle. Il était le propriétaire de l'endroit.

— Diane, j'veux te remercier encore d'être rentrée à midi, dit-il. Fernande m'a averti à la dernière minute qu'a v'nait pas. A le sait pas, mais la prochaine fois qu'a manquera, ce s'ra le bureau d'assurance chômage.

Il prit les cafés que lui tendait la serveuse au-dessus du comptoir.

— Si je reste jusqu'à minuit, ça me fera une journée de douze heures.

— J'avais pas le choix, mais avant que j'parte, tu auras ton petit supplément.

L'absente devait assurer le service de midi à six heures, Diane arrivait d'ordinaire à ce moment et restait jusqu'à la fermeture, à minuit. Après huit heures, comme plus personne ne se présenterait pour manger un vrai repas, le patron quittait les lieux avec une journée interminable dans les jambes. Diane Lespérance demeurait seule pour servir les clients aux tables et au comptoir, et pour préparer les inévitables hot-dogs et hamburgers réclamés par quelques jeunes gens.

Quand le propriétaire revint pour lui remettre une enveloppe contenant sa paie, il lança avec un gros clin d'œil :

— En tout cas, ça t'a permis de te faire un admirateur.

— Que veux-tu dire ?

L'homme alla poser des plats sur une table, puis expliqua en s'approchant de nouveau :

— Le bonhomme avec une veste. Y avait l'air d'un commis de banque… Y a pas arrêté de te r'luquer. Bon, pis là, j'm'en vas.

La serveuse haussa les épaules. Bien sûr, elle avait remarqué l'intérêt du client, mais la même situation revenait sans cesse. Quand il l'avait embauchée, le propriétaire aussi bavait à la regarder. Ça lui était passé, à la longue.

Sœur Sourire. En réalité, il s'agissait d'un film américain, *The Singing Nun*, évoquant de façon très fantaisiste l'expérience de sœur Luc-Gabriel, une dominicaine belge. L'intérêt pour ce personnage venait d'un événement bien improbable dans la vie d'une religieuse : son disque avait occupé le sommet du palmarès américain au tournant de l'année 1963 pour s'y maintenir pendant dix semaines. Les Beatles l'avaient délogé avec leur premier disque américain, *Meet the Beatles*.

Malgré son nom, le Cinéma Royal ne payait pas de mine. La porte d'entrée perçait une façade toute blanche. À gauche et à droite, on voyait les affiches du programme présenté ce soir-là et de celui de la semaine suivante. Marie-Andrée et son père arrivèrent un peu avant huit heures, les joues rougies par le froid. En multipliant les « Excusez-moi, pardon », ils obligèrent une dizaine de personnes à se lever pour leur permettre d'atteindre des places au milieu de l'allée, au fond de la salle.

Une fois assise, la jeune fille fit l'inventaire des personnes présentes. Sans surprise, elle en reconnut quelques-unes pour les avoir croisées plusieurs fois dans la petite ville.

Pour voir un film aussi moral, l'assistance se composait de couples respectables et de femmes venues seules ou avec une compagne. Deux d'entre elles portaient des cornettes de religieuse. Cela valait une permission du curé : lors de son prochain passage à l'église, il serait inutile de se confesser après avoir vu cette production.

Toutefois, à la grande surprise de Marie-Andrée, plusieurs spectateurs des deux sexes avaient son âge. Des couples, alors qu'elle passait son samedi soir avec son père. Elle, comme tous ces jeunes, se serait trouvée davantage à sa place devant le dernier James Bond, ou même dans l'auditoire de *La femme préhistorique*.

— Je ne pensais pas voir ici des camarades du couvent Sainte-Madeleine, murmura-t-elle à son père.

— Pourquoi pas ? Il s'agit d'un film édifiant, même s'il est un peu fantaisiste.

— Justement.

La répartie étonna Maurice Berger. Après avoir demandé de lui procurer *L'adolescente veut savoir*, voilà que sa fille lui réservait une autre surprise : les œuvres à vocation familiale la blasaient. Il lui faudrait apprendre à la regarder sous un autre jour. Le grand mouvement de révolution culturelle, qui le laissait si souvent perplexe, touchait aussi Marie-Andrée. Visiblement, leurs chemins se diviseraient bientôt.

Pendant ce temps, la jeune fille inventoriait les quelques garçons qu'elle connaissait afin de choisir un compagnon pour une sortie. Cette rêverie accaparait souvent son esprit.

Le rideau un peu poussiéreux, et même déchiré par endroits, s'ouvrit sur des actualités filmées, puis on en vint très vite au programme principal. Pour qui avait vu *The Unsinkable Molly Brown* l'année précédente, la jolie Debbie Reynolds devenue religieuse avait de quoi surprendre. Il en allait de même pour Ricardo Montalban, habitué aux rôles de toréador et ayant incarné tout récemment un extraterrestre dans *Star Trek* : sur lui, la soutane et la bonhomie d'un dominicain faisaient sourire. Ces rôles si opposés les uns aux autres tiraient des ricanements et des blagues de mauvais goût aux plus jeunes. Au bout d'une heure, sœur Luc-Gabriel, devenue sœur Ann pour les besoins du film, interprétait *Dominique, nique, nique* pour un Ed Sullivan jouant son propre rôle.

Il s'agissait d'un calque des films d'Elvis Presley, les défroques religieuses en plus. Voulant dissimuler son ironie amusée à son père – celui-ci n'était venu que pour lui faire plaisir –, Marie-Andrée tourna la tête vers la gauche. Une camarade du couvent Sainte-Madeleine se tenait tout au fond, embrassant à bouche que veux-tu un garçon de son âge. Dans la pénombre, elle crut bien discerner la main de celui-ci s'agitant entre ses cuisses.

Terriblement gênée, l'adolescente regarda de nouveau vers l'écran. Voilà qui expliquait la présence de si nombreux jeunes gens. L'obscurité des lieux et la proximité des sièges permettaient d'ignorer totalement le sujet de la projection pour se distraire autrement. Et à la maison, des parents se réjouissaient d'avoir des enfants aux goûts si raisonnables.

※

Pour les Berger, se réunir s'avérait toujours difficile, car deux des membres de la famille se consacraient au service de Dieu. Un dimanche sur deux, Maurice et sa fille tenaient compagnie aux parents, dans une paroisse un peu éloignée de la ville. Plus rarement, comme en ce dimanche 18 mars, la route était moins longue, car le repas se tenait chez le second fils nommé Adrien, un curé.

— Pourquoi assister à la messe à l'église Saint-Jacques? demanda Marie-Andrée. Nous aurions eu tout le temps de faire ce trajet à onze heures.

— Tu oublies l'occasion pour tous les membres de la tribu d'admirer le héros de la famille…

Son dépit ne faisait aucun doute. Mais il se reprit tout de suite:

— Bien sûr, je suis heureux d'aller assister à la messe célébrée par mon frère.

Marie-Andrée comprenait assez bien la dynamique de cette famille pour ne pas s'y tromper: aux yeux de ses grands-parents, un fils réussissait, l'autre pas. Cependant, elle ne prononça pas un mot en s'installant sur le siège du passager dans la Volkswagen. Difficile de trouver sur le marché une automobile plus modeste. Sa forme rappelait suffisamment une coccinelle pour que le véhicule ait adopté le nom de l'insecte. Les autres automobilistes la regardaient avec un mépris amusé.

Pour changer tout à fait les idées de son père, elle s'enquit, un peu narquoise:

— Commenceras-tu bientôt à me donner des leçons de conduite automobile? À mon âge, je pourrais avoir mon permis.

Il y eut un bref silence.

— Tu sais, avec une transmission ordinaire, c'est plutôt difficile.

Par «ordinaire», il voulait dire manuelle, en opposition à une transmission automatique.

— Tu ne cesses pas de me dire que je suis une bonne élève.

Le professeur voyait une grande différence entre l'habileté à décliner des conjugaisons latines et la capacité de conduire une toute petite voiture parmi des véhicules la plupart du temps bien plus gros.

— J'ai dix-sept ans, insista-t-elle.

Ces mots devenaient un mantra au Québec, comme si quiconque entamant sa dix-huitième année sur cette terre était sitôt doté de la sagesse d'un adulte. Pourtant, sa fille devrait attendre encore un an avant de pouvoir voter ou signer un contrat.

— Quand le pavé sera tout à fait sec, tu commenceras à apprendre. Tu en auras assez avec les pédales, le volant et le changement de vitesse, inutile d'ajouter en plus les plaques de glace.

« C'est bien vrai que je ne peux rien lui refuser », se dit Maurice. Alors qu'il devait rencontrer ses parents dans quelques minutes, ses rapports difficiles avec ceux-ci lui revenaient à l'esprit. Parmi les reproches que formulait sa mère à son endroit, il y avait bien sûr son manque de sévérité à l'égard de son enfant unique, « gâtée et pourrie ».

Ils étaient arrivés dans une partie différente de la ville. Les rues étroites et les immeubles locatifs de deux ou trois étages témoignaient d'une certaine pauvreté des habitants. On y souffrait encore de tuberculose, mais heureusement, grâce aux antibiotiques, l'affection était plus rarement fatale. Toutefois, on faisait toujours le compte des décès dus à d'autres maladies pulmonaires et on les reliait à l'activité professionnelle. Dans ce coin de la ville, l'industrie textile permettait de gagner une vie misérable, et bien souvent de la perdre dans de grandes quintes de toux.

En stationnant sa voiture à une centaine de pieds de l'église, Maurice reconnut la grosse Chevrolet de son père. De nouveau, il serait le dernier à se présenter dans la nef. Machinalement, son pas s'accéléra comme celui d'un enfant qui craint d'être en retard, au point où Marie-Andrée eut peine à le suivre. Une fois passée la porte donnant sur l'allée de gauche, il reconnut la silhouette de ses parents et celle de sa sœur, une religieuse hospitalière. Elle travaillait à l'Hôtel-Dieu de la ville. Comme d'habitude, il prit place sur le banc juste derrière eux.

Sa mère se retourna pour dire :

— Tu aurais pu faire l'effort d'arriver à l'heure pour entendre la messe d'Adrien.

Pourtant, la cérémonie ne commencerait pas avant dix bonnes minutes. Qu'il arrive le premier ou le dernier, la mégère lui en faisait reproche. Pour lui avoir désobéi plus de vingt ans auparavant, il était puni de cette manière.

Quant à Justine, elle adressa un sourire navré à son frère et sa nièce. La benjamine ressentait un peu de pitié pour son aîné.

Un presbytère de brique rouge flanquait l'église paroissiale. La bâtisse était assez grande pour loger deux familles, trois en se serrant un peu. Dix ans plus tôt, au moins un vicaire aurait assisté le curé. Maintenant, les inscriptions en faculté de théologie fléchissaient, et de nombreux prêtres regagnaient la vie laïque. En conséquence, seule une vieille ménagère cohabitait avec Adrien Berger, le détenteur de la cure.

Madame Berger entra la première dans l'édifice, suivie immédiatement de sa fille religieuse. Ces deux servantes du Seigneur passaient avant les autres. D'entrée de jeu, la mère du clan assuma le rôle de maîtresse des lieux devant la domestique.

— Bonjour, Yvonne.

Perpétue Berger renifla afin de déterminer ce qui serait au menu, puis enchaîna :

— Avez-vous utilisé ma recette, pour le rôti ?

— Hum… Oui, madame.

La bonne tendit les mains afin de prendre le manteau de la mégère.

— Je vais aller voir, juste pour être certaine.

Sans un mot de plus, elle se dirigea vers la cuisine.

— Ma sœur, permettez-moi de vous aider.

La domestique montrait tout le respect dû à un membre du personnel de l'Église. Une fois débarrassée à son tour de son vêtement, Justine – qu'on appelait sœur Saint-Gérard dans sa communauté – se rendit vers une pièce voisine en murmurant un « merci ». Quand Yvonne se tourna vers les autres, Maurice dit avec un sourire :

— Regagnez votre cuisine avant que maman ne mette tout à l'envers. Nous nous débrouillerons.

La vieille dame obéit en lui exprimant sa reconnaissance d'un signe de la tête. Ce fut le professeur qui accrocha les manteaux de son père et de sa fille, en plus du sien.

Tous les trois rejoignirent sœur Saint-Gérard dans le salon. La pièce faisait un peu lugubre avec sa peinture d'un vert passé, sa grande croix noire et diverses images pieuses. La religieuse s'était assise sur un fauteuil placé juste devant une grande photographie du pape Paul VI. Celui-là incarnait l'image de l'austérité, après la bonhomie de Jean XXIII. Ernest Berger s'installa juste à côté.

Un canapé adossé au mur opposé permit à Maurice et à sa fille de s'asseoir aussi. Les meubles dataient des années 1940, au moins. Des jetés sombres protégeaient le revêtement trop usé par endroits. Rompant le silence pesant, Maurice demanda :

— Papa, fais-tu de bonnes affaires ? Le printemps sera là dans deux jours, certains cultivateurs doivent songer à s'équiper à neuf.

— Il y a un nouveau modèle de presse à foin qui fait fureur.

— Fureur? Les gens ne se bousculent tout de même pas pour acheter le modèle de l'année, comme dans le cas des automobiles!

— Tu serais surpris. Quand on veut impressionner les voisins, tout est bon.

La conversation porta pendant quelques minutes sur les avancées techniques dans le domaine de la machinerie agricole. Ernest Berger en faisait le commerce à la périphérie de la ville. Marie-Andrée fixait les yeux sur l'image de Notre-Dame-des-Sept-Douleurs, pendue juste en face d'elle. La Vierge montrait son cœur poignardé autant de fois.

— Tu dois terminer ton année de Versification bientôt, n'est-ce pas? s'enquit la religieuse hospitalière.

— Au mois de juin, ma tante.

— Tu t'en tiens à ton projet d'étudier à l'école normale de la congrégation Notre-Dame, à Montréal?

— Je viens de recevoir ma lettre d'admission.

La religieuse hocha la tête, comme pour approuver ce dénouement.

— Désires-tu devenir religieuse?

Comment répondre à cette question? Dans la famille Berger, faire vœu de chasteté semblait la norme, et son père l'exception... du moins jusqu'à son veuvage. Pourtant, elle fit un signe de dénégation, puis jugea nécessaire de se justifier:

— Je n'ai pas la vocation.

La sœur l'approuva d'un geste en esquissant un sourire de connivence.

— Ne te laisse pas influencer si ce n'est pas ce que tu désires vraiment, ici.

Du doigt, la religieuse désignait son cœur. Marie-Andrée, soulagée, lui rendit son sourire. À ce moment, un bruit dans le hall attira l'attention. Bientôt, un abbé souriant se campa dans l'entrée de la pièce.

— Voilà tous les Berger réunis! Il manque juste les moutons. Ma filleule adorée, viens embrasser ton parrain.

L'adolescente s'était déjà levée, comme les autres convives. En trois pas, elle fut contre son oncle, puis posa les lèvres sur sa joue. Devenue grande, elle se sentait un peu mal à l'aise dans ses bras. Après tout, non seulement s'agissait-il d'un homme, mais aussi d'un prêtre. Et puis, la soutane sentait toujours un peu mauvais. Une odeur de «vieux garçon», disait Denise, un mélange de sueur rance, de poussière et de camphre. À tout le moins, elle le percevait ainsi.

Le religieux laissa la jeune fille pour tendre la main à son père, puis à sa sœur, et enfin à Maurice. La mère apparut bientôt à son tour, radieuse.

— Ah! Mon grand, ta messe, c'est toujours la plus édifiante. Comme tu prêches bien!

Elle se planta devant lui. Son amour, son idolâtrie plutôt, ne faisait pas de doute. Mais elle demeurait immobile. Pour cette génération de Berger, les effusions n'allaient pas de soi. Tendre la main, entre une mère et son fils, aurait paru franchement absurde. L'embrasser demeurait tabou, alors elle répéta:

— Tu prêches très bien.

— Merci, maman.

— Le repas est prêt. Je vais aider à faire le service.

Elle disparut aussitôt. Le prêtre proposa aux autres:

— Autant aller tout de suite dans la salle à manger.

— Ta ménagère n'a qu'à bien se tenir, murmura Maurice en riant, si nos bols ne sont pas remplis dans une minute.

— Dès ce matin, elle se montrait nerveuse à l'idée de se faire enseigner son métier une nouvelle fois!

Comme à chaque visite de la mère de son patron.

Chapitre 4

La grande table pouvait accueillir une dizaine de personnes. Lors des fêtes de fin d'année, les convives devaient être plus nombreux encore, sans compter les moments où le curé recevait tous les commissaires d'école et leur femme.

Les Berger ne se réunissaient pas à cet endroit pour la première fois, chacun connaissait sa place. Marie-Andrée s'assit entre son père et sa tante. Ses grands-parents se placèrent juste en face, l'abbé au bout de la table, assumant le rôle de véritable chef du clan.

La prévision du professeur se révéla exacte : la soupe était déjà servie.

— Je vous assure, madame Berger, insista la ménagère, je peux m'occuper du reste. Asseyez-vous avec votre famille.

— Tu es certaine ?

Le tutoiement lui venait naturellement avec la domestique. Sans se l'avouer, elle crevait de jalousie. Cette vieille femme lui volait, en quelque sorte, son rôle auprès de son fils adoré.

— Bien sûr. Je sais m'occuper de cette maison.

La remarque était un peu cinglante. Pour éviter toute répartie, l'abbé déclara :

— Viens t'asseoir près de moi, maman. Nous ne nous voyons pas très souvent. Dis-moi comment tu vas.

Déjà passé la mi-soixantaine, la mégère souffrait d'un certain nombre de maux, assez pour meubler un bout de conversation. La tante échangea des propos anodins avec Maurice et sa fille pendant tout le premier service. La benjamine gardait un bon souvenir de son aîné, toujours attentionné à son égard. Au moment où la domestique servait la viande, le prêtre demanda :

— Alors, ma filleule, as-tu vu les films à l'affiche ? Tout le monde parle du dernier James Bond, même chez les Filles d'Isabelle et les Dames de Sainte-Anne.

— Non. Ce n'est pas tellement le genre de papa.

L'affirmation venait avec un petit sourire moqueur. En sa compagnie, son père paraissait se passionner pour les films de Walt Disney, et d'autres tout aussi moraux. Seul, qu'aurait-il préféré ?

— Hier, nous avons vu *Sœur Sourire*. Ça faisait curieux, avec tous ces acteurs américains, alors que l'histoire se passe en Belgique. L'une des comédiennes joue aussi dans *Ma sorcière bien-aimée*. Elle fait la mère de Samantha.

— Un jour, une sorcière, le lendemain, une religieuse.

Le prêtre s'amusait de la situation.

— Et ça finit bien ?

— Elle abandonne la musique pour aller travailler en mission en Afrique.

Perpétue Berger s'agitait sur sa chaise depuis un moment.

— Franchement, Maurice ! s'exclama-t-elle. Emmener ta fille voir un film pareil, c'est scandaleux.

Au ton de la grand-mère, on pouvait penser que le père traînait sa fille dans des cinémas présentant des films classés pour adultes.

— Que veux-tu dire ? C'est l'histoire d'une…

— D'une défroquée ! Elle a quitté les Dominicaines, puis là, elle donne des spectacles sous le nom de Luc Dominique.

Déjà, le fait que cette femme ait abandonné sa congrégation la rendait très suspecte aux yeux des bonnes chrétiennes. En religion, elle portait le nom de Luc-Gabriel ; la chanteuse entendait garder un peu de cette identité dans son nouveau nom de scène. Un prénom masculin pour une laïque ajoutait au malaise.

— Elle va venir dans la province, insista madame Berger. Je ne comprends pas pourquoi le gouvernement la laisse faire.

Selon elle, l'État devait se mettre au service de l'Église pour se débarrasser des mécréants. De toute façon, déjà on charcutait les films étrangers et on interdisait certains spectacles. Le bureau de censure du cinéma faisait régulièrement la première page des journaux.

— Puis, tu sais comment s'appelle sa nouvelle chanson ?

— Non, je ne sais pas, répliqua Maurice d'un ton excédé.

— *La pilule d'or*. Cette pilule, c'est celle que toutes ces jeunes dévergondées prennent pour ne pas tomber en famille. Tu penses vraiment que l'histoire de cette... convient pour une jeune fille ?

Au lieu d'utiliser des mots « sales », Perpétue Berger préférait les omettre, laissant à ses interlocuteurs la liberté d'en imaginer de pires encore.

— Maman, intervint sœur Saint-Gérard, c'est un film un peu sot, mais tout à fait innocent. Des consœurs se sont bien amusées en allant le voir.

Pendant tout cet échange, Marie-Andrée s'était sentie envahie par la timidité. À cause de cette scène, son père renouait avec les états d'âme de ses douze ans. Le souvenir des interrogatoires serrés sur les « mauvais touchers », quand sa mère lui faisait répéter sa confession les jours de visite du curé à l'école, le hantait toujours.

— Je me demande à quoi pensent leurs supérieures, pour les laisser voir l'histoire d'une défroquée.

— Voyons, il s'agit d'un divertissement honnête, trancha le curé d'une voix autoritaire. Le seul défaut de cette production est sa niaiserie.

— … Si tu le crois, mon garçon.

Visiblement, la mégère était convaincue que son fils errait.

— Si maman avait participé à Vatican II, dit encore Adrien, je dirais toujours la messe en latin en tournant le dos aux fidèles.

— Si le latin a fonctionné pendant deux mille ans, pourquoi changer? Plus personne ne s'y retrouve, maintenant. Résultat: les gens ne vont plus à la messe, et les filles portent des robes qui leur vont au ras du cul.

Madame Berger savait aussi émailler son discours d'expressions un peu crues, plutôt que de les passer sous silence. Cela lui paraissait donner plus de poids à ses imprécations.

❖

Les deux frères se retrouvèrent dans le bureau du prêtre un peu après le dîner, sous prétexte de fumer une pipe. Si tous deux arrivaient à créer un nuage bleuté dans la pièce, cette pause leur permettait surtout d'échapper à l'attention d'une mère envahissante. Passé quarante ans, chacun mesurait l'étrangeté de leur situation.

— Je n'ose pas laisser cette petite armoire dans le salon, à cause d'elle, confia Adrien à Maurice en ouvrant le meuble pour en tirer une bouteille et deux verres.

— Cela vient avec des années de conditionnement, de notre part comme du sien. Elle établit les règles, et nous nous sentons coupables même si nous les suivons.

Adrien versa le brandy, puis regagna sa place derrière son bureau.

— Cela me donne l'occasion de te dire quelques mots en tête-à-tête, dit encore son frère.

— Si tu veux te confesser, c'est non. Entre membres d'une même famille, ça ne se fait pas. Puis, le curé de ta paroisse sait donner des absolutions aussi bien que moi.

— Non, non. Je veux juste parler un peu de Marie-Andrée.

Le curé ne cacha pas sa surprise.

— Ma filleule ? Voilà bien la fille la plus sage du monde, beaucoup trop pour sa santé d'ailleurs. Timide à ce point, elle risque de passer à côté de la vie.

La répartie laissa le père un moment sans voix.

— Que veux-tu dire ?

— Aller voir *Sœur Sourire* avec son père un samedi soir. À dix-sept ans, ce n'est pas normal.

Cette fois, Maurice trouva son frère aussi casse-pieds que sa mère.

— Je ne voulais pas rouler jusqu'à Montréal.

L'argument tira un sourire narquois au prêtre.

— Je ne parlais pas du choix du titre, mais du choix du partenaire. Sans doute est-elle déjà allée au cinéma avec une copine de son âge, mais jamais avec un garçon, je suppose. Tu me rappelles quand maman mettait Justine sous une cloche de verre, de crainte qu'un séducteur ne la détourne de sa vocation.

Cette fois, la colère mit le rouge au visage du père. Ses efforts pour protéger sa fille s'avéraient-ils plus néfastes que d'hypothétiques dangers ? Se poser la question, c'était déjà y répondre. Après un court silence, Adrien demanda :

— Que voulais-tu me dire à son sujet ?

— Elle s'intéresse aux… choses de la vie. Elle m'a demandé de lui acheter un livre.

Le sourire goguenard de son frère lui fit honte.

— *L'adolescente veut savoir.*

Maurice avala son verre d'un trait, surpris de la répartie spontanée.

— Comment le sais-tu ?

— La population du Québec se divise en deux. Je parle des jeunes filles, bien sûr. Celles qui ne connaissent rien, et celles qui lisent ce livre. Où vis-tu ? On voit son auteur à Télé-Métropole une semaine sur deux.

De nouveau, le reproche blessa le père. Un prêtre lui donnait une leçon d'ouverture d'esprit.

— S'agit-il d'une bonne idée ? s'enquit-il après une pause.

— Je suppose que tu ne veux pas lui expliquer tout cela toi-même, n'est-ce pas ? Dans ce cas, ça demeure le meilleur choix. Ce livre, ou un autre du même genre.

Maurice se sentait affreusement gêné, se découvrant aussi répressif que sa mère l'avait été avec lui en matière de sexualité.

— Je serais trop embarrassé, confessa-t-il, les mots se déroberaient. Dans des moments comme ceux-là, Ann me manque tellement…

— J'espère qu'elle te manque aussi dans d'autres contextes, sinon ce serait affreusement triste.

Pendant de longues minutes ensuite, un silence morose pesa sur eux. En perdant sa femme, Maurice avait perdu la moitié de sa vie, et maintenant il faisait tout pour protéger l'autre moitié, au risque de l'étouffer.

❖

Dans le salon, le reste de la famille Berger échangeait les dernières nouvelles. En réalité, le patriarche préférait feindre le sommeil au lieu d'affronter son épouse. Pour eux, il s'agissait de la seule façon de donner aux autres l'illusion d'un mariage heureux. Et même là, ils n'y parvenaient pas.

Sœur Saint-Gérard, faute d'événements nouveaux dans sa vie privée, évoquait les cas les plus graves survenus à l'hôpital, ou mieux encore les plus cocasses.

— Le pire, c'est le samedi soir, avec tous ces jeunes qui prennent le fossé avec leur auto après avoir bu.

— Ça, c'est quand ils ne sont pas drogués, répliqua la mégère. Tous ces gens fument… on dit comment déjà? De la mari? D'autres se piquent.

Madame Berger étalait là des connaissances glanées dans des émissions pour femmes diffusées en après-midi, ou alors durant ses lectures de magazines religieux. Elle connaissait tous ceux publiés au Québec et portait une affection particulière aux *Annales* du Cap-de-la-Madeleine. Toutefois, jamais elle n'aurait différencié une «rouleuse» faite avec du tabac Player's d'un joint.

— Je ne pense pas que beaucoup de jeunes de notre ville connaissent la drogue, répondit la religieuse. Je blâmerais surtout les bouteilles de bière, et cette habitude leur vient de leur père.

La vieille dame demeura silencieuse un moment, les yeux fixés sur sa fille. Celle-ci crut l'avoir vexée en la reprenant. L'aïeule déclara plutôt:

— Quand je pense que toi et Adrien avez donné votre vie à l'Église, je me sens si heureuse. Tout le monde me montre son respect dans la paroisse.

Seule une sainte offrait ainsi ses enfants à Dieu. Grâce à cela, aucune association pieuse ne la privait du statut de présidente. Puis son sourire satisfait s'estompa.

— Quel dommage que Maurice ait changé d'avis l'été juste avant son entrée au Grand Séminaire, après avoir rencontré… cette fille dans un restaurant.

Justine jeta un regard en direction de Marie-Andrée, assise dans un fauteuil un peu à l'écart, un ouvrage scolaire entre les mains. C'était sa façon à elle de s'évader du malaise ambiant. Maintenant, elle ne perdrait plus un mot de la conversation.

— C'est un coup de chance, au contraire, assura sœur Saint-Gérard. Au lieu de faire un mauvais prêtre, il a fait un excellent mari.

— Comparée à la vocation sacerdotale… aucune femme ne mérite que l'on se détourne de Dieu.

La phrase se termina sur un ricanement exprimant très bien son opinion sur les félicités conjugales.

— Je me demande comment il a pu faillir à surmonter son besoin de…

La présence de l'adolescente la força à s'arrêter. Le sujet des hommes et de leurs besoins l'amenait à utiliser tout un arsenal de gros mots.

— Nous autres, on a réussi, pourquoi pas lui ?

Cette fois, ce fut au tour du vieux monsieur Berger de tressaillir. La victoire avait été plus facile pour elle que pour lui.

⬩

Deux fois encore, le prêtre avait rempli les verres. Le Rémy Martin grisait un peu les deux frères, au point d'émousser leur réserve. Après l'évocation des changements à venir dans le système d'éducation, Adrien revint à leur échange précédent.

— Ann… Elle doit beaucoup te manquer.

— Terriblement. Il ne s'agit pas de la même douleur qu'il y a quatre ans, mais l'impression de vide reste intacte. Certains matins, au moment de me réveiller, je cherche son corps à côté, avec ma main. Je suis devant la télévision et, du coin de l'œil, je pense la voir passer dans le couloir. Ou alors, pendant un bref instant, je m'imagine qu'elle va m'ouvrir la porte au retour de l'école.

Maurice s'arrêta avant que sa voix ne se rompe à cause de l'émotion. Il lui fallut prendre quelques grandes respirations afin de poursuivre :

— Au début, je croyais que je devenais fou. Maintenant… Je vais te scandaliser sans doute, mais je pense à elle comme à un bon ange.

— Pourquoi cela me scandaliserait ? Si tu le ressens vraiment, alors c'est ton bon ange, qu'une vie après la mort existe ou non.

Le doute – non, cela ressemblait plutôt à la perte de la foi – mit Maurice très mal à l'aise. Adrien continua :

— Au moins, tu as eu la chance de l'avoir avec toi pendant vingt ans, ou presque. Ça te donne toute une provision de souvenirs agréables, sans compter la présence de Marie-Andrée.

— Si la petite n'avait pas été là, je me demande comment je me serais tiré d'affaire. Je devais faire un effort pour continuer à vivre, afin de ne pas l'abandonner. Mon existence s'est organisée autour d'elle.

— Moi, je n'ai personne. J'ai vécu seul avec ma vieille ménagère jusqu'à maintenant. Rien ne changera vraiment, je terminerai mes jours dans une maison de retraite auprès de vieux curés radoteurs qui ne sont rien pour moi.

Le professeur leva les yeux vers son frère, surpris, dérouté même par l'expression d'un doute. Jusque-là, il avait vu chez son cadet une grande fermeté de caractère, une capacité de s'élever au-dessus des exigences de la chair pour offrir sa vie à Dieu. Entendre ce ton dépité le laissait inquiet, comme si ses certitudes étaient ébranlées aussi.

Il s'abstint tout à fait de l'inciter à plus de confidences.

— Penses-tu à te remarier ? reprit l'ecclésiastique après une pause.

— Je ne peux pas faire ça à Marie-Andrée.

Son frère haussa les sourcils, un peu surpris.

— Tu ne dois pas croire toutes ces histoires sur les rapports difficiles entre les nouvelles épouses et les enfants du premier lit. La plupart du temps, cette nouvelle présence féminine s'avère positive.

Adrien s'arrêta, puis remarqua avec un sourire en coin :

— Ne serait-ce que pour lui apprendre les choses de la vie.

Le rappel de son insuffisance à ce sujet agaça Maurice.

— Je ne me remarierai pas simplement pour que quelques informations passent de l'une à l'autre. Tu me disais tout à l'heure que ce livre ferait l'affaire.

— Pour ton désir d'une présence féminine, comment fais-tu ? Avoir une fille ne remplace pas une compagne.

— Marie-Andrée se sentirait abandonnée si je me consacrais à une autre femme…

— Sans compter tes besoins les plus pressants.

« Espère-t-il m'entendre parler de prostituées ou du plaisir solitaire ? » se demanda l'homme, de plus en plus mal à l'aise. Il avait l'impression que son frère connaissait ses désirs inassouvis, qui lui valaient de plus en plus de nuits blanches. Comment s'en surprendre, après toutes ces années à entendre des confessions ? Sa profession lui donnait un accès privilégié aux désirs, licites ou non, de ses semblables.

— Je m'en passe.

— Comme elle ira demeurer à Montréal en septembre prochain, sa présence ne sera plus un obstacle.

Voyant le malaise de Maurice s'accroître, le prêtre lui adressa son meilleur sourire, puis il se leva en affichant un air de fausse gaieté.

— Si nous n'allons pas les rejoindre, maman imaginera une longue confession.

Au fond, il s'agissait bien de cela. Sauf que cette fois, les confidences étaient allées dans les deux sens.

❖

Madame Berger jeta un regard sévère sur ses deux fils. Pas un moment elle ne douta de leur consommation d'alcool. Heureusement, il ne s'agissait pas d'un péché d'habitude dans leur cas. Mais pourquoi était-ce nécessaire lors des entretiens entre frères ?

Pendant quelques minutes, les conversations se poursuivirent dans le salon, un peu empruntées. Les projets pour l'été à venir se résumaient à peu de chose : chacun continuerait ses activités. Dans le cas de Maurice et de sa fille, les grandes vacances leur apporteraient plus d'ennui que de rencontres plaisantes.

Vers quatre heures, tous se rassemblèrent dans l'entrée, gênés. Les épanchements ne leur étaient guère familiers, la mère leur avait appris à garder leurs distances. Dans le cas des deux frères, et aussi avec le père, il y avait les poignées de main.

Bientôt, les deux garçons furent devant madame Berger.

— Alors, bonne route, maman, dit Maurice. Nous nous verrons dans deux semaines.

— Bon retour à vous aussi. Marie-Andrée, continue à bien étudier, pour que nous soyons tous fiers de toi.

Même l'adolescente n'osait pas esquisser le geste de lui donner une bise. Déjà, enfant, ces marques d'affection pour sa grand-mère ne lui venaient pas, et Perpétue n'en prenait pas l'initiative. Son attitude amenait à penser que tous les gestes de tendresse s'avéraient suspects, sales même.

— Au revoir, grand-maman.

Plus de chaleur passait entre les garçons et leur petite sœur. Ceux-là échangèrent des étreintes avec entrain.

— Justine, quand tes malades te laisseront une minute, fais-moi signe, proposa Maurice. Tu pourrais venir manger à la maison.

— Entendu.

Sœur Saint-Gérard prit ensuite sa nièce dans ses bras.

— Et toi, ma belle, bonne chance pour tes examens de fin d'année. Je suis certaine que les enfants seront heureux de t'avoir comme maîtresse d'école.

— Merci. À bientôt.

Avec cette tante, l'habit religieux surtout lui enlevait sa spontanéité. Le « ma sœur » faisait obstacle au « ma tante ». Il ne leur restait plus que ces salutations maladroites.

❈

Quand le père et la fille furent installés dans la Volkswagen, la radio se mit en marche au démarrage, leur faisant entendre :

Donne-moi ta bouche,
Voyons n'aie pas peur de moi…

Maurice tendit la main pour éteindre l'appareil.

— Non, laisse.

Deux minutes quarante-neuf secondes, le temps de la chanson, valaient parfois une éternité. Le père roula un moment sans mot dire.

— Tu aimes vraiment cela ?

— C'est amusant. Le connais-tu ? Il s'agit de Pierre Lalonde, l'un des animateurs de *Jeunesse d'aujourd'hui*.

— Bien sûr. Pour qui me prends-tu?

— Peux-tu me chanter l'un de ses succès, à part ce que tu viens d'entendre?

Le professeur se troubla devant le défi, chercha des yeux un technicien de l'émission *Les insolences d'une caméra*, soupçonnant un piège. À la fin il se risqua:

Nous on est dans le vent…

Marie-Andrée laissa fuser un rire joyeux. Après cette rencontre familiale, se détendre lui faisait du bien.

Maurice lui dit d'un ton conciliant:

— Ces dimanches doivent être une torture pour toi.

— Pas du tout. J'aime rencontrer mes grands-parents.

— Je vois ton nez allonger.

La référence à Pinocchio la fit sourire. Peu certain de ses réflexes à cause du Rémy Martin, le professeur conduisait très lentement et la transmission gémit lors d'un changement de vitesse. Après ces quelques verres, la prudence aurait voulu qu'il attende pour partir, mais à vingt milles à l'heure dans des rues désertes, rien de grave ne pouvait survenir. Les policiers ne risquaient pas d'embêter un citoyen pour si peu.

— Ce sont tout de même mes grands-parents. La famille.

L'adolescente jeta un regard en biais à son père, jaugeant son humeur.

— Voilà pourquoi je vais les voir toutes les deux semaines, admit celui-ci. Même moi qui ai l'habitude, je les trouve quand même pénibles. Très pénibles.

Marie-Andrée ne souhaita pas le contredire. Un autre sujet la préoccupait.

— Grand-maman disait qu'à mon âge, tu désirais devenir prêtre, toi aussi.

— Oui… Plus précisément, elle le désirait pour nous deux.

— Pas toi?

Maurice Berger demeura un moment songeur.

— Pendant huit ans, tout au long de mon cours classique, mes professeurs m'ont expliqué qu'il s'agissait de la meilleure carrière possible: un emploi à vie, le respect de tous et le paradis à la fin de mes jours.

— Les vieilles religieuses racontent la même chose au couvent. Pas les plus jeunes, toutefois.

— Prêtre, c'est comme religieuse, mais en mieux. Dans une paroisse, le curé règne comme un monarque absolu.

La plus belle des carrières, avec l'admiration des paroissiens, la protection divine et la certitude d'échapper au péché… Maurice se découvrait cynique, une attitude dans l'air du temps. «Je dois être de plus en plus dans le vent», songea-t-il.

— Grand-maman disait que tu as abandonné ta vocation quand tu as rencontré maman.

L'homme s'engageait déjà dans la rue Couillard. Il se stationna un peu de travers sur le côté de la maison.

— Ma mère réécrit mon histoire à sa guise. J'ai pensé à entrer en religion comme tous mes camarades à un moment ou l'autre du cours classique, mais à la fin de mes études, je n'y pensais plus.

— Comment maman et toi vous êtes-vous connus?

Cette histoire, Marie-Andrée la connaissait bien pour l'avoir entendue de la part de sa mère. Enfant, elle l'appréciait plus que n'importe quel conte. Quant à la version de son père, elle souhaitait l'apprendre depuis longtemps.

— Elle rendait visite à son oncle qui habite en ville, et moi, je faisais des hamburgers Chez Ben.

Il enseignait déjà à cette époque, mais pour un salaire si médiocre qu'il le complétait en travaillant l'été dans un restaurant.

— Comme tu vois, j'étais déjà bien loin du Grand Séminaire. Quand je lui ai demandé "Voulez-vous des oignons ?", je voulais dire : "Voulez-vous m'épouser ?" Dès le premier instant, j'ai souhaité faire d'elle ma femme. Aussi, à l'endos de l'addition, je lui ai fixé un rendez-vous au parc à la fin de mon horaire de travail. Tu imagines ? Moi qui suis timide au point de vouloir parfois me confondre avec le papier peint des murs.

Cette petite audace témoignait de la puissance de son coup de cœur. Ou de ses sens.

— Y était-elle ?

— Dans le cas contraire, tu ne serais pas là pour en discuter avec moi.

Il se tourna à demi pour voir le visage de sa fille. Comme elle ressemblait à Ann, ainsi plongée dans ses pensées.

— Je me sens un peu honteux, tu sais.

Sans ses trois verres de brandy dans le nez, jamais le professeur n'aurait osé aborder le sujet de cette façon. Avant de voir sa fille protester, il enchaîna très vite :

— Au sujet de cette histoire de livre… Je devrais être capable de répondre à tes questions, mais…

— Ça ne fait rien. Je comprends. Maintenant, si nous n'entrons pas dans la maison, les voisins vont penser que tu me passes tout un savon.

Maurice éteignit le moteur tout en acquiesçant d'un signe de la tête. En arrivant devant la porte, il murmura :

— Tu sais, je t'aime beaucoup, même si je ne te le dis pas souvent.

— Je le sais. Tout de même, cela fait du bien de l'entendre.

Après le départ de Maurice et de sa fille, Adrien offrit d'accompagner Justine à l'hôpital. La mère s'attarda encore au presbytère, afin d'aider la ménagère à nettoyer la cuisine. Ernest retrouva un bon fauteuil dans le salon et une pile de journaux posés tout près. Après une trentaine de minutes à faire sentir à la domestique qu'elle était tout à fait incompétente, la vieille femme se montra disposée à rentrer chez elle sans attendre le retour du curé. En soirée, elle lui téléphonerait pour le remercier.

Au moment de démarrer, le vieil homme remarqua :

— T'avais pas à dire ça à la p'tite.

Sa femme ne desserra pas les mâchoires.

— Toute ton histoire sur la sœur Sourire ! Maurice l'a emmenée voir un film avec de la musique, il ne l'a pas traînée dans un mauvais lieu.

De nouveau, le silence pesa, puis Perpétue débita d'une voix impatiente :

— Te v'là rendu un expert de l'éducation, maintenant ?

Ernest savait repérer les signes d'un orage imminent. Il laissa échapper un soupir las.

— Pour les mauvais lieux, par exemple, ça, tu connais.

L'accusation ne le fit pas sursauter, il ne l'entendait pas pour la première fois. Bientôt, la voiture du vieux commerçant s'arrêtait devant sa demeure.

— Descends. Je vais me rendre chez les Chevaliers.

— Tes fameux Chevaliers de Colomb. Tu vas être le premier arrivé, d'habitude tu pars après cinq heures.

— D'habitude, je suis moins en crisse.

— Vas-y, tes confrères vont te remettre de bonne humeur.

L'ironie marquait le ton. Ou peut-être une simple haine, si ancienne que les éclats de voix avaient disparu, pour ne laisser que des mots usuels, mais tout de même aiguisés comme des couteaux. Perpétue Berger ouvrit la portière, descendit et la claqua avec toute la force dont elle était capable. Ernest se remit en route en murmurant un «Baptême» entre ses dents.

Chapitre 5

En arrivant à l'école le lundi matin, Maurice Berger se sentait incommodé. Son algarade du vendredi précédent laissait des traces. Dès son entrée dans le salon des professeurs, le regard noir de Fernand Labonté se fixa sur lui pour ne plus le quitter.

— Ce ne serait pas le moment d'aller tous ensemble prendre une bière après le travail, murmura-t-il à son collègue Trottier en se versant un café.

— À moins que tu ne souhaites mettre de la mort-aux-rats dans son verre ou que lui le fasse... Regarde sa tête d'assassin.

L'humour n'y pouvait rien, l'inquiétude de Maurice monta d'un cran.

— Tu crois que ça me vaudra des ennuis?

Trottier haussa les épaules pour indiquer son ignorance, mais il précisa tout de même :

— Son genre bruyant et vulgaire ne lui attire pas que des amis. Des clans se forment, tu as tes partisans, lui les siens.

Les plus jeunes membres du personnel se regroupaient d'un côté de la pièce, les plus âgés, ceux qui avaient travaillé au collège alors qu'il s'agissait encore d'une institution privée, de l'autre. Quand la cloche sonna le début des cours, tout le monde fut heureux de quitter cette atmosphère tendue.

Maurice retrouva ses élèves avec des sentiments mitigés. Fin mars, la routine commençait à lui peser, il rêvait du jour de la remise des prix. En août prochain, ces jeunes lui manqueraient pourtant.

Un peu avant midi, une jolie tête blonde se profila dans la petite fenêtre rectangulaire de la porte. Les élèves furent évidemment les premiers à la remarquer. Suivant les regards orientés dans cette direction, le professeur l'aperçut à son tour.

— Mademoiselle, avez-vous affaire à moi ?

Il s'agissait de Renée, la secrétaire du directeur.

— Oui. Frère Pacôme souhaiterait vous dire un mot quand vous aurez terminé.

— Entendu, je passerai par son bureau.

Une demi-heure plus tard, Maurice se dirigea vers le local de la direction avec la désagréable sensation d'être un gamin pris en faute. La secrétaire devait être allée dîner, mais la porte de l'antre du patron demeurait grande ouverte. Il y passa la tête.

— Vous voulez me parler, frère Pacôme ?

Le religieux leva les yeux d'un dossier.

— Oui, Maurice. Ferme derrière toi et viens t'asseoir.

Ce souci de discrétion indiquait bien qu'il s'agissait d'une rencontre disciplinaire. Il obtempéra.

— Tu sais pourquoi j'ai demandé à te voir ?

Le professeur n'entendait pas lui faciliter la tâche. Il se contenta de hausser les épaules.

— Labonté est passé ici ce matin. Pour se plaindre.

De nouveau, le silence lui répondit.

— Tu l'aurais traité de cochon.

— L'échange a tout de même été un peu plus élaboré que ça, avec des mots grossiers de part et d'autre, mais oui, il s'agit d'une façon exacte de présenter les faits.

Maurice Berger ne souhaitait pas se justifier. Toutefois, la situation n'était pas sans l'inquiéter. Perdre son emploi le mettrait dans une position difficile.

— J'ai aussi reçu la visite d'Émile Trottier, ajouta le directeur. Voilà un ami sur lequel tu peux compter.

Cette intervention lui fit chaud au cœur. Les alliés n'étaient pas nombreux sur sa route. Au cours des quatre dernières années, il avait refermé sa coquille sur lui-même.

— Je suppose que Labonté peut compter sur un appui semblable de la part de Caron !

Le religieux hocha la tête. En effet, en allant se plaindre, le jeune homme l'avait assuré que son collègue confirmerait ses dires.

— À mon avis, des excuses réciproques, suivies d'une poignée de main virile, permettraient de tirer un trait sur cette histoire.

Cependant, le directeur ne pensait pas qu'on en arriverait là.

— C'est la proposition de Labonté ?

— Non, c'est la mienne.

— Si mon jeune ami prend l'initiative, je ferai preuve de charité chrétienne et lui accorderai mon pardon.

Comme le frère Pacôme haussait les sourcils, surpris, Maurice déclara avec un sourire contraint :

— Je sais, je suis magnanime.

Finalement, le frère de l'instruction chrétienne rit franchement.

— D'autres qualificatifs me viennent en tête, mais oui, à d'autres moments de notre vie professionnelle, j'ai constaté ta magnanimité.

Ils étaient collègues depuis 1944. À cette époque, le religieux avait trente ans et assez d'expérience pour aider un débutant lors de sa première année dans l'enseignement.

L'obtention de bonnes notes à l'examen couronnant son cours classique n'avait pas préparé Maurice à faire face à une quarantaine de garçons entamant leur année d'Éléments latins.

— Ça peut me conduire où, cette histoire ?

Dans le pire des cas, ce ne serait tout de même pas la ruine. En 1967, les emplois dans l'enseignement abondaient à cause de la croissance de la clientèle. Cependant, l'idée de tout recommencer ailleurs ne lui disait rien.

— Vous allez vous faire la gueule jusqu'à la fin de l'année scolaire, il se plaindra peut-être à son syndicat, tu pourras faire la même chose.

— Nous avons le même.

— Ce qui montre bien le ridicule de la situation. Je vais t'adresser une lettre de réprimande, tu n'es pas obligé de la lire.

Toutefois, elle resterait à son dossier. Cela pourrait nuire à ses projets d'avenir. Maurice choisit de ne plus y penser.

— Je peux y aller ?

Tout en poussant un soupir devant cette querelle qui lui semblait puérile, le religieux l'y autorisa d'un geste de la main. Parfois, appliquer la discipline entre les adultes lui paraissait plus difficile qu'entre les élèves.

Le couvent Sainte-Madeleine recevait quelques centaines de jeunes filles âgées de douze à dix-huit ans. Toutes portaient une veste bleue et une jupe à carreaux descendant au moins un pouce sous le genou. Plusieurs élèves avaient subi un mesurage en règle de la part des religieuses. Le tout était de savoir si c'était un pouce à partir du milieu, du haut ou du bas de la rotule. Les négociations n'étaient pas encore conclues à ce sujet.

À l'heure du dîner, Marie-Andrée achetait son repas à la cafétéria. De nombreuses écolières apportaient plutôt leur lunch de la maison pour réaliser des économies. Quand elle posa son plateau sur la table, ses yeux bifurquèrent machinalement vers une autre section de la grande salle. L'élève aperçue au cinéma le samedi précédent dans une position compromettante, avec une main masculine entre ses jambes, discutait avec une religieuse.

— Tu connais cette fille, là-bas ?

Denise Marois occupait la place en face de la sienne. Elle regarda dans la direction indiquée, puis commenta :

— Elle est inscrite en Méthode, une première de classe. Je ne sais pas son nom. Tu la vois en train de lécher, cette pisseuse ? Ses bonnes notes, elle sait comment les obtenir.

Marie-Andrée eut un sourire amusé. Sage le jour, audacieuse le soir au point d'aller voir un film recommandable pour y retrouver un amoureux. Fallait-il l'envier ?

— Pourquoi me demandes-tu ça ?

— Je l'ai croisée au cinéma samedi. Son visage me disait quelque chose.

— Pour voir *Sœur Sourire* ? Voilà un film parfait pour elle.

Ainsi, entre être et paraître, il y avait parfois un monde. Denise s'intéressa un moment à son repas, puis dit encore :

— Tu connais les Musicorama ?

— C'est une espèce de caravane avec des groupes yé-yé, non ? Une station de radio de Montréal organise ce genre de cirque pendant l'été.

— Il s'agit de CJMS. Ils viendront ici bientôt. Tu voudras m'accompagner ?

— Quand ça ?

— Au mois d'août.

Marie-Andrée laissa échapper un rire amusé.

— Nous sommes en mars.

— Ça te laisse seulement cinq mois pour apprendre à danser.

Ce rappel de sa réalité la ramena tout de suite au sérieux. S'imaginer gesticulant dans une grande salle, sous les yeux de centaines de jeunes de son âge, la pétrifiait.

— Je n'ai aucune envie d'aller dans ce genre d'endroit. J'aurais l'air d'une idiote.

— Samedi prochain, viens chez moi, nous regarderons *Jeunesse d'aujourd'hui.* Tu vas voir, à moins d'avoir les deux jambes dans le plâtre, tu pourras apprendre.

Il ne servirait à rien de protester, Denise était certaine de savoir ce qui convenait le mieux pour toutes les deux.

❖

Pendant toute l'heure du lunch, les deux générations d'enseignants se regardèrent en chiens de faïence. La tension finissait par gâcher l'appétit de chacun. Dans les circonstances, le retour en classe apparut comme une bénédiction. Les choses se tasseraient sans doute dans quelques jours ; d'ici là, personne ne s'attarderait au salon des professeurs en fin de journée pour des conversations amicales.

Un peu avant cinq heures, Maurice s'y trouva seul avec Émile au moment de reprendre son manteau.

— Je te remercie, dit le premier en enfilant le sien.

Comme son collègue feignait de ne rien comprendre, il précisa :

— Au sujet de ta visite au patron. Tu lui as fait un compte rendu des événements de vendredi dernier, à ce qu'il paraît.

— Je savais que tu n'expliquerais rien, il fallait bien que quelqu'un le fasse pour toi.

— Alors, merci.

Ils sortirent ensemble. Dehors, Émile se tourna vers son ami pour dire :

— J'aimerais que tu viennes manger à la maison, samedi prochain.

Maurice se troubla. Ils se connaissaient depuis vingt ans, mais jamais ils ne s'étaient vus en tête-à-tête à l'extérieur de l'école. Les Frères de l'instruction chrétienne ne se distinguaient pas des autres congrégations, ils ne permettaient pas davantage à leurs membres d'avoir une vie sociale.

Son hésitation se prolongea assez longtemps pour amener Trottier à ajouter avec dépit :

— Cela dure depuis que j'ai quitté la congrégation, et c'est la même chose pour Jeanne. Même nos parents hésitent à venir nous rendre visite à la maison. Depuis un an, seuls des livreurs sont entrés dans l'appartement.

— Que vas-tu penser là ?

Sa voix manquait un peu de conviction. Cinq ans plus tôt, il n'aurait pas fréquenté un défroqué. Sa propre réputation en aurait été entachée. Cependant, en 1962, jamais Émile n'aurait quitté les Frères de l'instruction chrétienne. La grande débâcle avait commencé un peu plus tard.

Le voyant affligé, Maurice ajouta très vite :

— Il ne s'agit vraiment pas de cela. L'idée de laisser Marie-Andrée seule à la maison me déplaît. Ce n'est jamais arrivé depuis…

« Depuis la mort de sa femme », compléta mentalement Émile. Même à l'école, on connaissait leur relation exclusive.

— Je comprends, mais tôt ou tard, tu devras la laisser suivre son chemin.

Maurice hocha la tête pour admettre cette évidence. Cette éventualité l'angoissait toutefois.

— Samedi prochain, emmène-la avec toi si tu t'inquiètes tellement.

— Non, non. Tu as raison. Je suis en train de gâcher sa vie en la tenant en laisse. Je serai là.

De grandes révélations surgissaient parfois ainsi, comme pour saint Paul sur le chemin de Damas. Si son attitude devait changer, autant commencer tout de suite.

— Veux-tu que j'apporte quelque chose ?

— Seulement ta présence. Alors, bonne soirée.

Ils échangèrent une poignée de main, puis se séparèrent devant l'école.

⬧

À cette période de l'année, les journées allongeaient. Marie-Andrée marchait d'un pas vif dans la rue Principale. On y trouvait une petite librairie qui demeurait ouverte jusqu'à six heures. Lorsqu'elle y entra, tout de suite l'affluence la rebuta, au point de lui donner envie de tourner les talons. Des hommes s'arrêtaient sur le chemin du retour à la maison pour acheter un magazine ou un journal. Les quelques femmes dans le lot s'intéressaient plutôt aux romans-photos.

La jeune fille parcourut d'abord le petit commerce des yeux. Aucune affiche ne l'informait sur le classement des livres. Elle n'aurait d'autre choix que de regarder tous les rayons.

— Je peux vous aider, mademoiselle ? proposa le marchand, debout derrière sa caisse enregistreuse.

— Non merci. Je regarde seulement.

Le libraire lui adressa un regard méfiant. Un livre se glissait très bien sous un manteau et il ne pourrait la fouiller. Il n'oserait même pas lui demander de lui montrer le contenu de son sac d'école. Pourtant, son air timide ne le trompait pas. On voyait des délinquantes avec un visage d'ange, dans les films.

L'étudiante lisait les titres au dos des livres. Les thèmes religieux occupaient encore pas mal de place, mais ils cédaient maintenant en importance aux romans. Puis venaient les livres utiles, expliquant comment se faire un ami ou coudre un bouton. Marie-Andrée se sentait maladroite dans tellement de domaines qu'elle eut envie d'acheter tout le rayon.

Dans la section santé, elle repéra les ouvrages susceptibles de l'intéresser. Des exemplaires des livres à succès étaient posés à plat, afin d'en montrer les couvertures. *La sexualité expliquée aux enfants,* d'une dame Cholette-Pérusse, l'attira d'abord, mais après avoir lu quelques lignes, elle estima le contenu trop élémentaire. À côté, se trouvait *L'adolescent veut savoir.* Avec davantage d'argent dans ses poches, elle l'aurait acheté aussi. La version féminine devrait combler seule son appétit de connaissance.

Ensuite, la curiosité l'amena à prendre *La mariée veut savoir* pour lire la quatrième de couverture. Il s'agissait manifestement de la suite de l'ouvrage qu'elle avait glissé sous son bras, écrite aussi par le docteur Gendron. Juste à côté se trouvait *Le mariage parfait,* de Van de Velde. Parcourant la table des matières, la jeune fille fut rebutée par des titres de section trop explicites.

Prendre le petit volume demeurait le plus facile, même si montrer à ces gens son intérêt pour la sexualité la gênait terriblement. Comme on lui avait bien enseigné la honte de s'informer sur ces sujets! Dans la file d'attente, elle tint son livre avec la couverture tournée vers le sol. Elle passa à la caisse juste après un homme exhibant de longs poils dans les oreilles, venu acheter le *Bulletin des agriculteurs.* La jeune cliente posa le livre à l'envers. Le dos de l'ouvrage présentait la photo de l'auteur, un homme portant des lunettes avec de grosses montures.

— Ah! Le fameux docteur Gendron. Vous avez bien pris le bon?

Le libraire retourna le livre pour déclarer:

— Oui, *L'adolescente veut savoir*.

Une demi-douzaine de personnes occupaient encore le commerce. Marie-Andrée éprouva le même sentiment que si on l'avait surprise à commettre un mauvais coup. Elle posa l'argent sur le comptoir et fit oui d'un geste de la tête quand le commerçant lui offrit de glisser le petit volume dans une enveloppe de papier brun.

✖

Dehors, la jeune fille accéléra le pas, puis s'arrêta au coin de la rue suivante pour glisser le livre dans son sac d'école. L'éclairage venu d'une grande fenêtre lui permettait de voir comme en plein jour. À l'intérieur, elle remarqua les yeux d'une adolescente fixés sur elle. Une camarade du couvent était assise sur une banquette du restaurant Chez Henri.

Les gens tendaient à oublier cette raison sociale pour parler plutôt du «restaurant du coin». Ces lieux de rencontre pour la jeunesse parsemaient l'Amérique. À cette heure, tout comme en soirée, la clientèle devait avoir seize ans en moyenne, peut-être moins. Sous prétexte de manger quelques frites et de boire un soda, ces adolescents faisaient connaissance.

Marie-Andrée se sentit rougir. Heureusement, grâce à l'enveloppe de papier, cette camarade n'avait pu reconnaître l'ouvrage acheté quelques minutes auparavant. Elle la salua, l'autre écolière l'invita à venir la rejoindre. Un refus ressemblerait trop à une fuite, aussi Marie-Andrée passa la porte pour venir s'asseoir sur la banquette en face d'elle.

— On ne te voit jamais ici.

— Ce n'est pas vraiment sur mon chemin. Ce soir, je devais passer à la librairie.

Tout de suite, l'adolescente craignit de se voir demander : « Pour acheter quoi ? » Aussi, elle ajouta très vite :

— Quand même, je suis venue à quelques reprises.

C'était des années plus tôt, alors que sa mère lui offrait un hot-dog et un Coke pour la récompenser d'un bon résultat scolaire. Elle reconnaissait l'endroit : un long comptoir devant lequel se dressaient des tabourets, puis contre le mur opposé un alignement de banquettes. Certaines donnaient sur la grande vitrine du commerce, bien exposées à la vue des passants.

Au fond, un juke-box permettait d'entendre les derniers succès à la mode, ou parfois de plus anciens. Une jolie blonde, sans doute bien nostalgique, glissait sa pièce afin d'entendre trois chansons. La voix de Françoise Hardy commença :

Tous les garçons et les filles de mon âge
se promènent dans les rues deux par deux

Il s'agissait d'un disque connu, sorti en 1962. Marie-Andrée pensa que les paroles de la chanson s'appliquaient parfaitement à elle. Ce sentiment de solitude récent obéissait sans doute au tourbillon de ses hormones. Encore un peu et elle verrait dans ces mots le récit de toute sa vie, comme si être isolée à dix-sept ans la destinait au célibat perpétuel.

— Moi, je suis là assez souvent. D'habitude, Jocelyn vient me rejoindre. Je me demande où il est.

À son grand désarroi, cette camarade se considérait soudain comme revenue dans les rangs des délaissées. Marie-Andrée estimait toutefois être la plus malheureuse des deux, car elle n'attendait personne.

Bon, bien sûr, elle recevait toute l'affection possible de son père, mais ça ne comptait pas vraiment. La chanson parlait de tout autre chose. Bonne fille, elle dit :

— Il peut avoir été retenu. Il va à l'école Saint-Joseph ?

Son père travaillait là. Elle risquait peu de se tromper, des centaines de garçons du quartier la fréquentaient.

— Oui…

Un grand sourire éclaira tout à coup le visage de l'écolière. Un visage un peu boutonneux s'approchait de la vitre.

— Ah ! Le voilà enfin.

— Tu vois, j'avais raison. Je vais vous laisser. Bonne soirée.

Au moment où Marie-Andrée croisa ce Jocelyn tant attendu en quittant les lieux, ses yeux s'humectèrent. Quand serait-ce son tour ? Dans une école où l'on n'admettait que des filles, avec un personnel exclusivement féminin, et pour la majorité composé de religieuses, elle avait bien peu de chances de rencontrer le propriétaire de ces yeux ou de cette main évoqués par Françoise Hardy.

« Comment font les autres ? » se demanda-t-elle en reprenant le chemin de la maison. La réponse était simple : ils ne se terraient pas chez eux, mais sortaient afin de se rendre disponibles pour les rencontres.

⬖

Dix minutes plus tard, elle arrivait dans la rue Couillard. La voiture stationnée près de la maison lui indiqua que son père était déjà rentré de l'école. En enlevant son manteau, elle cria depuis l'entrée :

— Bonsoir, papa !

— Bonsoir. Viens m'embrasser, je suis dans la cuisine.

La jeune fille s'exécuta de bonne grâce, puis annonça :

— Je vais enlever ce costume. Le porter dix heures par jour, c'est bien assez. Réalises-tu que j'en porte un tous les jours de l'année scolaire depuis onze ans ?

— Ce ne sera plus nécessaire à l'école normale.

— Tant mieux.

Alors qu'elle faisait mine de se diriger vers sa chambre, il lui demanda :

— As-tu pu acheter ce livre ?

Après un moment, elle répondit :

— Oui, comme nous avions convenu.

— J'aimerais que tu me permettes de le lire.

« Voilà qu'il tient à en vérifier le contenu, pour l'expurger de certaines phrases », songea Marie-Andrée. Ce genre de chose lui était familier. Au couvent, les religieuses se donnaient la peine de couvrir certaines définitions du dictionnaire avec du ruban gommé.

— Quand tu en auras terminé, bien sûr. Comme il n'existe pas de guide pour les pères devenus veufs, ce sera mieux que rien si… tu veux aborder certains sujets.

Touchée, cette fois elle donna son assentiment d'un hochement de la tête. Compte tenu de la pudeur de son père, cette suggestion devait lui coûter. Une conversation sur des sujets intimes les mettrait affreusement mal à l'aise tous les deux.

Quand elle revint vêtue d'un pantalon et d'un vieux chandail – un peu trop petit, s'inquiéta Maurice – pour l'aider à éplucher les légumes, il demanda encore :

— Samedi prochain, pourras-tu passer la soirée seule ?

Devant son regard interrogateur, il ajouta :

— Un collègue, Émile, m'a invité à souper chez lui.

— Émile ? Il est nouveau à l'école ?

— Pas du tout. Il s'agit du frère Jérôme. Il a quitté la congrégation l'an dernier… pour se marier.

— Oh !

« Donc, songea l'adolescente, l'attirance d'une femme peut vraiment ruiner des vocations. Peut-être pas celle de papa, mais d'autres. » L'histoire de ce collègue ressemblait à la trame de certains films que son père ne la laissait jamais regarder. Elle n'arrivait même pas à concevoir une telle passion.

— Alors, pourras-tu rester seule ?

— Mais oui. Quand je garde des enfants, comment crois-tu que je fais ?

Quand elle effectuait ce travail, son père demeurait près du téléphone afin d'accourir à son secours, si nécessaire. Toutes ses inquiétudes devenaient ridicules : il ne pouvait la laisser seule, alors que des voisins lui confiaient leur progéniture.

— Toutefois, Denise m'a invitée à regarder *Jeunesse d'aujourd'hui* chez elle. Comme je serai là, sa mère me demandera sans doute de souper chez eux. Je pourrai ?

Maurice donna son accord. Au moins quelqu'un veillerait sur elle. Pour la première fois depuis quatre ans, il ne se tiendrait pas à sa disposition un samedi soir.

Chapitre 6

La chambre de Marie-Andrée gardait un côté petite fille. Elle rappelait ses douze ans. Depuis, aucun meuble nouveau, seulement une petite radio AM-FM de RCA. Devant une demande faite d'une voix posée, répétée à quelques reprises avec des arguments très raisonnables – « Tu n'aimes pas mes émissions, ni moi les tiennes... » –, son père cédait toujours. Le petit poste à transistor avait souligné ses quinze ans avec une règle incontournable : l'éteindre à une heure raisonnable. Dix heures d'abord, et plus récemment, onze. Les manquements, du moment où ils ne se répétaient pas trop souvent, lui valaient une remarque du genre : « Je suppose que tu t'es endormie sans éteindre hier, car j'entendais de la musique après minuit. »

Ce soir-là, pressée de se plonger dans sa nouvelle lecture, l'adolescente se retira dès neuf heures, tout juste après *Moi et l'autre*, une émission qu'elle ne manquait jamais le lundi. Elle syntonisa CJMS, une station de radio de Montréal, puis fit connaissance avec son nouveau livre. La couverture montrait une jeune fille de son âge aux cheveux longs et, derrière elle, trois garçons. D'entrée de jeu, le docteur Lionel Gendron mettait cartes sur table :

Je suis très heureux d'offrir ce volume à ma fille Carole, et de plus, à toutes les adolescentes qui désirent connaître, d'une part, la psychologie et la physiologie de la femme, et d'autre part, les problèmes psychosexuels auxquels elles auront à faire face.

Par une lecture attentive et intéressée, vous serez orientées vers la voie de l'amour véritable au lieu de vous acheminer vers une fausse route qui vous conduira inévitablement au malheur.

Ni photographie, ni dessin, ni schéma. Aucune de ces images si suggestives contenues dans le livre d'anatomie humaine du père de Denise. Rien que des conseils paternels. D'ailleurs, le père Marcel-Marie Desmarais, O.P., vedette ensoutanée de la radio et de la télévision, en avait rédigé la préface.

Sur les ondes de CJMS, une voix masculine annonçait :

— Voilà une chanson de la très belle Nancy Sinatra, *These Boots Are Made for Walking*. Les gars, tenez-vous-le pour dit !

Puis la chanson commença :

You keep saying you've got something for me

La chanteuse avait une jolie voix. À en juger par ses apparitions télévisées, tout était joli chez elle. Marie-Andrée parcourut la table des matières. La première partie du livre, destinée aux jeunes filles de douze à quinze ans, évoquait les modifications physiques et émotionnelles. Le thème « À quel âge, les fréquentations ? » l'inquiéta. Ce moment de sa vie, elle n'y était pas encore. Une véritable arriérée.

And now someone else is getting all your best.

Un thème récurrent : les amours déçues, trompées, qui crèvent le cœur. Pourtant, cela devait valoir mieux que pas d'amour du tout. La seconde partie, pour les quinze à dix-huit ans, abordait des questions essentielles : « La virginité et l'hymen », « Je désire rester vierge jusqu'au mariage », « Demeurer vierge n'est pas toujours facile », et finalement : « Êtes-vous une fille-mère en puissance ? » Il s'agissait là du *all your best* de la chanson.

One of these days these boots are gonna walk all over you.

— WOW ! Les gars, si vous n'êtes pas sages, votre blonde va vous piétiner.

Comme la troisième partie de l'ouvrage, consacrée aux dix-huit à vingt et un ans, ne la concernait pas encore, Marie-Andrée alla directement à la quatrième – « Le sexe anormal » – et à la cinquième – « Le sexe normal ». La première section parlait de la taille des seins. Comment diable le bon docteur faisait-il le lien entre ce sujet et la normalité ? Elle pencha la tête pour voir les siens sous le tissu de son pyjama. Pas très gros, petits même, mais Gendron ne voyait pas cela comme une tare. Plutôt, il conseillait de cesser de se questionner sur leur taille.

La suite traitait d'un sujet qui lui fit froncer les sourcils :

Qu'est ce que la masturbation ? C'est un acte sexuel qui consiste, chez l'adolescente, à exciter les organes génitaux externes, clitoris, petites lèvres et vestibule…

« Ici, songea l'adolescente, un dessin n'aurait pas été de trop. » Toutefois, l'idée d'utiliser un miroir pour explorer ces parties de son corps lui répugna. Elle se contenterait de l'image contenue dans *Human Anatomy*, dont elle gardait toutefois un souvenir approximatif.

… et j'ajouterais la muqueuse vaginale, dans le but précis d'obtenir un orgasme.

Ce plaisir intense, on l'éprouvait lors de « l'acte conjugal », mais aussi pendant des rêves érotiques, assurait le praticien, et par la masturbation.

Celle-ci n'affecte pas l'organisme ni la santé, comme on le prétend, elle n'est pas responsable non plus des boutons dans la figure, des clous ou des furoncles, et elle ne cause pas l'anémie.

« Bien des filles de l'école, et même des religieuses et des curés, devraient lire ce livre », pensa l'adolescente. Ces craintes un peu folles devaient toucher de nombreuses jeunes filles, puisque le docteur disait que seulement le quart d'entre elles se livraient à l'auto-érotisme. La peur de souffrir de ces tares rendait les autres vertueuses, à moins qu'il ne s'agisse de la haine du péché. Marie-Andrée aurait préféré que la statistique soit inversée : à ce sujet, compter dans la majorité l'aurait rassurée. Elle en arrivait à se croire une bien mauvaise fille pour être incapable de résister à ses penchants, quand la plupart y arrivaient.

Le lesbianisme et la prostitution la laissèrent indifférente, tout comme les aberrations évoquées ensuite. Le chapitre sur le sexe normal méritait une relecture plus lente. Marie-Andrée s'y absorbait depuis quelques minutes quand l'annonceur de la radio déclara :

— Voilà une chanson plutôt… Enfin, sauf s'ils sont très naïfs, ne la faites pas écouter à vos parents. Les paroles et la musique sont de Serge Gainsbourg. Quant à la chanteuse, on la connaît à cause de *Charlemagne*, le fameux inventeur de l'école. Alors, mesdemoiselles les écolières, voici pour vous !

Annie aime les sucettes.

Il y avait là un sous-entendu, Marie-Andrée le savait. La voix gouailleuse de l'animateur le lui avait signifié. Toutes les pages du livre déjà parcourues ne lui permettaient pas de le comprendre, toutefois.

Lorsqu'elle n'a sur la langue que le petit bâton

Que se cachait-il exactement sous des paroles aussi enfantines ? Soucieux de ne pas heurter la sensibilité des censeurs, le docteur Gendron ne se révélait pas toujours explicite. Marie-Andrée décida de parcourir chacune des 172 pages du livre d'une manière plus attentive, pour tirer cela au clair. Il lui faudrait la nuit.

Comme l'heure passait, l'adolescente usa d'une ruse pour échapper à la censure paternelle. Elle possédait une lampe de table. En faisant attention à l'excès de chaleur susceptible de mettre le feu, il était possible de la placer sous les couvertures. Jamais son père n'entrait dans sa chambre sans frapper au préalable, cela lui permettrait de tout replacer avant de lui ouvrir.

Puis, si cette relecture ne suffisait pas, elle parcourrait l'ouvrage encore et encore. Être une bonne élève demandait de la ténacité.

Le vendredi suivant, les élèves de la paroisse, garçons et filles, passèrent l'après-midi à l'église en affichant des mines recueillies, attristées même, comme il convenait pour la perte d'un être cher, celle de Jésus. En ce Vendredi saint, chacun sacrifiait à la tradition.

99

Dans un banc d'une aile latérale, la classe de Versification des religieuses des Saints-Noms-de-Jésus-et-de-Marie affectait la plus grande piété. En réalité, l'attention de la plupart portait sur l'effectif du collège de garçons situé tout près du leur.

— Il s'agit bien de ton père, là ? demanda Denise.

— Oui, avec ses élèves. Tu imagines, si nous avions des classes mixtes, nous pourrions l'avoir comme professeur.

« Heureusement, ce n'est pas le cas, songea son amie. Il réussit à paraître plus sévère encore que les pisseuses. » Toutefois, la perspective de partager le même local que des garçons de son âge lui ferait sans doute accepter bien des rigueurs scolaires.

— Certains sont mignons comme tout. Tu vois celui qui a des petites lunettes comme John Lennon ? Il porte ses cheveux sur son col. Ça m'étonne que les frères le laissent faire.

— C'est une école publique maintenant. Ils ne peuvent plus être aussi durs qu'avant.

Tout de même, le blazer et le pantalon gris continuaient de prévaloir.

— Regarde, il y a de jeunes professeurs dans le lot. Celui-là, j'aimerais sortir avec.

Si Fernand Labonté l'avait entendue, il se serait certainement réjoui de savoir qu'une jeune vierge accepterait de se soumettre à ses doigts curieux.

— Celui avec les cheveux longs, risqua Marie-Andrée, tu ne trouves pas qu'il ressemble à Bruce Huard ?

Le chanteur du groupe Les Sultans faisait suffisamment de premières pages et on le voyait assez souvent à la télévision pour que toutes les jeunes filles de la province connaissent ses traits.

— Tu dis ça à cause des cheveux, mais les lèvres sont bien différentes. Bruce doit tellement bien embrasser !

Denise esquissa le geste d'offrir un baiser.

— Mesdemoiselles, les gronda une religieuse avec toute l'autorité dont elle était capable sans se faire entendre dans toute l'église, notre Seigneur Jésus-Christ se trouve sur la croix, et vous vous livrez à ces insanités !

Ce garde-chiourme se tenait trois bancs derrière le leur. Une seule réponse demeurait possible :

— Je vous demande pardon, ma sœur.

Si le visage de l'adolescente se montrait suffisamment contrit, elle échapperait peut-être à la copie de cinq pages du dictionnaire *Larousse*. Cette punition remplaçait souvent les retenues et les visites au bureau de la directrice.

Émile Trottier habitait un logement situé au second étage d'un petit immeuble au recouvrement de brique. Un logis très modeste, à peine convenable pour un jeune marié dans la vingtaine, indécent pour un homme ayant derrière lui un quart de siècle de carrière.

L'escalier extérieur trembla sous les pas de Maurice, quand il le monta. La porte s'ouvrit avant qu'il n'ait le temps de frapper. Son collègue devait l'attendre avec un œil collé à la fenêtre. Les « Bonsoir » s'accompagnèrent d'une poignée de main chaleureuse.

— Voici pour vous, offrit le visiteur en tendant une bouteille dans un sac de papier.

— Voyons, ce n'était pas nécessaire.

— Ça me fait plaisir. De toute façon, je devais passer à la Régie des alcools pour moi-même.

La minuscule entrée contenait difficilement deux hommes. Trottier remit la bouteille à la femme plantée derrière lui, puis aida son ami à enlever son manteau.

— Je vais le déposer dans la chambre, avec ton chapeau. Viens. Je te présente ma femme, Jeanne.

Maurice tendit la main à une femme âgée de quarante ans environ, une brunette avec quelques cheveux gris aux tempes.

— Je suis heureux de vous connaître, dit-il.

— Moi aussi. Émile me parle souvent de vous. Vous demeurez son seul ami, depuis…

« Depuis qu'il a quitté la congrégation », compléta Maurice mentalement. En réalité, il avait été le seul à continuer à lui parler, en dehors des échanges absolument nécessaires pour le travail.

— Venez vous asseoir.

Le salon se trouvait tout à côté, une petite pièce aux meubles disparates. La table au bout du canapé avait sans doute été achetée non peinte, et on l'avait couverte d'une teinture brunâtre.

— Je dois vous laisser, le souper m'attend.

— Oui, bien sûr, je comprends.

Il n'ajouta pas « Je vais vous aider », et elle ne s'y attendait pas. La cuisine ne convenait pas aux hommes. Émile revint bien vite pour proposer :

— Veux-tu un verre ? J'ai du cognac, du gin…

— Non merci. Je ne bois à peu près pas.

— Moi non plus, mais j'ai lu dans un manuel sur le savoir-vivre qu'il convenait de l'offrir aux visiteurs, et même de les accompagner s'ils acceptent. Chez les frères, connaître les bons usages ne servait à rien. Maintenant, je fais du rattrapage.

— Cela ne figure certainement pas dans le manuel de bienséance utilisé à l'école. On n'y parle pas d'alcool.

La remarque leur tira un sourire. Toutes les occasions de péché étaient exclues de cet ouvrage, rédigé par un frère peut-être cent ans plus tôt.

Un peu machinalement, Maurice examina les lieux. Son hôte laissa bientôt tomber :

— Tu contemples mon château.

— … Je m'excuse, je ne voulais pas être indélicat.

— Ne t'excuse pas. Tout le monde fait ça lors d'une première visite chez quelqu'un, n'est-ce pas ? J'ai commencé à travailler en 1942, et voilà tous mes avoirs.

Comme s'il s'agissait d'une invitation, Maurice parcourut la pièce des yeux, cette fois sans essayer de se faire discret.

— Tout a été acheté d'occasion, parfois dans le magasin des disciples d'Emmaüs.

Pour un montant plutôt symbolique, cette association vendait les objets reçus de généreux donateurs.

— Tu sais comment ça se passe, quand on quitte les frères ?

De la tête, le visiteur fit signe que non.

— D'abord, il y a l'incrédulité, puis les menaces de damnation éternelle, et enfin le rappel de toute la souffrance que l'on va imposer à ses proches.

Maurice imaginait sans mal le drame, si sa sœur ou son frère annonçait à leur mère le désir de défroquer. Les mots « Tu veux faire mourir ta mère » seraient répétés sur tous les tons, accompagnés des pleurs d'une Madeleine, en alternance avec la colère la plus noire. La vieille madame Berger ne crèverait pas, cependant. Seul son orgueil serait blessé, au point de lui faire quitter la présidence des Filles d'Isabelle et des Dames de Sainte-Anne.

— Quand le gars s'accroche à sa décision, ça devient une question d'affaires. Comme j'ai grossi au cours des derniers vingt ans, on m'a donné un complet minable. Autrement, j'aurais récupéré les vêtements portés lors de mon entrée en religion. Et pour toutes mes années d'enseignement, tu imagines la compensation reçue ?

De nouveau Maurice fit non de la tête. Au ton de son ami, il devinait que ce ne devait pas être grand-chose.

— Un beau quarante piastres comptant.

Émile garda le silence pour ménager son effet, puis continua :

— Donc, en moyenne, la magnifique somme d'un dollar soixante par an.

Les religieux faisant vœu de pauvreté, la commission scolaire versait leur salaire directement à la communauté. En contrepartie, celle-ci satisfaisait tous leurs besoins. Émile devait suivre sans mal son raisonnement.

— Bien sûr, pour avoir une meilleure idée de la rémunération, il faut compter le logement, les vêtements et la nourriture pendant toutes ces années. Même en comptant largement, la somme de quarante dollars me semble être loin du montant que la congrégation a encaissé. La différence tenait sans doute à la promesse que je faisais ainsi mon salut. C'est drôle, mais aujourd'hui, je troquerais les félicités futures contre de l'argent sonnant. Assez pour assurer à ma femme et à mon enfant à naître un petit confort matériel. Rien d'extravagant, mais tout de même un meilleur bien-être que ce que tu vois là.

Maurice dissimula sa surprise en apprenant la nouvelle. À la pensée que son collègue, si lontemps affublé d'un froc, se retrouve au lit avec une femme, il éprouvait un certain malaise. Bien sûr, l'engagement à la chasteté était trahi. S'ajoutait toutefois une vague jalousie. Voilà des années que ce plaisir lui échappait.

— Je m'excuse, murmura Émile après une pause. Je présume que j'avais un immense besoin de m'apitoyer sur mon sort, et c'est tombé sur toi.

— Ce n'est rien. Je comprends que cette situation te pèse. Heureusement, dans toutes les régions de la province, on cherche des enseignants. Tu ne manqueras jamais de travail.

— Tu as raison. Je me demande si je n'aurais pas mieux fait de prendre un poste au Lac-Saint-Jean ou en Abitibi, au lieu de me faire embaucher dans la même école.

Dans un milieu nouveau, personne n'aurait connu son état précédent. À Saint-Hyacinthe, on devait le dévisager dans la rue. Impossible de jouir du moindre anonymat.

— Comment cela se passe-t-il avec le directeur ?

— Oh ! Le frère Pacôme se montre tout à fait correct. Je suppose que son attitude tient à son devoir de faire preuve de charité devant la brebis égarée.

« Surtout, songea Maurice, il préfère certainement un défroqué à un jeune imbécile comme Labonté. » Il profita d'un silence dans le plaidoyer de son ami pour dire :

— Ta femme attend un enfant ?

— Oui. N'est-ce pas une merveilleuse nouvelle ?

Le visage de l'ancien frère de l'instruction chrétienne exprimait une satisfaction sans faille.

✠

Quand Marie-Andrée quitta la maison pour aller chez les Marois, son père passait à la Régie des alcools avant de se rendre chez les Trottier. Elle profita de son absence pour laisser *L'adolescente veut savoir* sur la table basse du salon. Le lui remettre de main à main l'aurait beaucoup trop intimidée. S'il lui avait demandé quelque chose comme : « Qu'en as-tu pensé ? », le rouge lui serait monté aux joues.

Non pas qu'elle n'ait aucune opinion. Pour une personne se sentant particulièrement ignorante, les explications offertes paraissaient souvent allusives. Davantage de transparence lui aurait plu. Elle en savait toutefois assez pour ne pas désirer obtenir de précisions auprès de son père. Cela relevait de son intimité ; une conversation avec une femme – même aussi jeune que Denise – vaudrait mieux.

Vers quatre heures trente, la jeune fille entra chez les Marois. Son amie l'accueillit d'une voix joyeuse :

— Mes parents sont allés souper chez les Sauvé. Nous ne les verrons pas de la soirée.

Son enthousiasme aurait pu faire penser que leur autorité se révélait sévère. Ce n'était pas le cas, mais l'idée d'être la maîtresse de la maison plaisait toujours à l'adolescente.

— Je ne veux pas déranger, dit Marie-Andrée, prête à remettre son manteau.

— Que racontes-tu là ?

— Pour le souper…

— Maman nous a fait un club sandwich. Viens dans le salon.

La grande pièce continuait d'impressionner la visiteuse. Sur le sol, un tapis de nylon – « Avec ça, les taches ne s'incrustent pas », lui avait affirmé madame Marois – aux poils assez longs affichait une couleur étonnante : « or des prairies », un jaune tirant sur l'ocre. Aux fenêtres, les tentures donnaient dans le même ton, tout comme le revêtement du canapé et des fauteuils. L'ensemble faisait peut-être cossu, mais à la longue, ces couleurs tombaient sur le cœur. Heureusement, le meuble télé et le meuble stéréo ajoutaient une teinte de brun bienvenue.

— Tu as le choix à cette heure : les nouvelles au 2 et au 7, ou *Comment, pourquoi* au 10. Ce sont des informations aussi, présentées sous une fausse identité.

Marie-Andrée ne dissimula pas sa surprise devant la proposition, au point de faire éclater de rire son amie.

— Viens voir les disques de papa.

Le meuble s'ouvrait par le haut, comme un coffre. Devant, de part et d'autre d'un espace de rangement, étaient insérés les haut-parleurs couverts d'une toile… d'un méchant doré. Décidément, la propriétaire des lieux tenait à rester dans la même tonalité. Une bonne soixantaine de microsillons s'entassaient derrière deux petites portes coulissantes.

— Le classique, c'est la passion de maman. Chopin, Beethoven…

Denise continua son énumération en lui présentant les pochettes l'une après l'autre.

— Moi, ça me fait dormir. Mon père, c'est le jazz. Ça bouge un peu plus, mais la trompette ou le saxophone ne se comparent pas à une guitare électrique et une batterie.

Des mains, elle mima le mouvement de taper sur des cymbales.

— Quand ils se mettent d'accord, c'est pour écouter les chansonniers. Des Français comme Brassens, Aznavour, mais aussi des Québécois comme Léveillé et Ferland. Puis, il y a encore *Mon pays, ce n'est pas un pays*…

La tête rejetée en arrière, Denise beugla la première ligne de *Mon pays*, de Vigneault. Marie-Andrée l'écouta sans dire un mot. Tous ces choix musicaux, c'étaient également ceux de son père, et bien honnêtement, les siens aussi. Pour partager les goûts d'un croulant, elle devait être terriblement démodée. Au point de rater tout ce qui se passait pendant cette année que tout le monde présentait comme exaltante.

Denise consulta la montre à son poignet, puis décréta :

— Nous avons le temps d'écouter quelques 45 tours.

En passant devant la télévision, elle l'alluma sans mettre le son afin de lui donner le temps de se réchauffer. Un instant plus tard, elle revenait avec une demi-douzaine de disques. Un petit cylindre d'aluminium permettait à la tige du centre du tourne-disque de s'ajuster au diamètre du trou perçant les 45 tours. Après avoir réglé la vitesse, Denise déclencha le mécanisme. Le bras portant l'aiguille se déplaça, et après un court grincement, la chanson des Hou-Lops commença :

Le lundi, ça ne va pas du tout…

Denise chantait les paroles de ces chansons sans jamais se tromper, tant elle les écoutait. La chaîne coûteuse opéra sa magie avec le volume au maximum. La voix de Johnny Farago vint ensuite emplir le salon tout doré avec *Je t'aime, je te veux*. Éric demeura dans la même veine avec *On n'a pas le droit*, une allusion à ce que le docteur Gendron appelait l'acte conjugal. Devait-on le faire, ou pas ? Cette question occupait les esprits de toute la génération dans le vent.

Denise surveillait l'écran du téléviseur du coin de l'œil. À sept heures moins deux minutes, elle baissa le son du tourne-disque pour augmenter celui du gros appareil.

— Que dirais-tu d'écouter *Soirée canadienne* au canal 7 ?

La mine de la visiteuse fut tellement surprise que l'autre éclata de rire.

— Il y a aussi *Les Joyeux Naufragés* au 2, mais… tu es venue pour ça.

Elle tourna le gros bouton doré – décidément, on n'y échappait pas dans cette maison – pour syntoniser le 10. L'émission *Jeunesse d'aujourd'hui* commençait tout juste, avec une chanson de Pierre Lalonde.

— Oh ! Comme il est *cute* ! S'il me le demandait gentiment, je ferais n'importe quoi avec lui.

Le « n'importe quoi » donna envie à Marie-Andrée de se trouver ailleurs.

— Si vous voulez passer à table, c'est prêt.

Maurice regarda mieux Jeanne Poirier, devenue Trottier par son mariage. Mince dans un chemisier et une jupe bleue datant de quelques années – il devenait facile de déterminer l'âge de ce vêtement en évaluant la distance entre l'ourlet et le genou –, elle affichait un ventre légèment arrondi.

— Jeanne, je vous félicite, dit Maurice en quittant sa place.

La femme fronça un moment les sourcils, puis comprit :

— Il vous a dit ? Je vous remercie.

Machinalement, sa main droite toucha son abdomen.

Elle précéda les hommes dans la cuisine, où se dressait une table capable d'accueillir quatre personnes. L'appartement ne comptait pas de salle à manger. La pièce s'avérait, elle aussi, meublée de façon disparate. Une odeur de rôti l'envahissait, le potage était déjà versé dans les bols. La bouteille de vin avait été déposée sur la table, débouchée.

— Bon appétit, dit le maître de la maison en prenant sa cuillère.

Les autres répétèrent les mêmes mots, puis Maurice prit sur lui de servir le vin. Lorsqu'il en versa dans le verre de son hôtesse, celle-ci lui dit dans un sourire :

— Une toute petite goutte. Moi, je ne bois presque pas, et celle ou celui que je porte, pas du tout.

Finalement, la goutte ressembla à un doigt. Puis ce fut le tour de son hôte, et le sien. Après les inévitables échanges sur la météo, d'usage quand on ne se connaît pas très bien, l'invité eut envie de faire porter la conversation sur l'école. Heureusement, il se retint, de peur d'exclure tout à fait Jeanne. Aussi discrètement que possible, il posait ses yeux sur elle. Une femme plutôt jolie, les cheveux courts, un peu ondulés, les traits réguliers. Une certaine sérénité se dégageait d'elle, et au coin de ses yeux, des petits plis évoquaient sa facilité à sourire.

— En vous voyant, je constate que je ne connais aucun de vous deux.

— Voilà l'effet de la robe et du rabat, confirma Émile. Gommer l'individu, le faire disparaître. Affublé comme ça, on n'ose rien confier, et les autres, rien demander.

Jeanne adressa un sourire gêné à l'invité, avec sur les traits quelque chose comme : « Il ne faut pas vous en formaliser, la blessure demeure si vive. »

— Est-ce que je peux vous poser une question personnelle ?

— Pourquoi pas, accepta-t-elle. Si elle l'est trop, ne vous fiez cependant pas à la réponse.

— Comment vous êtes-vous rencontrés ?

Le couple échangea un regard amusé, puis ce fut à Émile de demander :

— Tu ne te souviens pas de Jeanne ? Pas du tout ?

Maurice fronça les sourcils, creusa sa mémoire sans succès. Après quelques secondes, il fit non de la tête.

— Pourtant, tu l'as déjà rencontrée. Nous en parlions cet après-midi. De son côté, Jeanne se souvient de toi.

Le visiteur la dévisagea un instant, puis déclara forfait.

— Non, je ne vois pas.

— Son fils fréquentait notre école il y a quelques années. Je l'ai eu en Éléments latins et deux ans plus tard en Méthode, et toi en Versification. Hubert Poirier.

Il arrivait que des enseignants changent ainsi d'affectation. Tous les deux avaient couvert chacune des quatre premières années du cours classique.

— Oui… Je me souviens vaguement de lui, mais pas du tout de vous.

Son interlocutrice prit sa voix la plus douce pour dire :

— Vous veniez tout juste de perdre votre femme, je pense. Vous fonctionniez par habitude, comme un automate. Cela se voyait très bien.

Si ce garçon se trouvait dans sa classe quatre ans plus tôt, il avait vu son enseignant détruit par cet événement. Malgré tout, après une semaine, Maurice était revenu à l'école. La routine du travail l'avait empêché de devenir fou de douleur. Cela signifiait que ces deux-là s'étaient rencontrés sept ans plus tôt, au moment où Hubert commençait ses études classiques.

Pour mettre fin à la vague de tristesse qui envahissait la pièce, Émile s'empressa d'intervenir :

— Quand son fils faisait ses Éléments latins, il était perturbé, mentalement absent.

— À ce moment, clarifia la femme, mon mari était déjà atteint de la maladie qui allait l'emporter dans de grandes souffrances.

— Alors, nous avons souvent discuté ensemble de ces circonstances difficiles, des moyens pour l'aider.

Ces rencontres avec les parents devenaient nécessaires lors du changement d'attitude d'un élève.

— Même en bonne santé, mon mari se désintéressait d'Hubert. Je ne sais pas si vous mesurez le charme d'un homme qui sait écouter une mère très inquiète pour son fils unique, quand tous les autres font la sourde oreille.

Maurice le mesurait très bien. Lui-même aurait aimé discuter de sa relation avec Marie-Andrée. Avec une femme de préférence, car elle comprendrait sans doute mieux les adolescentes que lui. Émile avait joué ce rôle auprès de Jeanne.

— De mon côté, je dois l'avouer, mes pensées n'étaient pas absolument pures, dit l'ancien religieux. Au premier regard, mes appétits refoulés sont revenus.

Jeanne tendit la main pour toucher celle de son mari.

— Ces pensées étaient normales. C'est le vœu de chasteté qui est tout à fait contre nature. Combien de tes collègues vivent en véritable conformité avec lui ?

Comme Émile demeurait silencieux, elle répondit à sa propre question :

— À peu près personne, j'en suis certaine.

La sérénité de Jeanne donnait du poids à son argument. Depuis un certain temps déjà, les sketches des humoristes évoquaient les frères « mets-ta-main ». Dans cette voie, Les Cyniques et le père Gédéon se révélaient féroces.

L'image de son frère dans son bureau, après leur dernier repas familial, revint à la mémoire de Maurice. Si cette femme avait raison, lui aussi se trouvait torturé par « ça ». Ce fameux « ça » honteux qui, selon sa mère, l'avait lui-même détourné de la prêtrise. Pour la part la plus instruite de la population, le véritable péché était désormais de refouler la nature. Après tout, 1967 prenait des allures d'année de l'amour.

Ce fut la femme qui entreprit de poursuivre le récit après avoir servi la viande et les légumes.

— Toute l'année suivante, nous avons réussi à communiquer sur le perron de l'église. Lors de mes visites à l'école afin de rencontrer le nouveau professeur d'Hubert, je m'arrangeais pour voir Émile un instant.

— Nous sommes même arrivés à échanger des lettres, renchérit son mari, avec des ruses qui ressemblaient à celles que l'on voit dans les films d'espionnage. Savais-tu qu'une enveloppe se cache aussi bien sous la robe d'un frère que sous celle d'une femme ? Mieux, même.

Ce souvenir, il le chérissait visiblement. Son épouse et lui retenaient un fou rire.

— Quand Hubert a commencé son année de Méthode, j'étais veuve, et résolument amoureuse. La maladie de mon mari m'avait appris quelque chose : la vie peut être courte, elle nous donne un nombre limité d'occasions d'être heureuse… ou heureux.

Elle aurait facilement pu se faire la prêtresse d'un nouveau culte, où le vrai péché était de trahir sa nature, ses sentiments, sa propre existence, en fait.

— Moi, il m'a fallu deux ans encore pour surmonter mes scrupules, ma peur du péché, de mon directeur, de mes proches, du monde entier. À la fin, j'ai pu rassembler tout mon courage et me donner une chance d'être heureux avant de mourir.

Ce récit effectué à deux voix touchait profondément Maurice. Il avait connu l'amour qu'ils évoquaient, puis en était privé depuis quatre ans. Son collègue apprivoisait maintenant cette existence. Celui-ci devina le cours de ses pensées.

— Mon seul regret, c'est de connaître ce bonheur si tard. Vingt-cinq ans de ma vie se sont envolés. Ne te trompe pas à cause de mes récriminations de tout à l'heure. Je n'ai pas regretté ma décision une seule seconde.

De nouveau, Jeanne prit la main de son conjoint pour dire, en le regardant dans les yeux :

— Tu avais le choix entre si tard et jamais. Je suis heureuse de ta décision.

Émile avait bien dit à Maurice qu'il était le premier à accepter une invitation dans sa nouvelle demeure. Le couple en profitait visiblement pour réaffirmer son engagement devant un témoin. Le mariage était passé totalement inaperçu à l'école. Un frère avait terminé l'année scolaire avec ses élèves, un laïc doté des mêmes traits s'était présenté à la rentrée suivante.

Toutes ces confidences laissèrent le trio embarrassé, au point de consacrer quelques minutes au repas, dans un silence un peu lourd.

Chapitre 7

Le Québec recelait quelques centaines de groupes musicaux aux talents très inégaux et aux noms souvent déconcer-
tants, comme Les Zombies et Les Intransigeants. La palme
de l'originalité allait certainement aux Indépendantwists. En
plus, il fallait compter avec les chanteurs et les chanteuses
yé-yé.

Outre la personnalité des animateurs – Pierre Lalonde
le garçon propret et sage, et Joël Denis le gentil délinquant –, la popularité de l'émission *Jeunesse d'aujourd'hui*
tenait en partie aux danseuses à gogo montées sur des
cubes ou des colonnes. Si certaines manquaient parfois un
peu de sens du rythme, une plastique mise en évidence par
des jupes courtes à souhait faisait qu'on le leur pardonnait
sans mal.

— Viens, accompagne-moi, proposa bientôt Denise.

L'adolescente était allée chercher une chaise dans la
cuisine pour l'utiliser comme un piédestal à peu près stable,
afin de se trémousser dessus à sa guise. En l'absence de
toute surveillance parentale, la jupe fut enroulée à sa taille
au point de produire un véritable bourrelet. Assise par
terre, Marie-Andrée se sentait mal à l'aise ; elle avait une
vue imprenable sur la culotte de son amie.

— Je ne saurais jamais, se défendit-elle.

— Tout le monde peut danser là-dessus.

La jeune fille n'avait pas tort. Il s'agissait de donner libre cours à des mouvements spontanés tout en s'accordant à peu près à la musique. Dans une salle un peu obscure, parmi cent compagnes agissant de la même façon, son invitée ne se serait pas sentie trop intimidée. Dans ce salon doré bien éclairé, c'était plus difficile. D'un autre côté, devant un seul témoin, qu'elle connaissait depuis son premier jour d'école onze ans plus tôt, sa timidité pouvait être plus facilement surmontée.

À la fin, après s'être assurée d'un regard que la tenture à la grande fenêtre panoramique empêchait de les voir de la rue, Marie-Andrée commença à s'agiter à son tour, sans toutefois monter sur une chaise ou sur une table basse. Ses mouvements étaient décalés par rapport à la musique. Bonne fille, Denise lui prodiguait des conseils, qui ne l'aidaient en rien mais témoignaient d'une certaine solidarité.

Finalement, ce fut le souffle court et tout à fait hilares que les deux jeunes filles s'assirent sur le tapis «or des prairies» pour partager un club sandwich.

❖

Quand Jeanne se leva pour servir le dessert, Maurice Berger la suivit des yeux. Son ventre arrondi ne la déparait pas du tout. Le regard du professeur glissa sur les jambes gainées de nylon, sur les cuisses soulignées par une jupe tout de même assez cintrée, sur des fesses susceptibles d'attirer une caresse.

Puis il se sentit gêné de détailler ainsi la femme de son ami. Pour atténuer le côté franchement intéressé de son appréciation, il murmura :

— Vous avez de la chance de vous être trouvés.

Cela lui était aussi arrivé avec Ann. Devait-il en rester là, limiter pour de nombreuses années encore sa vie amoureuse à la réminiscence des jours heureux? Quand son hôtesse reprit sa place, il renoua avec son rôle de professeur soucieux des progrès de ses élèves.

— Que fait Hubert, maintenant?

— Il a été admis au collège militaire de Saint-Jean il y a déjà trois ans.

— Voilà ce que c'est que d'avoir des professeurs portant un uniforme. De celui tout noir des frères du collège, il est passé au kaki dans son école d'officiers.

Maurice remarqua le petit pincement des lèvres de Jeanne. Il se trouvait avec des gens normaux. Les remarques de l'un pouvaient tomber sur les nerfs de l'autre. Parfois, ils devaient même se disputer pour de vrai. Cela ne fit que les lui rendre plus sympathiques.

❖

Après *Jeunesse d'aujourd'hui*, les deux amies regardèrent quelques minutes *Les Arpents verts*, puis Denise annonça :

— Maintenant, nous allons au restaurant.

Il ne s'agissait pas d'une proposition, mais d'un constat.

— Je ne sais pas…

— Tu ne veux pas regarder le hockey, j'espère.

Ce samedi soir, la télévision n'offrait pas mieux. Un bref instant, Marie-Andrée pensa suggérer l'écoute de toute la collection de 45 tours de son hôtesse, quitte à monter sur une chaise, puis elle céda plutôt avec ces mots :

— Habillée comme ça, je ne sais pas.

— Comment ça ? Viens.

Dans le miroir de l'entrée, le reflet de Marie-Andrée portait un pantalon noir assez serré et un chandail blanc. La silhouette offrait tous les arrondis souhaités, sans l'opulence de celle de son amie, toutefois. Elle mit son manteau et son béret pour retrouver le froid humide de ce Samedi saint. De la rue Couillard, le restaurant du coin se trouvait à moins de dix minutes de marche.

Quand elles passèrent la porte, Marie-Andrée se rappela le court arrêt qu'elle y avait fait quelques jours plus tôt. Depuis, les souvenirs de ses sorties « entre filles » avec sa mère se bousculaient un peu dans sa tête, la rendant mélancolique.

La salle accueillait deux ou trois douzaines de jeunes gens de quinze à dix-huit ans, des garçons pour les deux tiers.

— Je savais bien que je trouverais Paul ici, murmura Denise à son amie.

Son motif pour venir en cet endroit devenait clair. Si ce garçon lui avait offert de regarder la partie de hockey, aucune autre activité n'aurait trouvé grâce à ses yeux. Il agissait comme un aimant. Elle prononça de nouveau le prénom à voix haute tout en faisant un geste de la main. L'objet de ses désirs réagit à son signal, sans grand enthousiasme, jugea Marie-Andrée.

Elles marchèrent vers la table occupée par Paul et deux de ses amis. Denise s'adressa à celui qui était assis juste à côté de son compagnon.

— Tu veux me faire une place ? le pria-t-elle.

Elle se trouva coincée entre eux. Cette proximité ne semblait pas lui déplaire. Marie-Andrée n'afficha pas la même assurance quand elle s'adressa au troisième adolescent.

— S'il te plaît, fit-elle d'une voix à peine audible.

Ce dernier lascar se poussa un peu. Assise, la jeune fille enleva son béret pour le poser devant elle sur la table, puis détacha son manteau. Denise lui présenta Paul en bonne et due forme, puis le garçon à sa gauche, qui s'appelait Guy Sureau, et le dernier, Jeannot Léveillé. Le prénom rappelait la désignation affectueuse d'une maman. À trente ans, il ne conviendrait plus du tout.

— Tu sais, ils étudient à l'école où enseigne ton père.

La confidence intéressa le trio.

— Quel est son nom ? demanda Paul.

— Maurice Berger.

L'autre laissa échapper un «Oh!» qui ne témoignait pas de la plus grande admiration. Marie-Andrée devina sans surprise que ses liens familiaux n'allaient pas améliorer sa popularité à leurs yeux. Elle reconnut alors l'écusson de Saint-Joseph sur la poche de la veste de son voisin immédiat.

— Mesdemoiselles, que prendrez-vous ? intervint le propriétaire du commerce depuis son poste derrière le comptoir.

L'homme ne se donnait pas la peine de se promener dans la salle pour prendre les commandes. Il revenait aux clients de se lever pour aller jusqu'à lui. Paul consulta Denise des yeux :

— Une frite et un Coke.

C'était l'explication de son corps potelé. Sollicitée par son voisin immédiat, Marie-Andrée se contenta de la boisson.

— Mais je vais y aller moi-même.

L'autre ne se laissa pas convaincre. Pour l'inciter à se lever, il lui poussa l'épaule, puis marcha jusqu'au comptoir avec son ami. La jeune fille timide fouilla la poche de son manteau, songeant qu'elle avait eu une heureuse idée en prenant un peu d'argent avant de sortir de la maison. Mais de l'autre côté de la table, son amie fit «non» d'un mouvement de la tête.

Marie-Andrée savait que les cavaliers payaient pour leur petite amie, mais ce Jeannot ne se qualifiait certainement pas pour ce titre. Les garçons revinrent en apportant les commandes des jeunes filles en plus des leurs. Un «Merci» murmuré permit à Marie-Andrée de s'acquitter au moins un peu de sa dette. Jeannot lui signifia de se déplacer vers le fond du siège. De l'autre côté de la table, Denise se leva pour que son *chum* se retrouve au milieu. Ainsi, Guy Sureau ne se collerait plus à elle. Avant de se rasseoir, elle annonça :

— Je vais mettre de l'argent dans le juke-box.

Pour une pièce de vingt-cinq cents, toutes les personnes présentes bénéficieraient de trois chansons. La première datait de quelques années, mais sa popularité ne se démentait pas : *I Want to Hold Your Hand*. Malgré la présence de nombreux imitateurs, les Beatles demeuraient le groupe de référence.

— On ne te voit pas souvent, remarqua Paul en s'adressant à Marie-Andrée.

— … Je ne sors pas beaucoup.

— Plutôt jamais, rétorqua son interlocuteur. Monsieur le professeur ne veut pas te donner la permission ?

L'embarras rendit la jeune fille tout à fait muette. Denise vint à son secours :

— Voyons, si son père le lui défendait, elle ne serait pas là ce soir.

Marie-Andrée lui adressa un regard reconnaissant. Silencieux jusque-là, Guy Sureau se manifesta :

— Ça existe pourtant, des parents qui refusent de laisser sortir leur fille. Il y a encore tellement de gens vieux jeu dans la province.

— Ce… Ce n'est pas ça. Je consacre beaucoup de temps à mes études.

À cet instant, une seconde chanson commença, *I'm A Believer*, des Monkeys.

— Tu n'as pas mis ces bouffons ! s'exclama Paul à l'intention de son amie.

— On peut danser là-dessus.

Comme pour le prouver, elle agitait les épaules et faisait le geste de claquer des doigts, sans émettre le moindre son, toutefois.

— Ces gars ne savent jouer d'aucun instrument. C'est comme une marque de savon, vendue avec une grosse machine publicitaire.

La jeune fille ne se laissa pas démonter.

— Moi, je les aime.

De l'autre côté de la table, Jeannot entendait se montrer bon garçon avec sa voisine.

— Tu disais mettre beaucoup de temps à tes études. Vas-tu continuer le classique en septembre prochain?

— Non. Je vais fréquenter l'école normale Jacques-Cartier.

— Tu as raison, maîtresse d'école, c'est un bon métier…

Ces mots suscitèrent un petit élan d'affection de la part de l'adolescente. Mais la suite la fit déchanter tout de suite.

— … pour une femme.

Pourtant, elle pensait exactement la même chose. Une occupation parfaite en attendant de se marier et de se consacrer à ses propres enfants.

La troisième chanson commença, un succès québécois, cette fois, vieux d'au moins deux ans.

Blue jeans sur la plage…

Les Hou-Lops avaient réalisé un bon coup en enregistrant cette chanson. Elle avait dominé le palmarès tout un été.

— Viens danser, lança Denise en se levant.

Si Paul ne parut pas enchanté de la proposition, il accepta la main tendue. Il s'agissait d'un slow; l'étroitesse du contact physique valait sans doute l'effort de s'exhiber ainsi dans un restaurant. Heureusement, d'autres couples faisaient de même, aussi l'exercice serait moins intimidant. Marie-Andrée les regarda s'enlacer. Denise plaçait ses bras autour du cou de son partenaire, et lui glissait ses mains sur ses flancs, de bas en haut. Marie-Andrée trouvait le contact bien osé : il devait sentir les seins un peu volumineux à chaque passage.

— Tu viens danser ? proposa Guy.

De nouveau, la chaleur monta à ses joues.

— Non… Je ne saurais pas.

— Voyons, tout le monde sait danser ça, même moi. On n'a même pas à bouger les pieds, et le reste du corps trouve tout seul les bons mouvements.

— Non, vraiment, je ne saurais pas.

Son interlocuteur lui lança un regard un peu moqueur. Ses yeux semblaient dire : « Quelle niaiseuse. »

— Puis, c'est tout de même un drôle d'endroit pour ça, renchérit Jeannot à ses côtés. Sous des tubes fluorescents, avec plus de vingt personnes qui regardent, pas question. Je préfère l'éclairage tamisé de la salle de danse.

La jeune fille le trouva très gentil. Elle le lui signifia de son plus charmant sourire.

❖

Après le dessert, Émile aida sa femme à mettre la vaisselle dans l'évier. Ce serait sa seule contribution aux tâches domestiques. Les hommes s'installèrent dans le salon, un verre à la main. Jeanne les rejoignit quelques minutes plus tard.

Malgré son état, elle s'accorda un second doigt de vin. Assise sur le canapé en compagnie de son époux, bientôt elle laissait ses souliers sur le plancher afin de ramener ses jambes en partie sous elle, pour se réchauffer les pieds. L'intimité du geste troubla Maurice. De nouveau, il apprécia le galbe des mollets. Comme tous ces petits gestes lui manquaient.

— Puis-je à mon tour vous poser quelques questions?

Le visiteur comprit que maintenant sa propre curiosité était satisfaite, on exigeait la réciproque. De la tête, il accepta.

— Vous avez perdu votre femme il y a longtemps.

— Quatre ans.

Cela, elle le savait déjà. Le silence de son interlocutrice le força à aller plus loin.

— Elle a été victime d'un chauffard. Des policiers sont venus me l'annoncer à l'école, puis j'ai dû me rendre au couvent afin de récupérer Marie-Andrée, tout lui expliquer. Je voulais hurler de douleur, mais il me fallait la consoler.

Maurice porta la main à son visage pour dissimuler ses yeux. Un moment, il eut envie de courir se cacher dans la salle de bain, ou même de quitter l'appartement. Mais il resta figé, faisant un effort pour refouler ses pleurs.

— Dans ce malheur, elle a eu de la chance de vous avoir.

S'il avait été en mesure de maîtriser sa voix, il aurait protesté, insisté sur son incompétence comme père d'une jeune fille. À la place, il avala le reste de son cognac d'une traite. Jeanne profita de son silence pour continuer:

— On n'a qu'à vous voir évoquer ces événements pour comprendre combien vous l'aimez. Alors oui, elle a eu de la chance.

Maurice préféra garder le silence, de peur de perdre toute contenance. Sans grand succès, Émile Trottier essaya de relancer la conversation sur la fin de l'année scolaire. Même le sujet de la prochaine convention collective des professeurs ne réussit pas à capter l'intérêt du visiteur. À la fin, celui-ci revint au premier sujet :

— Ann a toujours été d'une santé fragile, mais sa mort fut tout à fait inattendue. Le matin même, elle me déposait devant le collège pour ensuite aller faire des courses, puis je ne l'ai plus revue vivante. Au moins, dans le cas d'une maladie, on peut se préparer au départ.

Avec cette allusion, Maurice interpellait directement Jeanne. Celle-ci ne se déroba pas.

— D'un autre côté, on voit l'être cher dépérir de semaine en semaine, pour ne garder que le pire souvenir…

Le professeur hocha la tête. Au fond, il n'existait aucune bonne façon de perdre sa femme ou son mari. Le sujet les occupa un petit moment, puis Jeanne se montra plus intrusive.

— Vous avez pensé à refaire votre vie ?

— Ce serait cruel pour Marie-Andrée. Elle se sentirait abandonnée.

— Quel âge a-t-elle ?

— Dix-sept ans.

Le sourire de Jeanne contenait une part d'ironie.

— Je ne crois pas que ce serait si dramatique.

Le mouvement de ses jambes retint le regard de Maurice, puis il se sentit un peu coupable de cet intérêt.

— D'un autre côté, je me dis parfois qu'une femme pourrait aborder avec elle certains sujets qui me gênent beaucoup, admit-il.

— C'est vrai que vous êtes devenu son seul parent à son entrée dans l'adolescence. Même si mon fils était un peu plus vieux au moment de mon veuvage, ce ne fut pas facile non plus.

— Si ça peut te rassurer, ajouta Émile, la présence du beau-parent ne se révèle pas toujours heureuse. Hubert n'a pas trouvé un modèle masculin avec le nouveau mari de sa mère, mais auprès des valeureux officiers de l'Armée canadienne.

Les histoires des relations entre enfants et nouveaux conjoints meublaient de nombreux romans et films. Toute la province s'émouvait encore des souffrances qu'avait subies Aurore Gagnon, l'enfant martyre, aux mains de sa belle-mère. Le film réalisé plusieurs années plus tôt reprenait l'affiche avec régularité dans les salles de cinéma.

La curiosité de l'hôtesse demeurant inassouvie, elle revint à la charge :

— Mis à part la réaction de votre fille, l'idée de refaire votre vie vous dit quelque chose ?

— Je ne sais pas.

L'homme montrait un trop grand intérêt envers les jambes de son interlocutrice pour jouer l'indifférence à l'égard des femmes et de leurs charmes.

— De toute ma vie, j'ai proposé à une seule femme de sortir avec moi, et déjà à ce moment je désirais l'épouser. Alors, en admettant que je veuille refaire ma vie, comme vous dites, je ne saurais même pas comment faire. Je ne suis jamais tombé sur une maman d'élève comme vous au cours des quatre dernières années.

Cela ressemblait à un beau compliment, aussi elle le remercia d'un sourire.

— D'habitude, quelqu'un parmi les proches présente une personne disponible au candidat... Aucun de vos parents ne peut vous rendre ce service ?

— J'ai un frère curé, une sœur religieuse et une mère convaincue que... certains ébats, même dans les liens sacrés du mariage, représentent les pires des péchés mortels. Quant à mon père, je ne l'ai jamais entendu dire autre chose que « passe-moi le sel », alors je ne peux certainement pas compter sur lui pour me dénicher un bon parti.

L'énumération tira un sourire à Jeanne.

— Vue comme cela, votre situation paraît tout à fait désespérée.

Tout de même, Maurice aurait aimé une répartie plus optimiste.

❈

Il devait bien être dix heures quand les jeunes quittèrent le petit restaurant du coin. Guy, lassé de se sentir comme la cinquième roue du carrosse, s'était éclipsé un peu plus tôt dans la soirée. Denise et Paul marchaient devant. La première avait pris la main de son compagnon qui ne l'avait pas retirée.

Les deux autres tenaient les leurs dans leurs poches. La précaution contre le froid leur évitait une initiative peut-être mal reçue. Le garçon confia bientôt :

— Je suis dans la classe de ton père.

Elle le savait déjà. Marie-Andrée ne prononça pas un mot, attendant la suite.

— Ce que les autres disaient tout à l'heure est faux. Ce n'est pas un professeur sévère. Exigeant, certainement, mais jamais méchant ou méprisant avec nous. Puis, si on écoute bien, il fait preuve d'un bon sens de l'humour, une espèce d'autodérision légère.

À ce moment, juste un peu moins timide, Marie-Andrée lui aurait pris la main. Bien sûr, jamais elle n'avait vu son père au travail, mais elle l'imaginait ainsi. Réservé au point de souvent paraître froid, pourtant toujours respectueux et attentionné.

— J'aurais aimé l'avoir comme enseignant, mais en réalité, cela n'aurait pas été possible. Déjà, dans mon couvent, je passe pour la chouchoute des religieuses.

Après coup, la confidence la gêna un peu.

126

❈

Trente verges plus loin, Denise parut prise d'un élan d'affection, cherchant à maintenir un contact de tout le corps contre son compagnon, en le tenant par la taille.

— La fille derrière nous, demanda Paul, c'est ta meilleure amie, je pense ?

— Marie-Andrée ? Je la connais depuis le premier jour de ma première année.

La réponse ne témoignait pas d'un attachement sans réserve. Au cours des onze dernières années, son enthousiasme s'était souvent exprimé bien plus nettement.

— En tout cas, c'est une jolie fille.

— Tu ne trouves pas qu'il lui manque des courbes ici et là ?

— Non. Vraiment, elle est pas mal du tout. Guy a passé la soirée à loucher sur elle, au point de prendre la suite quand Jeannot a commencé à accaparer la discussion.

Denise aussi avait constaté la même chose, jusqu'à ressentir une petite piqûre de jalousie.

— Il sera déçu.

À ce moment, la blonde se colla encore plus au corps de son *chum*, rendant la marche difficile. Paul appréciait visiblement certaines rondeurs, car sa main gauche lui serra une fesse.

— Comment ça, déçu ?

— C'est une sainte-nitouche, je me demande si elle sait vraiment d'où viennent les bébés ! Elle fait tellement niaiseuse, parfois.

Sur ces mots, elle laissa échapper un rire qui ressemblait à un gloussement. Comme pour souligner davantage ce jugement, elle ajouta :

— Je pense que c'est bien la première fois que je la vois parler à un garçon.

— Bof ! Si elle se montre un peu dans un endroit public, elle pourra recommencer à sa guise. Tu les as vus, ce soir.

Pendant un instant, Denise s'écarta pour marquer son déplaisir devant une appréciation aussi positive de Marie-Andrée, mais ce fut pour reprendre bien vite sa place contre Paul.

❖

Denise et Paul furent bientôt devant la grande demeure du médecin. Aucune lumière ne brillait à l'intérieur. Soit le couple n'était pas encore rentré, soit il était déjà au lit.

Les deux jeunes gens s'engagèrent dans l'allée, marchèrent jusqu'à la porte pour s'enlacer. À l'évidence, cette jeune fille n'avait plus besoin de s'entraîner sur sa main pour apprendre à embrasser. Chacun semblait soucieux de toucher les molaires de l'autre avec la langue. En même temps, les mains de Paul s'aventuraient sous les pans du manteau laissé déboutonné.

Marie-Andrée se sentit mal à l'aise de voir la scène, comme si elle violait l'intimité de son amie. Celle-ci ressentait sans doute la même chose, car elle interrompit son étreinte pour lancer :

— Jeannot, tu peux la reconduire à sa porte. Rendue ici, je n'ai pas besoin de deux témoins.

Marie-Andrée reprit sa marche, toujours flanquée de son compagnon. « S'attend-il à faire la même chose avec moi ? » s'inquiéta-t-elle. Cette éventualité la rendit nerveuse. Comment le repousser sans passer pour une parfaite idiote ? Quant à accepter, impossible. Cette façon d'embrasser lui répugnait un peu, et puis la courriériste de *Nos Vedettes* se montrait formelle : des caresses de ce genre conduisaient souvent « jusqu'au bout ».

— Voilà, j'habite ici, dit-elle en s'arrêtant.

La maison familiale lui parut soudain bien modeste. Le moment de silence qui suivit les mit mal à l'aise tous les deux. Marie-Andrée risqua d'une petite voix :

— Je te remercie de m'avoir raccompagnée, Jeannot.

Prononcer le prénom d'un garçon dans ces circonstances la gêna.

— Ça m'a fait plaisir de te rencontrer.

— Moi aussi.

C'était vrai, son malaise n'avait pas ruiné son plaisir.

— Nous pourrions nous revoir.

Comme après dix secondes elle n'avait pas dit un mot, il continua :

— Pour aller voir un film, par exemple.

— Ce serait une bonne idée.

Décidément, ce soir-là, l'art de la conversation lui échappait complètement.

— Puis on pourrait se revoir au restaurant. J'y vais souvent. Alors, bonsoir.

Le moment fatidique arriva. Le garçon se pencha pour l'embrasser. Marie-Andrée tourna un peu la tête pour dérober ses lèvres et présenter sa joue. Jeannot rajusta sa trajectoire pour atterrir à la commissure gauche de sa bouche. Sans doute aussi embarrassé qu'elle, il se tourna pour la quitter.

— … Bonsoir, Jeannot.

Le mot était finalement venu, avec un délai. Le garçon tourna la tête à demi pour lui sourire. Quand elle entra dans la maison, elle se dit : « Je parie qu'il me prend pour une sotte. » Pourtant Marie-Andrée ne se sentait pas si déçue de sa soirée. Cela se passait donc ainsi. Elle en aurait pour longtemps à en revisiter chaque minute afin d'apprivoiser ses émotions, et surtout d'en profiter mieux la prochaine fois.

Chapitre 8

Dans le vestibule exigu de l'appartement des Trottier, en tenant la main de son hôtesse, Maurice dit :

— Je vous remercie, Jeanne, pour ce bon repas et la conversation.

Un troisième verre de cognac l'avait rendu plus expressif que d'habitude. Cela lui arrivait pour la seconde fois en une semaine. En levant ses inhibitions, l'alcool lui permettait d'afficher plus ouvertement certaines émotions.

— Pour le repas, je veux bien, mais pour l'enquête sur votre vie privée aussi ?

Son sourire se faisait enjôleur. Maurice comprenait son collègue d'avoir succombé à son charme. Et pour l'avoir dans sa vie, Émile devait en posséder aussi beaucoup.

— Je me souviens d'avoir commencé le premier.

— Et moi, j'ai enchaîné comme une véritable policière, dit-elle en riant. Je suis heureuse de vous avoir reçu chez moi. À une prochaine fois, j'espère.

— Le plaisir sera partagé.

Après une brève hésitation, elle tendit le cou pour lui embrasser la joue, le laissant rougissant. Ensuite, les deux hommes se retrouvèrent seuls.

— Je te remercie de m'avoir invité.

— Et moi, de ta présence. Notre couple me paraît maintenant plus normal : quelqu'un de respectable nous a rendu visite.

La poignée de main dura un moment.

— Tu as de la chance, tu sais.

« Tu ne désireras pas la femme d'autrui. » Le commandement de Dieu revint à la mémoire de Maurice tout à fait spontanément. Il s'agissait bien de cela.

Ils se quittèrent sur un vœu de bonne nuit.

Après avoir laissé Marie-Andrée, Jeannot devait repasser devant la demeure du docteur Marois. Paul revenait justement vers le trottoir.

— Christ! Si j'avais un char, j'pourrais aller jusqu'au boutte avec elle.

— L'auto, le permis de conduire et l'essence, corrigea Jeannot.

Tout à sa frustration, l'autre garçon continuait:

— Est cochonne en maudit, pour se laisser peloter comme ça à la porte de chez eux.

Son camarade ne le contredit pas. Denise se bâtissait une certaine notoriété parmi les jeunes de son âge, celle d'une fille qui « marchait », ou alors on la disait « *game* ».

— Un peu plus, pis j'venais dans mes shorts.

Ce serait la conclusion de l'hommage à la fille dans le vent. Après quelques dizaines de verges, les esprits un peu refroidis, Paul reprit un ton plus bas:

— L'autre est vraiment pas mal.

— Marie-Andrée.

Pour Jeannot, elle méritait que l'on utilise son prénom, pas une désignation comme « l'autre ».

— Ouais. Pas beaucoup de totons, mais un beau p'tit cul.

« Un vrai poète », songea son camarade. L'école avait le don de rassembler des jeunes gens que tout séparait. Ces deux-là ne partageaient pas la même façon de donner leur appréciation d'une nouvelle rencontre.

— Tu dis rien ?

— Tu parles pour deux.

— Faut bin. Toé, tu parles pas.

Jeannot s'amusait d'entendre le brusque changement de niveau de langage en l'absence de filles, ou de témoins adultes. Non pas que son camarade s'exprimât de manière particulièrement soignée «dans le monde», mais au sujet de sa blonde, il devenait ordurier.

— Tu penses la revoir ? demanda Paul.

— J'aimerais bien.

— La prochaine fois, tu vas y passer le doigt.

— Tu aimerais que je parle de cette façon de ta sœur ?

Paul ralentit, presque au point de s'arrêter, puis se tourna pour lui dire :

— Ç'a rien à voir.

— Elle mérite autant de respect que tes sœurs.

— T'en dis, des niaiseries. Remarque, tu vas bien aller avec elle. Denise me disait que c'est une agace.

Comme dans «agace-pissette», ces filles capables d'exciter un gars, pour ensuite rentrer à la maison en le laissant avec les couilles bleues.

— Où prends-tu des informations pareilles ?

— D'après Denise, elle sait rien d'la vie. Comme ça, tu pourras peut-être la fourrer en lui faisant croire que tu prends sa température.

— Bon, moi je tourne ici.

Avant de se mettre réellement en colère, Jeannot préférait emprunter un chemin un peu plus long afin de le parcourir seul.

— Bin, bonne nuit. À la défendre comme ça, j'suppose que tu veux la marier.

— Bonne nuit.

Paul évoquait là une logique largement partagée : les filles se divisaient entre celles qui couchaient et celles qu'on épousait. Jeannot ne savait pas encore où se classait Marie-Andrée, mais il souhaitait la revoir.

❖

De nouveau, le professeur dut rouler très lentement pour revenir rue Couillard. Il vit de la lumière dans le salon, Marie-Andrée était toujours debout. En entrant, se sentant un peu coupable de son état, il la trouva en pyjama, affalée sur le canapé.

— Bonsoir, salua-t-il depuis l'entrée. As-tu passé une bonne soirée chez les Marois ?

— Oui. Et toi ?

Elle portait le peignoir qu'il lui avait offert à Noël. Ses longs cheveux châtains encadraient un visage fin. De plus en plus, il revoyait sa femme défunte en elle. Leurs relations en devenaient troubles.

— J'ai eu plus de plaisir que ce à quoi je m'attendais. Sa femme est charmante. Je ne l'ai pas reconnue, mais son fils était dans ma classe il y a quelques années.

— La moitié des garçons de la ville sont passés dans ton école, je pense.

Le souvenir des adolescents rencontrés au restaurant demeurait tout frais dans sa mémoire. Ces trois-là connaissaient son père.

— Veux-tu que je te serve quelque chose ?

Elle avait pris l'habitude de lui préparer un café les quelques fois où il revenait tard en soirée.

— Non. J'ai un peu abusé là-bas. Tout à l'heure, un grand verre d'eau me suffira.

Marie-Andrée changea complètement de sujet. Des yeux, elle désigna le livre du docteur Gendron sur la table basse. Il avait conservé la même place qu'au moment de son départ.

— Tu m'avais demandé si tu pouvais le lire.

— Merci. Je le regarderai. Tu l'as aimé ?

Un peu de rose monta aux joues de l'adolescente. Elle ne savait trop comment répondre. Son simple intérêt pour le sujet l'incommodait déjà.

— Tout est clair, bien présenté, dans un langage… convenable.

Si elle avait livré un tel compte rendu de lecture à l'école, sa moyenne aurait fortement chuté. Son père n'insista pas, mal à l'aise lui aussi.

— Les Marois t'ont-ils bien reçue ?

Maurice éprouvait un sentiment ambigu à l'écoute des récits de sa fille sur les riches voisins. Les meubles coûteux, la grosse voiture, les voyages fréquents aux États-Unis lui faisaient envie. Heureux pour eux, mais malheureux de devoir se passer de tout ça.

— Ils étaient absents. Nous avons mangé un sandwich en regardant la télé.

— Si j'avais su que vous étiez seules, je serais resté ici.

Le père baissa les yeux, déçu de revenir si vite à son ancienne attitude.

— Papa, nous avons dix-sept ans toutes les deux.

— Désolé, tu as raison. Comme tu vivras ailleurs au mois de septembre prochain, je devrais apprendre à te faire confiance.

« Voilà qui ne lui sera pas facile », songea Marie-Andrée. Elle voulut le tester tout de suite :

— Après *Jeunesse d'aujourd'hui*, nous sommes allées faire un tour au restaurant du coin.

— Qu'y a-t-il d'intéressant là-bas ?

— Des jeunes. Nous avons discuté de choses et d'autres.

L'imprécision parut déranger son père, aussi elle ajouta :

— D'école, surtout.

Maurice hocha la tête de bas en haut. Du temps passé entre copains, sans autre présence adulte que celle du tenancier.

— Je vais aller me coucher, maintenant.

Il fit mine de se lever. Elle l'arrêta avec une question.

— Connais-tu Jeannot Léveillé ?

Son père fronça les sourcils.

— Je ne vois pas. Devrais-je ?

— Il est dans ta classe.

— Ah ! Ce Jeannot-là, pas le lapin. Il a des petites lunettes cerclées de métal perchées sur le nez, des cheveux trop longs pour le règlement de l'école, et l'air d'un bon garçon.

Les derniers mots visaient à faire plaisir à sa fille. Le malaise évident de celle-ci lui confirma qu'il visait juste.

— Pourquoi me parles-tu de lui ?

— Il se trouvait au restaurant. Il m'a accompagnée jusqu'à la porte de la maison. En me quittant, il a parlé d'une sortie au cinéma.

Si cela se concrétisait, ce serait son premier rendez-vous. En esprit, son père la vit s'envoler.

— Je suppose qu'il ne te proposera pas *Sœur Sourire*.

Sur son visage, à son grand soulagement, elle reconnut la connivence de son enfance. Cette fois, l'homme quitta sa place en disant :

— Ne te couche pas trop tard.

— Encore quelques pages à mon chapitre, puis j'irai. Bonne nuit.

— Bonne nuit.

Après s'être rendu dans la cuisine boire un peu d'eau, il passa à la salle de bain, le livre du docteur Gendron toujours sous le bras.

⊠

Dans son lit, Maurice Berger fixait le plafond. La tête lui élançait un peu à cause de l'alcool, puis ses pensées se bousculaient. Après une rencontre dans un restaurant, Marie-Andrée s'apprêtait à accepter de revoir ce garçon.

Personne ne savait où cela la conduirait, mais selon toute probabilité, cela n'aurait aucune suite. Après tout, les chances que sa propre histoire se répète avec sa fille demeuraient infimes : un premier coup de cœur tardif, un mariage rapide. Puis, si ce Jeannot s'incrustait dans la vie de Marie-Andrée, ce ne serait pas un drame. À part son prénom infantile, on ne pouvait rien reprocher de grave à cet adolescent.

Un autre sujet le dérangeait infiniment plus. De toute la soirée, ses yeux s'étaient difficilement détachés de Jeanne. Il ne s'agissait pas d'une grande beauté – Ann avait sans doute été plus jolie –, mais les jambes bien droites, l'arrondi du ventre, le visage mobile et bien dessiné la rendaient attirante. C'était sans compter un esprit vif, peu conventionnel. Ses opinions, notamment sur les congrégations religieuses, lui paraissaient bien audacieuses. Sans son gentil minois, il les aurait peut-être moins bien accueillies.

Tout de même, maintenant il se sentait coupable : personne n'acceptait l'invitation à souper d'un collègue pour passer trois heures à lorgner sa femme. Pendant de longues minutes, son ami Émile avait été exclu de la conversation.

— S'il me fait la gueule lundi matin, je l'aurai bien mérité.

Tout ce qu'il pouvait tirer de cette expérience, c'était le constat que son célibat lui pesait beaucoup plus que jamais il ne se l'était avoué. Restait à savoir ce qu'il ferait de cette prise de conscience. En laissant échapper un long soupir, il tendit le bras pour prendre le livre du docteur Gendron. Dès les premières pages, l'homme se surprit de l'étendue des désirs d'une jeune fille. Voilà que l'inoffensif Jeannot Léveillé devenait une véritable menace.

✖

Maurice ne fut pas le seul à passer une mauvaise nuit et à penser à Jeannot Léveillé. L'adolescent ne se doutait certainement pas du petit raz-de-marée qu'il avait provoqué dans la modeste maison de la rue Couillard. Dans son lit, Marie-Andrée entendit son père se lever vers sept heures. Le professeur n'arrivait pas à s'abandonner à la grasse matinée lors de ses jours de congé. Après le bruit de la chasse d'eau, elle entendrait celui des informations à la radio qu'il écouterait, assis dans le salon.

Jeannot avait profité d'un moment où personne ne les entendait pour lui dire quelque chose de gentil sur son père. Elle regrettait maintenant d'avoir détourné la bouche au moment du baiser. Son malaise l'aurait empêchée d'y prendre un réel plaisir, mais au moins elle aurait eu l'impression de franchir une petite étape, de se sentir un peu comme les autres.

Le comportement de Denise lui trottait dans la tête. Accepter les mains sous le manteau, la langue dans la bouche… Jamais elle n'oserait. Puis elle imagina la scène avec d'autres personnes – elle et Jeannot ? –, un autre rythme, un autre ton. Cela devenait possible. Sa main droite remonta un peu, ses doigts sentirent le bourgeon de son sein sous le tissu du pyjama, le pincèrent un peu, le firent rouler.

Le quart des jeunes filles le faisaient. Figurer dans une si petite minorité donnait-il un caractère très grave à ce péché ? Quand les doigts atteignirent son entrejambe, reconnurent la chaleur humide à travers le coton léger, elle inspira plus profondément, étouffa une petite plainte. Ce devait être plus de vingt-cinq pour cent. Certainement, au même moment, dans la ville, quelqu'un d'autre surmontait la même honte, la même peur de perdre son âme, pour trouver la même vague de plaisir.

Les journaux mentionnaient souvent que la jeunesse désertait la messe dominicale. Chez les Berger, la pratique religieuse demeurait de mise. Cela tenait à un ensemble de facteurs : l'éducation reçue par Maurice bien sûr, mais aussi son travail d'enseignant. Quand le collège était encore une institution privée des Frères de l'instruction chrétienne, la plus petite incartade lui aurait valu un renvoi. En 1967, le dénouement serait sans doute moins clair. La commission scolaire en assumait la propriété, mais l'établissement demeurait catholique.

Le professeur n'entendait pas prendre de risque. Un peu après neuf heures, sa fille et lui montèrent dans la voiture pour se rendre à l'église paroissiale. Même à cette époque de mécréance, l'affluence demeurait assez importante pour l'obliger à se garer à quelques centaines de verges de leur destination. Si bien que Marie-Andrée remarqua en descendant :

— Nous aurions pu tout aussi bien venir à pied.

— Tu as raison. Je vieillis sans doute, pour m'éviter ce petit effort.

L'adolescente lui adressa un sourire moqueur. Ils marchèrent côte à côte jusqu'à la grande bâtisse de pierre. À tous deux, l'endroit rappelait les funérailles d'Ann, quatre ans plus tôt. Tout de suite après la porte se voyait un confessionnal. Marie-Andrée lui jeta un regard préoccupé. Son activité du matin devait être rapportée à un prêtre. Pour recevoir une absolution valide, une pénitente ne pouvait passer une faute comme celle-là sous silence. Cependant, au moment d'avouer ces mauvais touchers, la honte la torturait. Cela ne ratait jamais, l'ecclésiastique désirait toujours connaître des détails supplémentaires. Visiblement, il y prenait plaisir.

Ce matin-là, elle n'avait vraiment pas le cœur à supporter une telle enquête. Cependant, rester dans son banc lors de la communion indiquerait à tout le monde que sa conscience portait une lourde faute. En s'asseyant, elle observa la mine préoccupée de son père. Celui-ci risquait de faire le lien entre son âme trop chargée et la soirée de la veille. Cela pourrait lui valoir une interdiction de sortie.

Si le père et la fille s'entendaient fort bien, cette fois cela tenait de la transmission de pensée : leur esprit suivait des voix absolument parallèles. Maurice se souvenait de la femme d'Émile en se disant qu'elle lui valait deux péchés mortels : l'envie et la luxure. Puis, même dans ce lieu sacré, ses yeux suivaient les plus jolies silhouettes. Les manteaux légers en flattaient certaines. Et les jupes continuaient leur ascension vers le haut, dégageant totalement les genoux et un peu des cuisses. Pâques permettait à plusieurs d'étrenner de nouveaux vêtements aux couleurs plus claires, plus gaies.

Pendant la messe, leur esprit continua à vagabonder. Au moment de la communion, ils se consultèrent des yeux. Autrefois, pour communier, on devait être à jeun depuis la veille. Avec Vatican II, le délai avait été porté à une heure.

Cela leur avait permis de prendre un petit déjeuner. Ce motif ne pouvait leur servir de prétexte.

Maurice quitta le banc le premier, sa fille lui emboîta le pas. Ils se placèrent au bout de l'une des queues de paroissiens, dans l'allée centrale. De nouveau, des yeux, l'homme fit l'inventaire de toutes les femmes présentables. L'usage voulait qu'elles portent des gants à l'église, il ne pouvait voir si un anneau ornait leur doigt. L'adolescente examinait des jeunes gens de son âge.

Afin de ménager leur réputation, chacun commettait une faute supplémentaire en recevant la communion en état de péché mortel.

Comme tous les matins, Maurice Berger se stationna près du collège vers huit heures. De nombreux élèves le saluèrent au passage. Certains formaient de petits groupes dans la cour de l'école, d'autres étaient déjà à l'intérieur. Des autobus jaunes en amenaient environ deux cents des paroisses environnantes. Ceux de la ville arriveraient juste à temps pour le début des classes.

Lorsqu'il passa la porte, une certaine appréhension lui saisit le ventre. Depuis les insultes échangées dans le salon des professeurs, l'atmosphère s'était légèrement détendue. La longue fin de semaine de Pâques avait sans doute contribué à calmer encore davantage les esprits. Du moins, l'enseignant l'espérait. À l'intérieur, il se retrouva nez à nez avec la secrétaire du directeur.

— Bonjour, monsieur Berger, commença-t-elle avec son sourire habituel.

— Bonjour, mademoiselle Renée. Vous n'allez pas me convoquer à un autre petit entretien pour me faire disputer ?

La jeune femme pinça les lèvres, visiblement amusée de l'entendre rappeler cet incident.

— Ça se passe comme avec vos élèves, je suppose. Restez sage et tout ira bien.

Le professeur laissa ses yeux s'égarer sur la poitrine de son interlocutrice. Son tricot était si léger qu'il distinguait les parures de dentelle de son soutien-gorge.

— Je ferai tout mon possible. Je vous souhaite une excellente journée, mademoiselle.

Il s'éloigna bien vite, espérant qu'elle n'ait pas remarqué son indiscrétion. Ce devait être cela, le démon du midi. Dans son cas, le réveil des sens lui venait précocement.

En pénétrant dans le salon des professeurs, il retint son souffle. Heureusement, Labonté ne s'y trouvait pas. La conviction d'avoir eu raison de l'injurier ne le réconfortait pas. Il allait sortir quand Émile Trottier entra.

— … Ah! Bonjour.

Maurice accepta la main tendue. Le sourire de son ami le soulagea. Il s'attendait au moins à un air renfrogné, après le long examen auquel il avait soumis Jeanne.

— Je te remercie encore pour l'invitation.

— Nous avons été heureux de te recevoir. D'ailleurs, je peux te dire que Jeanne t'a trouvé très sympathique.

Voilà! Émile entendait le narguer, une autre façon de lui faire des remontrances. Son silence incita ce dernier à poursuivre:

— Habituellement, le gars répond: "De mon côté, je l'ai trouvée tout à fait charmante." Même si ce n'est pas vrai.

Là, il lui adressa un clin d'œil. Bien sûr, il avait remarqué, et il ne lui en tenait pas rigueur.

— Jeanne est tout à fait charmante, je le dis en toute sincérité.

— Alors, tant mieux, car elle aimerait que nous fassions quelque chose ensemble pour te présenter l'une de ses connaissances. Tout dimanche, elle a passé des appels pour tenter de dénicher une célibataire.

Le samedi précédent, il lui disait n'avoir personne pour jouer les entremetteurs, et moins de trois jours plus tard, elle assumait ce rôle. Maurice eut envie de protester, d'affirmer que cela ne l'intéressait pas. Il se retint, car tout son comportement témoignait du contraire.

— Quelque chose ? Peux-tu être plus précis ?

— Elle a évoqué les quilles.

— Tu te souviens la dernière fois que nous sommes sortis aux quilles entre collègues ? J'ai eu le pire pointage.

De même que la plus faible motivation à l'améliorer.

— L'idée n'est pas de gagner, mais de montrer que tu es aussi sympathique que Jeanne le pense.

— ... Bon, d'accord. Maintenant, nous avons tous les deux une trentaine de jeunes gens avides de connaissances qui nous attendent.

Il avait dit cela avec un clin d'œil. L'enthousiasme de leur clientèle, s'il existait, s'exprimait de façon bien discrète.

Quand il entra dans sa classe, une vingtaine d'adolescents l'occupaient déjà. Les autres avaient encore quelques minutes pour se présenter. Il répondit aux bonjours qu'on lui adressait en prenant place derrière son bureau. En faisant mine de consulter ses notes, le professeur chercha Jeannot Léveillé.

Le garçon se tenait à sa place, tourné vers l'arrière pour parler à un camarade. Son blazer lui sembla un peu fripé, ses cheveux vraiment trop longs, mais sans tout de même ressembler aux hippies que montraient les journaux et les nouvelles à la télévision. Et puis, ses petites lunettes rappelaient celles des musiciens des groupes de rock'n' roll. Cela n'en faisait pas un mauvais garçon, sans doute.

✦

Depuis le matin, Denise Marois se montrait taciturne devant son amie. Quand elle descendit vers la cafétéria à midi, elle remarqua un peu brusquement :

— Samedi soir, tu ne t'es pas ennuyée !

— Non, même si je me sentais intimidée devant ces garçons que je ne connaissais pas.

— Tu ne connais aucun garçon. Ce Léveillé est le premier à qui tu adressais la parole.

L'affirmation venait avec un ton méprisant. Évidemment, prise au pied de la lettre, cette répartie était fausse. Lors de déplacements, ou au parc, Marie-Andrée avait bien rencontré des représentants de l'autre sexe et bavardé avec eux. Toutefois, la blonde exagérait à peine.

— Voyons, ce n'est pas vrai ! protesta-t-elle pourtant.

— Ah ! Tes fameux cousins que personne ne voit jamais.

La honte envahit la jeune fille. En prenant le plateau où déposer son repas, elle réussit à s'éloigner de son amie. À sa table habituelle se regroupaient des élèves issues de la même école primaire – les liens créés à cette époque perduraient jusqu'à la fin de la scolarité. Son espoir d'en avoir fini de cette scène fut déçu, Denise prit place juste en face d'elle.

— Vous savez que Marie-Andrée s'est fait un *chum* en fin de semaine.

Toutes lui consacrèrent leur attention. De cette petite assemblée, elle était la dernière à qui cela arrivait.

— Comment s'appelle-t-il ? demanda l'une.

— … Jeannot Léveillé.

La tête lui tournait un peu. Une conversation, une promenade de quelques minutes suffisaient-elles à lui enlever l'étiquette de niaiseuse pour lui donner un statut de fille « comme les autres » ?

— Je le connais, affirma une autre. Quand nos parents ont acheté un nouveau lit, je l'ai rencontré dans le magasin familial. Il joue au vendeur quelques soirs par semaine et le samedi.

Maintenant, il ne s'agissait pas d'un cousin à l'existence douteuse, mais d'un cavalier en chair et en os. Une autre fille témoignait de son existence.

— À qui ressemble-t-il ?

Les yeux se fixaient sur Marie-Andrée, mais elle ne trouvait pas les mots pour bien le décrire.

— Il s'agit d'un camarade de mon *chum*, expliqua Denise. Pas très grand, myope…

Présenté comme cela, le pauvre ne semblait pas figurer dans la liste des partis désirables.

— Il est amusant, commenta celle qui l'avait vu dans son rôle de vendeur. Il porte de petites lunettes comme celles de John Lennon.

— Puis ses cheveux sont assez longs. Ils traînent sur le col de sa veste.

Ces caractéristiques le rendaient fréquentable aux yeux de ses camarades. Voilà que des regards envieux se posaient sur l'heureuse élue.

— Mais au moins, allez-vous vous revoir ?

Denise revenait à la charge pour semer le doute. Son amie peu dégourdie, de qui elle pouvait se moquer plus ou moins méchamment, faisait ressortir son côté émancipé. Voilà que son petit sentiment de supériorité s'étiolait.

— Il m'a demandé de sortir avec lui.

Une rencontre, une conversation, une invitation, et la jeune fille timide, trop sage, acquérait un nouveau statut.

Chapitre 9

Depuis les années où, à dix-huit ou dix-neuf ans, Maurice Berger rêvait de ses premiers rendez-vous avec des filles de son âge, jamais il ne s'était senti aussi nerveux. Alors qu'il serrait sa cravate autour de son cou, toute sa résolution avait disparu. Seule l'obligation de se justifier devant son collègue le lundi suivant l'empêchait de déclarer forfait.

Rasé de frais, son meilleur veston sur le dos, il se présenta dans l'entrée du salon.

— Es-tu certaine de pouvoir rester seule ?

— J'ai pensé demander au petit voisin d'à côté de venir prendre soin de moi.

Elle assurait la garde de ce gamin de huit ans une fois de temps en temps, quand ses parents se rendaient au cinéma. Le sourire narquois de sa fille mit Maurice mal à l'aise. Il garda sa contenance pour demander :

— As-tu des plans pour ce soir ?

— J'ai convenu d'aller au cinéma avec Denise.

« Et qui d'autre ? » se demanda le père. Marie-Andrée suivait le cours de ses pensées sans mal.

— Son petit ami, Paul, sera là aussi, de même que Jeannot.

— Il est devenu… ton petit ami ?

— Voyons, j'ai bu un Coke avec lui. Je le connais à peine.

Maurice hocha la tête, lui souhaita une bonne soirée en gagnant la sortie.

— Bonne soirée à toi aussi.

« Pour ça, je vais sans doute m'amuser comme un fou », songea-t-il. Trottier et lui avaient convenu la veille de se retrouver dans un restaurant situé en périphérie de la ville, près de l'autoroute. L'enseigne au néon se voyait de loin, l'endroit se spécialisait dans les steaks. Il ne s'agissait pas de grande cuisine, mais ce serait convenable… et pas trop cher.

L'auto de son collègue n'était pas dans le stationnement, aussi le professeur demeura dans la sienne. Il s'expliquait mal la raison de sa nervosité. Après tout, cette femme se trouvait dans une situation semblable à la sienne : seule depuis quelques années, la situation lui pesait. Pourtant, se présenter devant un juge ne l'aurait pas intimidé davantage. Toute son estime de lui semblait dépendre de l'opinion de cette étrangère.

La vieille automobile de Trottier apparut bientôt, facile à reconnaître à cause d'un phare arrière défectueux. Le religieux défroqué fit le tour de son véhicule pour ouvrir la portière à sa compagne. Malgré l'obscurité, la jolie silhouette de Jeanne retint son regard. Une seconde femme descendit de la banquette arrière. Le corps de celle-là lui parut plus épais. D'un coup, il sortit de sa voiture et se manifesta.

— Bonsoir, fit-il d'une voix assez forte pour être entendu.

Maintenant, tourner les talons le ferait passer pour un parfait imbécile. D'un pas rapide, il s'avança la main tendue.

— Tu nous attendais dans ton auto ? demanda Trottier en l'acceptant.

— Cela valait mieux que de m'installer tout seul à une table pour quatre personnes.

Jeanne s'approcha ensuite, ignora la main pour se mettre sur le bout des pieds et poser ses lèvres sur sa joue.

— Je suis heureuse de te revoir, Maurice.

Comme elle tendait la sienne, il l'embrassa aussi. De telles effusions lui étaient bien peu familières. Invariablement, il retrouvait les siens ou les quittait dans une immobilité gênée. Seule sa fille faisait exception.

— Je te présente Ginette, une amie.

Il tendit la main, se déclara enchanté. Le professeur avait bien vu : avec cinq pieds et deux pouces, elle traînait vingt-cinq ou trente livres en trop.

— Monsieur Berger, je suis heureuse de vous connaître.

Puis un silence pesa sur eux, si lourd qu'Émile proposa :

— Entrons maintenant, sinon le repas sera froid.

Son humour ne détendit pas vraiment l'atmosphère. À l'intérieur, tous les deux aidèrent leur compagne à se défaire de leur manteau. Cela donna encore à Maurice l'occasion d'admirer la silhouette de la femme de son ami. Au lieu de porter un vêtement ample, elle s'en tenait à un chandail mettant en valeur son ventre rond. Elle en aurait peut-être encore pour un mois à se vêtir ainsi avant que toutes ses robes, jupes et pantalons ne se révèlent décidément trop petits.

Quant à Ginette, ses hanches et ses fesses s'accordaient très bien avec son abdomen trop lourd. Son embarras n'ajoutait guère à son charme, mais à ce chapitre, l'homme ne valait guère mieux.

Comme il lui arrivait souvent de le faire quand elle se trouvait seule, Marie-Andrée soupa d'un sandwich et d'un verre de lait. Denise Marois frappa à la porte vers sept heures. Quand elle ouvrit, cette dernière lança :

— Tu n'es pas encore prête ?

— Viens t'asseoir un moment, nous avons bien le temps.

Maurice aurait décrit cette attitude comme de la procrastination pour éviter un moment embarrassant.

— Pas du tout, mets ton manteau, ils vont nous attendre devant la porte.

Discuter n'aurait servi à rien, mieux valait obtempérer. Dans la rue, elle demanda :

— Où allons-nous ? J'ai regardé la description de *La jument verte*. Ça me semble être un film pour… adultes.

— Penses-tu ? De toute façon, ce titre ne me disait rien du tout. Une histoire de cheval ! Nous irons donc voir *Tête-à-tête sur l'oreiller*.

Ce programme lui paraissait aussi un peu osé. Sur l'encart publicitaire dans *Le Clairon*, elle avait lu : « Les intrigues galantes d'un cœur de seize ans qui séduisait les grandes dames et les petites femmes ! » D'un autre côté, comme *Sœur Sourire* ne l'avait pas ravie, autant essayer cet autre genre.

— Jeannot sera là ?

— Vraiment, tu aimes les histoires compliquées. Ton cavalier qui dit à Paul qu'il aimerait sortir avec toi. Paul qui me le répète, moi qui te le dis…

— Oui, je sais. J'ai dit oui, tu as dit oui à Paul, il a dit oui à Jeannot. Il aurait pu venir me le demander lui-même, mais il a préféré ce moyen.

Que le garçon se montre aussi timide qu'elle pouvait la rassurer, mais d'un autre côté, ils risquaient de se regarder en chiens de faïence, sans rien oser. Un peu plus d'audace chez l'un ou l'autre aurait rendu les choses plus faciles.

— Après la classe, Jeannot aurait pu dire à ton père : "Monsieur, je veux emmener votre fille voir un film cochon." Je me demande comment il aurait réagi.

— Pas très bien, je suppose.

Imaginer la scène la fit sourire.

Le Cinéma de Paris se situait avenue Saint-Joseph. Les deux filles forcèrent le pas afin de ne pas manquer les actualités. Leurs compagnons se tenaient bien devant l'entrée. Le baiser entre Denise et Paul s'avéra passionné. Marie-Andrée et Jeannot demeurèrent un instant l'un en face de l'autre, silencieux.

— Je suis heureux de te revoir, commença Jeannot.

— Moi aussi.

Son hésitation gâcha le moment où il se pencha pour lui embrasser la joue.

— Nous y allons ?

Déjà, Paul se tournait vers le guichet pour acheter deux billets. Jeannot fit la même chose, puis les deux couples entrèrent dans la salle obscure. Les places libres se révélèrent peu nombreuses, il ne serait certainement pas possible de prendre quatre sièges l'un à côté de l'autre.

— Nous allons de ce côté, dit Denise en indiquant l'une des dernières rangées.

Jeannot examina les lieux, désigna des places dans l'allée à leur droite. Il laissa la jeune fille passer la première, l'aida de façon très maladroite à enlever son manteau.

— Tu sais ce qu'on présente ce soir ?

Marie-Andrée fit signe que non d'un mouvement de la tête. L'en informer donnerait un sujet de conversation à son ami.

— D'abord, il y a *Train d'enfer*, avec Jean Marais. Tu sais, le même type que dans *Fantômas*. C'est un film d'action.

— L'autre film, tu le connais ?

— Quelque chose comme *Tête-à-tête*... je ne sais plus quoi. Je n'ai pas fait attention, je ne connaissais pas les actrices.

Il préférait jouer l'indifférence pour ce genre de production, mais il admettait au moins implicitement ne pas avoir remarqué les acteurs.

Au restaurant, les quatre convives avaient pris place sur des banquettes de part et d'autre d'une table. Recouvertes d'une pellicule de plastique imitant très mal le cuir, elles produisaient un bruit curieux à chacun des mouvements de leurs occupants. La question des places avait fait l'objet d'une négociation. Finalement, Maurice s'était installé à côté de Jeanne, en face de Ginette. Les époux s'engagèrent dans une conversation domestique seulement pour leur donner l'occasion de faire plus ample connaissance.

« Comme je suis empoté, songea le professeur, pour ne rien trouver à lui dire. » Heureusement, Ginette fit l'effort de sauver la situation.

— Vous avez perdu votre femme il y a quelques années, je pense.

— Quatre ans, dans un accident de voiture.

La question ne s'avérait pas bien judicieuse, car ensuite il eut du mal à retrouver son sourire. Alors, tant qu'à s'engager dans une conversation sur les trépassés, il demanda :

— Êtes-vous célibataire ou veuve ? Émile ne m'a rien dit à votre sujet.

En entendant son nom, l'ancien religieux leva les yeux dans sa direction, puis redonna son attention à sa femme.

— Mon mari aussi est mort depuis quelques années. J'ai deux garçons qui ne vivent plus à la maison, maintenant.

Personne ne voulait s'encombrer des enfants des autres, aussi la précision méritait d'être faite.

— Ma fille quittera la maison à la fin de l'été.

Après un moment de silence, il demanda encore :

— Occupez-vous un emploi ?

— Vendeuse, chez Lessard.

Il s'agissait d'un magasin de vêtements, rue Wilfrid-Laurier. Elle semblait un peu gênée d'admettre devoir gagner sa vie. À son âge, toutes ses relations s'occupaient d'un foyer.

— Vous aimez le cinéma ?

L'ombre quitta le visage de Ginette. Finalement, Maurice ne s'en tirait pas si mal dans l'art de la conversation.

— J'y vais quelques fois dans l'année. Sortir seule n'est pas intéressant. Ce serait différent si quelqu'un venait avec moi.

Voilà, ses attentes immédiates avaient été mises sur la table. Au moins à court terme. Comme il demeurait silencieux, elle continua :

— Alors, je regarde les films qui passent à la télévision.

En entendant la tristesse, l'ennui dans la voix, Maurice mesura sa chance. Tous les soirs, il rejoignait une personne aimée. Toutefois, cela prendrait fin bientôt.

— Vous, vous allez au cinéma ?

— Toutes les semaines, mais voilà le second samedi soir d'affilée où je n'y suis pas. Je n'ai jamais d'autre idée de sortie à proposer à Marie-Andrée.

Comme elle fronçait les sourcils, il ajouta :

— Il s'agit de ma grande fille. La dernière fois, nous sommes allés voir *Sœur Sourire*. Je ne pense pas que ça lui a beaucoup plu.

Il avait dit cela avec un petit sourire d'autodérision.

— Moi, ça m'aurait convenu. Au moins, il y a de la couleur au cinéma.

La télévision québécoise commencerait très bientôt à diffuser des émissions en couleur de façon régulière, mais la plupart des ménages posséderaient encore un appareil en noir et blanc dans dix ans. Toute l'existence de cette femme demeurerait monochrome.

Il eut envie de demander : « Avez-vous d'autres loisirs ? »
Puis le côté cruel de la question lui apparut. Cette femme
se consumait d'ennui. Jeanne jugea à propos de venir à son
secours.

— Bientôt, je serai trop grosse pour faire quoi que ce
soit de vraiment utile. Peux-tu me conseiller quelques
bonnes lectures ? Un livre où on ne trouve aucun mot en
latin.

Le professeur s'engagea dans un petit exposé sur *L'avalée
des avalés*, de Réjean Ducharme. Cela équivalait à exclure
tout à fait Ginette de la conversation.

❖

Pendant tout le premier film, Jeannot avait concentré
son attention sur l'écran. Ses regards en biais n'échappaient
pas à Marie-Andrée, mais ses mains et même son épaule
étaient demeurées de son côté de la frontière tracée par le
bras du fauteuil.

À l'entracte, les garçons se dévouèrent pour aller acheter
du popcorn au comptoir. Denise Marois quitta sa place pour
rejoindre son amie. Elle s'assit sur le siège de Jeannot et
passa un bras autour de ses épaules.

— Tu as aimé ce *Train d'enfer* ?

— De beaux paysages, quelques blagues pas trop idiotes.
Et toi ?

— Je n'ai pas vu grand-chose. Avec Paul voulant toujours
m'embrasser, difficile de regarder devant.

La jeune fille avait posé la question sur le film unique-
ment pour pouvoir mentionner ses galipettes. Elle tenait
sans doute à se montrer affranchie devant une amie plutôt
gourde. Peut-être celle-ci préférait-elle évoquer ses privautés, plutôt que les vivre.

— Je n'ai pas de problème de ce genre. Les voici.

Après quelques mots encore, chacun reprit sa place. Devant des images suggestives et des dialogues ne portant jamais sur autre chose que la sexualité, Jeannot perdit un peu de sa retenue. À la vitesse de l'escargot, il s'inclina lentement vers la droite, jusqu'à ce que son épaule touche celle de Marie-Andrée. Elle s'éloigna un peu, lui se rapprocha encore.

Ce n'était pas bien méchant, aussi très vite, elle accepta le contact sans se dérober. Toutefois, le Seven-Up accompagnant le popcorn commençait à l'incommoder.

— Attends-moi un instant.

Le garçon se leva pour la laisser passer, plaça sa main sur sa taille sous prétexte de l'aider à se faufiler devant lui. La proximité des corps émut la jeune fille plus que de raison. Au fond de la salle, ses yeux se portèrent machinalement sur son amie. Paul se tenait penché sur elle au point de la lui dissimuler. Sur ses genoux, son manteau cachait sans doute un jeu de mains coupable. Le simple fait d'imaginer ce contact amena de la chaleur aux joues de Marie-Andrée.

En revenant à sa place, elle entendit des ricanements dans son dos. Le manège avec Jeannot reprit. Le frôlement des deux corps, l'épaule cherchant la sienne. Le garçon entendait pousser un peu plus loin son avantage. Feignant de s'étirer, il fit passer son bras au-dessus de sa tête et le posa sur le dossier du siège de sa compagne. D'abord, l'absence de contact la rassura, elle eut le temps d'apprivoiser cette proximité. Quelques seins sur l'écran enhardirent son compagnon. Sa main se posa sur l'épaule de sa voisine, légère, immobile. Le geste demeurait très doux. «Respectueux», songea-t-elle.

Dans les rangées devant elle, d'autres jeunes gens accomplissaient les mêmes gestes. Dans plusieurs cas, la main se faisait active. Marie-Andrée devinait qu'alors, le bout des doigts devait caresser doucement le sein pour en exciter la pointe. D'autres fois, il s'agissait d'un vrai pétrissage, assez énergique pour laisser des bleus.

Cette pensée lui mit un peu de chaleur au bas-ventre. Une excitation diffuse.

Le film se termina sans que le garçon profite de façon plus audacieuse de la situation. Marie-Andrée lui en fut reconnaissante. Lorsque les lumières s'allumèrent, le bras disparut. Jeannot se redressa tout à fait. En l'aidant à remettre son manteau, il éclata de rire.

— Tu es allée aux toilettes avec ça ?

— Avec quoi ?

Le garçon lui mit un petit poisson en papier sous le nez.

— Nous sommes le 1er avril. Denise doit te l'avoir collé dans le dos pendant l'entracte.

— Très drôle.

Une façon de la faire se sentir encore plus embarrassée devant son cavalier. «Non, plutôt devant toute la salle !» songea-t-elle, tandis que lui revenaient les ricanements de tout à l'heure. Marie-Andrée chiffonna le bout de papier avant de le mettre dans sa poche.

Après cela, Jeannot montra plus d'assurance, l'aidant à enfiler une manche, puis l'autre. Parce qu'elle n'avait pas cherché à rompre le contact, il savait maintenant que la proximité de son corps lui était acceptable. Cependant, l'absence de réaction ne lui permettait pas de conclure qu'elle avait aimé.

À l'extérieur, Denise Marois proposa :

— Allons prendre quelque chose au restaurant.

— Je ne sais pas, répondit Marie-Andrée.

Elle réprima son envie de lui reprocher son poisson d'avril pour jouer l'indifférente.

— Le temps de boire un Coke, intervint Jeannot, et je te raccompagnerai chez toi.

— … D'accord.

Après une centaine de verges, le garçon prit son bras, juste à la hauteur du coude. À travers le tissu du manteau, le contact était à peine perceptible. Pendant ce temps, il l'entretenait des péripéties du premier film. En ce qui concernait le second, ses émotions ne se formulaient pas à haute voix devant une jeune fille sage.

❈

Le salon de quilles ne se situait pas très loin du restaurant. Maurice fit monter Ginette dans sa voiture pour couvrir la distance. Elle formula une remarque sur la petitesse du véhicule, et il rétorqua de façon un peu abrupte :

— Je n'ai pas beaucoup d'argent, je ne veux pas mettre mon salaire dans un moteur, une carrosserie et de l'essence.

Pourtant, une fois rendu à destination, le professeur fit poliment le tour de son auto pour lui ouvrir la portière.

L'établissement comptait une douzaine d'allées, toutes occupées sauf deux. Ils passèrent au comptoir pour annoncer la pointure de leurs chaussures, afin d'en recevoir une paire à semelle molle. Maurice trouva que les siennes empestaient. Ce simple détail lui rendit l'activité désagréable.

— Tu joues souvent ? demanda-t-il à Émile en finissant d'attacher ses lacets.

— Maintenant, plus tellement. Chez les frères, au juvénat, nous avions quelques allées. Imagine ! Tout un escadron de gars de vingt ans qui doivent sublimer leurs désirs sexuels avec l'amour de Dieu et les petites quilles. On verra s'il reste quelque chose de mon habileté d'alors… De ton côté ?

— J'ai remporté le prix du plus mauvais joueur à quelques reprises.

L'ancien prêtre reçut l'information avec une grimace.

— Comme quelqu'un risque de te ravir ce prix ce soir, mieux vaut prêter attention à la composition des équipes.

Des yeux, il montrait les deux femmes qui s'étaient placées un peu à l'écart pour mettre leurs chaussures.

— Vois-tu un inconvénient à faire équipe avec Jeanne ?

— Non, bien sûr que non, mais si Ginette est venue pour que je la connaisse…

— Ne t'en fais pas, vous aurez votre moment en tête-à-tête.

L'instant d'après, quand Émile fit part de son idée aux deux autres, il comprit.

— Pour la première partie, nous changerons de partenaire. Ensuite les gagnants joueront ensemble, et les perdants feront comme bon leur semble.

Quand Jeanne lança la première boule, Maurice ne quitta pas la femme des yeux. Si on oubliait les chaussures d'un mauvais rouge, elle arrivait à paraître séduisante lorsqu'elle effectuait trois pas rapides avec la boule dans la main droite, puis se penchait pour la lancer. Ses pieds glissèrent sur le plancher vernis, et elle se releva pour lui faire face, souriante.

— Je parie pour un abat.

Les quilles volèrent, les jambes d'un garçon apparurent. Il enleva les quilles qui étaient tombées sur la surface de jeu.

— Désolé, mais j'en vois deux toujours debout.

— Je devrais avoir quelques points d'avance à cause de mon état.

Son regard se posa sur l'arrondi de son ventre, sa main esquissa une caresse. Le geste parut séduisant à Maurice.

— Quand tu m'auras vu à l'œuvre, tu sauras que ce n'est pas nécessaire.

Elle prit une autre boule pour s'occuper des quilles restantes. À côté, Ginette allait lancer la première. Il la regarda faire les trois pas, son gros derrière ondulant de droite à gauche. La boule alla dans le dalot après avoir parcouru dix pieds. «Oui, me voilà bien privé de mon trophée.»

Émile Trottier se souvenait très bien de ses années d'entraînement chez les frères. Il supplanta outrageusement son adversaire. La domination fut moins nette dans le cas de Jeanne, mais elle l'emporta tout de même avec une majorité de points. Le mari et la femme s'opposeraient donc. Les deux autres restèrent un moment face à face.

— Tenez-vous vraiment à jouer cette partie?

Ginette secoua la tête de droite à gauche pour dire non.

— Dans ce cas, donnez-moi vos chaussures, je vais les retourner pour vous. Désirez-vous boire quelque chose?

— … Une Orange Crush.

Maurice revint bientôt avec les boissons. Sa compagne de la soirée et lui s'installèrent à une table un peu en retrait. Émile et sa femme donnaient un charmant spectacle, s'arrêtant parfois pour échanger quelques mots, n'économisant ni les taquineries ni les fous rires pour souligner les bons et les mauvais coups.

— Ces deux-là s'entendent si bien, on dirait une publicité pour vendre le mariage chrétien, remarqua Maurice.

— Ça ne fait pas longtemps qu'ils sont mariés. Il faut attendre encore un peu avant de se faire une idée.

L'union de celle-là avait dû contenir son lot de déceptions. La main d'Émile se posait sur la taille de sa conjointe, glissait jusqu'aux fesses.

— Pour le moment en tout cas, ils profitent bien de l'existence.

Maurice se souvenait d'une entente aussi parfaite avec Ann. Toutefois, il était demeuré réservé, préoccupé d'éviter les gestes d'affection en public, et même gêné de les avoir dans l'intimité. Comme il en voulait à ses parents pour leur froideur l'un envers l'autre, et avec leurs enfants. C'était comme s'ils avaient omis de lui apprendre un langage pourtant essentiel.

Il fit un effort pour connaître les émissions de télévision préférées de sa compagne, il revint sur sa réticence à s'informer de ses autres loisirs. Le tricot et le crochet retinrent leur attention de façon intermittente jusqu'à ce qu'Émile l'emporte sur son épouse.

En retournant près des vestiaires, Jeanne déclara, rieuse :

— Sans ses quelques coups chanceux, je l'aurais battu.

Le sujet les anima jusqu'à ce qu'ils se rendent dans le stationnement. Le professeur se tourna vers Ginette pour proposer :

— Je peux vous reconduire chez vous, si vous voulez.

Sa remarque sur sa petite voiture oubliée, elle accepta. Après un échange de poignées de main et de bises, ils se séparèrent de l'autre couple en se souhaitant bonne nuit.

❖

Après une quarantaine de minutes passées au restaurant du coin, Marie-Andrée savait que le père de Jeannot possédait un petit magasin de meubles avenue Saint-Joseph, pas très loin du Cinéma de Paris. Monsieur Léveillé rêvait pour son fils d'une carrière libérale. La connaissance de quelques locutions latines lui paraissait plus respectable que le commerce.

De son côté, l'adolescente évoqua l'école normale Jacques-Cartier qu'elle comptait visiter bientôt. Dans un monde où quelques femmes seulement accédaient aux études supérieures, une telle formation la mettrait dans le lot des plus instruites. L'amour des enfants en faisait une bonne personne. Du moins, son compagnon semblait le croire sincèrement.

De leur côté, Denise et Paul échangèrent de longs regards et des paroles au sens ambigu.

Au moment de rentrer, ces deux-là prirent les devants. Afin de profiter d'un peu de discrétion, les autres traînèrent les pieds.

— J'ai aimé notre soirée, confia Jeannot.

— Moi aussi. Enfin, presque. La prochaine fois, je ne laisserai pas Denise choisir le film.

— Personnellement, je me passerais d'elle aussi. De toute façon, notre présence ne compte pas à ses yeux. Enfin, pas autrement que comme un public.

Marie-Andrée regarda son compagnon à la dérobée, étonnée de sa perspicacité. Bien sûr, il avait raison. À ce moment, son amie marchait devant, le bras autour de la taille de son amoureux. Ce dernier faisait la même chose, sa main caressant les fesses. Le tout tournait à l'exhibition. Puis le poisson d'avril s'ajoutait aux griefs de Marie-Andrée. Dans la rue Couillard, le couple reprit ses baisers fougueux et ses jeux de main.

Pour les derniers pas, Jeannot lâcha le bras de Marie-Andrée pour poser la main dans son dos. Puis ils se firent face devant la porte.

— Alors, accepterais-tu de faire quelque chose avec moi cette semaine?

— Plutôt vendredi soir, samedi ou dimanche. Pendant la semaine, avec les études…

Elle offrait suffisamment de choix pour qu'il reconnaisse son intérêt à le revoir.

— Bon, d'accord.

Quand il se pencha, Marie-Andrée s'y attendait cette fois et elle ne se déroba pas. Le contact des lèvres sur les siennes dura quelques secondes. Il esquissa un mouvement, mais ne mêla pas sa langue à ce jeu.

Quand il se redressa, il répéta :

— Alors, nous nous verrons bientôt.

— Si tu ne veux pas passer par tous ces intermédiaires, tu peux donner un message à mon père, à mon intention.

L'autre écarquilla les yeux. Son professeur ne lui semblait guère susceptible d'incarner de bonne grâce les Cupidon.

— Ou alors tu peux téléphoner. Notre numéro est dans l'annuaire.

Avec son meilleur sourire, il lui souhaita bonne nuit et l'embrassa encore avant de tourner les talons.

— Bonne nuit.

Son dernier salut l'amena à se retourner pour lui adresser encore un geste de la main.

Chapitre 10

Pendant tout le trajet, ils demeurèrent silencieux. La veuve habitait la paroisse où Adrien était curé, dans l'un des petits immeubles locatifs où logeaient de nombreux travailleurs du textile. Une fois stationné, Maurice descendit et vint lui ouvrir la portière.

— Je vous remercie pour cette soirée, Ginette.

Il lui tendit la main, elle l'accepta.

— Bonne nuit, monsieur Berger.

— ... Bonne nuit.

Elle marcha vers l'escalier afin de monter à l'étage. Le professeur crut l'entendre murmurer: «Bonne chance.» À aucun instant de cette soirée il n'avait cru que cette rencontre donnerait quelque chose. Pourtant, lorsqu'il s'assit derrière son volant, Maurice réalisa qu'il n'avait pas perdu son temps. Il avait rencontré une personne aussi nerveuse, aussi peu assurée que lui. Dans ce jeu, aucun des acteurs ne profitait d'un réel avantage. La prochaine fois, ce serait plus facile.

Il vérifia l'heure à son poignet, constata qu'il n'était que dix heures trente. Rentrer tout de suite ne lui disait rien, le petit café du terminus d'autobus ne fermerait pas avant minuit. Cela lui laissait amplement le temps de manger un morceau.

❖

Dix minutes plus tard, il était assis sur un mauvais tabouret devant le comptoir de l'établissement. Aussi tard, les autres clients se partageaient entre chauffeurs de taxi et de camion, à en juger par les inscriptions sur leur veste.

La serveuse aux yeux fatigués s'approcha pour demander :

— Voulez-vous le menu ?

Maurice la reconnut pour l'avoir vue... pour l'avoir déjà soumise, plutôt, à un examen attentif lors d'un passage précédent à cet endroit.

— Non. Je vais prendre une part de cette tarte et un café.

La serveuse commença par lui apporter la boisson chaude, puis elle souleva la cloche de verre posée sur la tarte pour en couper un morceau. Maurice épiait tous ses gestes, appréciait les jambes nues, la naissance des cuisses révélée par son uniforme trop court. Cette façon de détailler le corps des femmes sur son passage lui faisait un peu honte.

Pour se pardonner, il se répétait que le sexe envahissait l'esprit de tout le monde. Dans le salon des professeurs d'abord, avec la venue des plus jeunes, le sujet s'imposait dans les conversations. À la télévision, dans les journaux, chaque article y faisait allusion, même dans les sections politiques. Personne ne semblait plus s'intéresser à autre chose. S'il commettait une faute, les autres faisaient de même.

Plus prosaïquement, après quelques années d'abstinence, le pauvre n'en pouvait plus !

Quand la serveuse posa la tarte devant lui, il demanda :

— Avez-vous le *Montréal Matin* ?

— À cette heure-ci, non, il n'en reste aucune copie. Toutefois, si vous tenez à lire, vous trouverez quelque chose sur ce présentoir. Les hebdomadaires du dimanche arriveront cette nuit.

Maurice quitta son siège pour aller vérifier. La page couverture de *Allo Police* l'écœura par son sensationnalisme. De toute façon, avant même de se lever, son choix était fait. Le *Nos Vedettes* présentait quelques titres aguichants à la une : «Mademoiselle, seriez-vous prête à épouser un prêtre ?», «Bientôt peut-être, l'Église nous permettra d'élire nos évêques» et «Avec ses jeunes voyous, Montréal est devenu un autre Chicago».

— Ce n'est pas fameux comme lecture, mais ça fera l'affaire, dit-il comme s'il avait besoin de justifier son choix.

La serveuse dut croire qu'il cherchait à entamer la conversation. Elle aussi le reconnaissait : l'admirateur indiscret au point que son patron avait remarqué son manège. Il ressemblait à un commis plutôt mal payé, à en juger par l'usure des vêtements. Tout de même, il se révélait moins grossier que les clients habituels. Les autres l'interpellaient en criant : «Viens icitte, ma belle !» Les plus audacieux la sifflaient quand elle se penchait vers l'avant, livrant une bonne part de ses cuisses à leur vue. Ceux-là demandaient : «Tu sors-tu ?», mais dans leur bouche, les mots sonnaient comme : «Tu couches-tu ?»

Pas de vulgarités de ce genre à craindre de ce timide. Elle s'approcha, puis examina un instant la page titre de la publication.

— Je suppose que les orchestres de musique yé-yé ne vous intéressent pas.

Une photo des Sinners figurait aussi sur la une, la jeune femme devait faire allusion à eux.

— Je ne sais même pas de qui il s'agit.

En français, les Pêcheurs ! Pareille enseigne attirait probablement les fans. Toutes les personnes dans le vent de la province, même juste un peu, devaient les connaître.

— Un groupe prétentieux qui parle de politique dans ses chansons, expliqua l'employée. Il y a quelque temps, il a repris *Penny Lane*, des Beatles, et au verso, *Les grèves d'aujourd'hui*.

— Une chanson sur les grèves?

Elle haussa les épaules. Le thème dominant des chansons populaires était généralement les amours adolescentes. Aborder des questions de ce genre les rendait originaux.

Tout en mangeant sa part de tarte, Maurice se passionna pour l'éventuel mariage des prêtres. Il aurait aimé aborder le sujet avec son frère. Jamais il ne l'avait entendu évoquer son désir pour les femmes. Cela ne signifiait rien, car quelques années plus tôt, Émile adoptait la même attitude. Pourtant, des noces avaient très vite suivi son départ des Frères de l'instruction chrétienne. Ces membres de l'Église devaient dissimuler de tels désirs: l'obligation au silence venait avec la robe noire.

Lentement, le petit restaurant se vida de ses clients jusqu'à ce qu'il soit seul. La serveuse s'occupait de ranger la vaisselle dans la cuisine. À une heure où le reste du personnel était parti, dans le commerce souvent désert, ses responsabilités dépassaient le service aux tables ou au comptoir.

— Mademoiselle, s'enquit-il en élevant la voix pour être entendu dans l'autre pièce, est-ce que je vous empêche de rentrer chez vous?

— Pas du tout, répondit-elle en venant vers lui. Je dois garder cet endroit ouvert jusqu'à minuit, même quand il n'y a plus un chat.

La serveuse marqua une pause, puis ajouta:

— Tout de même, c'est gentil de le demander.

Cette petite attention le mettait dans une classe à part.

Elle disparut de nouveau dans la cuisine. Maurice parcourut les pages qui l'intéressaient le plus, le courrier du cœur et l'agence de rencontres. La première rubrique contenait de quoi écrire une vingtaine de chansons à succès. Quant aux candidates au mariage, «Fleur sauvage» promettait toutes les félicités conjugales à un homme «instruit, cultivé, capable de prendre soin d'une femme». En voilà une qui mettait ses attentes noir sur blanc. «Il pourra être plus âgé que moi, je les aime matures.»

«En écrivant ça, elle donne l'impression d'en faire collection», songea le professeur.

En échange, elle offrait ses trente ans, cent vingt-cinq livres et des yeux bleus. Maurice ne put s'empêcher de songer à Ginette. Maintenant, celle-ci devait être installée devant son téléviseur, peut-être pour regarder *Les couche-tard*. Machinalement, l'homme consulta sa montre. Non, trop tard. À cette heure, il lui fallait attendre patiemment le film de fin de soirée ou regagner son lit.

«Je vais écrire, décida Maurice. Après tout, tant qu'à rencontrer une inconnue, répondre à une annonce ne sera pas plus difficile que participer à la sortie de ce soir.» Cette expérience lui avait au moins appris à ne jamais enchaîner un repas et une activité comme les quilles: cela signifiait quatre ou cinq heures d'affilée en même compagnie. On pouvait toujours allonger une rencontre intéressante. En raccourcir une qui l'était moins lui paraissait de la dernière indélicatesse.

❖

Une fois rentré à la maison, le couple Trottier passa un moment dans le salon. L'homme tenait un cognac, son épouse devait se contenter d'un Coke, compte tenu de sa grossesse.

— Cette Ginette, l'avais-tu rencontrée avant ce soir? demanda-t-il. Jamais tu ne m'as parlé d'elle auparavant.

Sa femme se tenait à demi étendue sur le canapé, le corps contre celui de son compagnon.

— Lors d'un mariage, il y a une douzaine d'années. Elle avait dansé tout l'après-midi.

— Et depuis ?

— Jamais, mais des cousines m'ont parlé de son veuvage.

Émile laissa échapper un long soupir. Cela ressemblait à l'amie d'une parente qui connaissait une cousine au troisième degré. Pas étonnant qu'elle et Maurice aient été si mal assortis.

— En tout cas, nous n'irons pas à leurs épousailles au cours de l'été.

Pendant un moment, le couple prêta son attention aux informations télévisées, car il était question de modifications en cours au système d'éducation.

— Tout de même, il s'agit d'un homme affable, prévenant, malgré son côté mélancolique. S'il veut vraiment refaire sa vie, je ne doute pas qu'il séduise une femme convenable.

Jeanne s'exprimait comme la mère d'un adolescent timide qu'elle souhaitait voir se caser. Ou une marieuse soucieuse de conclure une transaction.

— Je pense que le célibat lui paraîtra préférable aux Ginette.

— Si je me mets sur le téléphone demain, je dénicherai bien une bonne candidate. Une femme vive d'esprit, volontiers rieuse pour lui remettre un sourire sur le visage.

Décidément, cela devenait une obsession ! Elle semblait en faire une affaire personnelle. Elle insista :

— Présentement, il vit les derniers mois de son étrange couple avec sa fille. Ensuite, je crois qu'il voudra se trouver une compagne pour compenser ce grand vide.

— Pour ça, tu as probablement raison. Depuis la mort de sa femme, je ne pense pas qu'il soit sorti plus de cinq fois avec les collègues en fin de journée, et jamais il n'a fait allusion à une femme. Il a donné tout son temps à Marie-Andrée. Il me disait qu'elle lui semblait profondément blessée, fragilisée, comme un morceau de verre susceptible de casser au moindre choc.

— En disant cela, il parlait de lui.

— Sans doute. Des deux, je me demande lequel est le plus durement touché. Parfois, sous prétexte de protéger l'autre, on se protège soi-même.

Émile Trottier se leva pour remplir de nouveau son verre. Il revint au canapé pour trouver sa femme étendue de tout son long. Elle se souleva juste assez pour lui permettre de se rasseoir, puis posa la tête sur sa cuisse.

— Tu as connu sa femme ?

— Pas vraiment. Tu sais, je n'ai encore jamais mis les pieds chez lui. Toutefois, au cours des années où nous avons travaillé ensemble, elle est venue à l'école à quelques reprises. La première fois, elle était enceinte.

Comme il ne continuait pas, elle demanda :

— Alors ?

— Une jolie femme, peut-être pas vraiment timide, mais discrète. Mon directeur de l'époque aurait dit « bien à sa place ». Un couple très lié, ça se voyait tout de suite. Ils semblaient communiquer par les regards.

L'ancien religieux laissait sa main, légère, se promener sur la poitrine de sa femme. La caresse ne déplaisait visiblement pas à sa conjointe.

— Jolie comment ?

— Plutôt menue, des traits fins, des yeux gris, des cheveux châtains.

— Elle te faisait une forte impression…

Le ton n'était qu'à demi taquin. Celle-là n'entendait pas partager, pas même avec une morte.

— À l'époque, elle a fait une forte impression sur un frère de l'instruction chrétienne dans la force de l'âge et toujours vierge… Un frère qui n'avait jamais touché la main d'une femme sans se sentir coupable d'un émoi passager.

Au souvenir de cette époque, il se sentait clairement mal à l'aise. Jeanne saisit sa main posée sur l'un de ses seins pour la porter à ses lèvres et l'embrasser.

— Elle n'avait pas une bonne santé. La première naissance est venue tardivement, et il n'y en a pas eu d'autre. Ils empêchaient la famille.

— Ou ils s'abstenaient?

— Impossible. Aussi impossible que pour nous.

La femme chercha les yeux de son mari, un sourire sur les lèvres. Ils savaient très bien faire la part du plaisir et de la procréation.

— Tu as vu sa fille, déjà?

— Parfois elle le rejoint au collège. Le portrait de sa mère, en plus robuste tout de même.

— Voilà qui explique sa dévotion pour elle. Nous y allons? Apporte ton verre avec toi.

Une invitation impossible à refuser. Pour des raisons différentes, tous deux entendaient effectuer un certain rattrapage dans le domaine des rapports amoureux. Après être passé chacun son tour à la salle de bain, ils se réunirent sous les draps.

— Demande-lui si une autre rencontre l'intéresse. Cette fois, je ferai passer des entrevues aux candidates, puis je te remettrai les dossiers.

Cette façon de présenter les choses amusa beaucoup Émile.

— Après ce soir, je doute qu'il soit enthousiaste.

— Mon offre demeurera sur la table. S'il a une meilleure stratégie, tant mieux pour lui. Et maintenant, interdiction de parler des Berger au cours des trois prochains jours.

À sa façon d'embrasser son mari, ce serait certainement le cas pour au moins une petite heure.

※

Sans s'en rendre compte, Maurice sut si bien perdre son temps qu'il vit bientôt la serveuse revenir du fond du commerce, débarrassée de son tablier, mais portant toujours son uniforme.

— Monsieur, je dois vous demander de me payer tout de suite…

— Oui, bien sûr.

Il la suivit jusqu'à la caisse tout en sortant son portefeuille.

— Ajoutez le journal au total.

Maurice versa la somme demandée, plus un pourboire.

— Si vous n'avez aucun moyen de rentrer chez vous, je peux vous reconduire.

La jeune femme le regarda comme s'il s'agissait d'une proposition indécente.

— À vingt ans, je faisais des hamburgers Chez Ben. Ce commerce existe encore. Parfois, des gens offraient de me reconduire en fin de journée. Personne n'a jamais rien tenté de déplacé avec moi.

Son sourire amena son interlocutrice à se détendre un peu.

— Bon, j'étais moins joli que vous, je l'admets.

Maurice se sentit rougir. Jamais il n'avait adressé un tel compliment à une employée placée sur son chemin. Cette fois, elle rit de bon cœur.

— Je serai prête dans cinq minutes.

En l'attendant debout près de la porte, Maurice parcourut des yeux l'article sur les Sinners. La serveuse vint le rejoindre avec son manteau sur le dos. Une fois qu'ils furent dehors, elle ferma à clé derrière elle, puis accompagna l'homme jusqu'à sa voiture. Elle s'y assit et lui donna une adresse rue de l'Hôtel-Dieu.

Quand il se gara devant la porte, il se tourna à demi :

— Je m'appelle Maurice Berger.

Il lui tendit la main, elle la lui serra.

— Diane Lespérance.

— Je vous souhaite une bonne nuit, Diane.

— Bonne nuit aussi. Repassez me voir, j'aurai encore de la tarte.

La jeune femme descendit, se pencha pour le voir du trottoir.

— Mais je vous la ferai payer.

Puis elle referma la portière. L'homme la suivit des yeux jusqu'à ce qu'elle pénètre dans l'appartement de l'étage. Venait-elle de lui donner un rendez-vous ?

« Imbécile ! Elle est à peine plus âgée que Marie-Andrée. »

Cette pensée lui donna envie de rentrer bien vite à la maison. Il exagérait beaucoup. Cette serveuse devait avoir trente ans, peut-être même un peu plus.

❖

Le lendemain de cette journée riche en émotions, Maurice se leva plus tôt que d'habitude. La poêle à frire placée sur la cuisinière électrique, il se rendit à la porte de la chambre de sa fille pour frapper doucement d'abord, puis un peu plus fort.

— Oui ? fit une voix encore un peu ensommeillée.

— Veux-tu des œufs ?

— Un seul. Je te rejoins dans quelques minutes.

Les « quelques minutes » s'additionnèrent pour faire une demi-heure. Elle se présenta les cheveux dégoulinants, son peignoir bien attaché.

— Ne me dis pas que ce sera froid, je le sais.

— Pas du tout. Tu sais bien que je t'ai attendue.

Elle le remercia d'un sourire. Pendant un moment, la jeune fille regarda son père s'activer près de la cuisinière électrique. Comme il lui tournait le dos, Marie-Andrée trouva plus facile de demander :

— Veux-tu me parler de ta soirée d'hier ?

Maurice lui jeta un coup d'œil par-dessus son épaule pour proposer, amusé par la situation :

— Si je le fais, tu me rendras la pareille ?

— … Si tu veux.

Lui aussi trouvait plus facile de se confier en se dissimulant à son regard. Il continua la préparation du repas.

— Émile, ou sa femme, ou les deux, ont décidé de me présenter quelqu'un. Nous sommes allés manger d'abord, puis jouer aux quilles ensuite.

Pour la première fois, très clairement, son père lui signifiait son désir de rencontrer une nouvelle compagne. Une émotion étrange l'envahit, composée du sentiment d'être abandonnée et de gagner sa liberté tout à la fois. Elle ne se sentirait plus la responsabilité d'être toujours là pour lui et cesserait de se reprocher d'être la raison pour laquelle il n'évoquait jamais l'idée de refaire sa vie.

Évidemment, voir une autre femme dans cette maison la mettrait mal à l'aise. Sa mère la hantait toujours, ce ne serait plus le cas avec une nouvelle venue. Cependant, Marie-Andrée quitterait cet endroit en septembre, peut-être même dès la fin de juin. S'insurger contre une nouvelle présence condamnerait son père à la solitude pour le reste de ses jours.

— Et puis ?

— Pour une fois, je n'ai pas eu la plus mauvaise feuille de pointage.

— Papa !

Les œufs étaient cuits, les pommes de terre aussi. Dans un moment, les rôties sortiraient du grille-pain. Maurice se donna le temps de les servir, puis de s'asseoir avant de répondre :

— Je ne comprends pas pourquoi ils ont voulu me la présenter, nous n'avions rien en commun.

— Tu veux dire… son physique ?

L'homme baissa les yeux un moment. À dix-sept ans, sa fille connaissait le désir.

— À cause de son physique, bien sûr, mais il n'y avait pas que cela. Nous n'avions rien à nous dire, rien à faire ensemble. Je ne la reverrai pas.

Marie-Andrée se sentit déçue pour lui. S'il s'était rendu là-bas, c'était qu'un espoir l'habitait. Maintenant, elle lisait la tristesse sur son visage.

— La semaine dernière, tu ne m'as pas dit un mot de l'épouse de ton ami Émile.

Le souvenir de Jeanne lui tira un sourire.

— Je ne savais pas trop quoi en penser. Tu sais, avoir eu un collègue frère de l'instruction chrétienne, puis le voir dans un mauvais complet, un anneau au doigt… Je ne suis pas assez dans le vent pour prendre tout ça à la légère.

— L'amour fait fi des différences de culture, de statut social, et même des engagements religieux.

Maurice adressa un sourire plein de tendresse à sa fille. Elle assumait son romantisme sans hésiter.

— Tu as raison. Je pense que pendant quelques années, j'ai oublié ce que c'était, les relations entre hommes et femmes. Ils sont amoureux comme dans un film américain. Des échanges de regards, des sourires, et à chaque occasion, des effleurements de mains.

Le visage de Marie-Andrée disait : « Je savais bien que ce véritable amour existait. » Elle ne cesserait jamais de le chercher.

— J'étais scandalisé par sa situation, maintenant j'en suis jaloux.

L'adolescente hocha la tête. Cela expliquait l'air attristé qu'il avait arboré toute la semaine. Avant qu'elle ne lui demande de décrire ses sentiments ambigus pour Jeanne, il la questionna :

— Tu as aimé le film hier ?

— Pas tellement. À l'avenir, je ne laisserai plus Denise décider de tout.

— Ah ! Je bois à cela.

Maurice leva sa tasse de café, puis en avala une gorgée. La jeune fille imita ses gestes et son sourire moqueur.

— *Tête-à-tête sur l'oreiller*. Quelques scènes un peu osées, et beaucoup de platitudes.

« Moi, je n'ai jamais vu ce genre de représentation », songea le professeur. Les films les plus audacieux de Radio-Canada ne tombaient pas dans cette catégorie.

— Jeannot Lapin se trouvait avec toi ?

— Papa !

Le froncement de sourcils l'amena à plaider :

— Franchement, s'appeler Léveillé, tu crois que ça vaut mieux ? C'est tout juste s'il ne s'endort pas dans ma classe.

Comme sa fille n'abandonna pas son air sévère, il se reprit :

— Apprécies-tu ce garçon ?

— Il se montre très gentil.

Le père hocha la tête. Voilà une réponse qui n'autorisait pas à conclure à une passion amoureuse.

— Il me fait cette impression aussi. De nous deux, tu es celle qui n'a pas perdu sa soirée.

Marie-Andrée s'élança pour lui embrasser la joue, émue.

— Ça ne lui vaudra pas de meilleures notes.

— Elles sont déjà bonnes, je crois.

C'était vrai. Sans être un premier de classe, cet adolescent ne négligeait pas d'étudier. Il irait en Belles-Lettres l'année suivante. Tant qu'à savoir sa fille dans un cinéma avec un garçon, celui-là ne s'avérait pas le pire choix.

❈

Après avoir terminé son repas, Maurice regarda Marie-Andrée un moment, puis lui dit :

— À midi, si tu préfères, tu peux revenir manger seule ici.

— Nous n'allons pas chez grand-maman ?

— Moi j'irai. Mais pourquoi aller nous ennuyer là-bas à deux ?

Elle ne protesta pas. Même à cinq ans, ses visites à la vieille dame ne lui procuraient aucun plaisir. Au lieu de caresses et de bonbons, elle y recevait admonestations, incitations à la vertu et descriptions des horreurs de l'enfer.

— Comment lui expliqueras-tu mon absence ?

— Je ne sais pas encore. Je trouverai quelque chose pour lui faire comprendre que l'amour n'est jamais un dû, sauf pour les jeunes enfants. Entre grandes personnes, il se mérite.

L'homme marqua une pause, puis ajouta :

— De ton côté, à toi de juger si elle a gagné ton affection. Tu viens si tu le veux. Ta décision me conviendra.

L'adolescente échangea un long regard avec son père. Chacun d'eux était satisfait de l'autre. Bientôt Maurice prit conscience de l'heure. En consultant sa montre, il lui dit :

— Là, file t'habiller, sinon nous serons en retard à la messe.

La jeune fille obtempéra. Son père s'occupa de passer les couverts sous le robinet, pour les laisser ensuite dans l'évier. Lorsqu'ils montèrent en voiture, il demanda :

— Puis-je t'inviter à sortir mercredi prochain?

— Jeudi matin, nous devons tous deux aller à l'école.

— Jacques Brel sera au Cinéma de Paris. Comme les journaux parlent de sa retraite prochaine, nous n'aurons aucune autre occasion de le voir.

— Dans ce cas, je veux bien somnoler pendant les cours de sœur Saint-Lucien le lendemain.

Quand ils descendirent près de l'église, Marie-Andrée prit le bras de son père. Il lui avait parlé comme à une grande personne, lui permettant ainsi d'en devenir une. Quand ils furent dans leur banc, le professeur se pencha pour murmurer à son oreille:

— En première partie, ce sera Renée Claude. Toute seule sur scène, elle aussi mériterait que l'on se couche tard.

— Suis-je en train de découvrir un homme dans le vent?

La remarque lui tira un sourire mi-amer. Maintenant, il se faisait l'impression de marcher sur un terrain inconnu. Pourtant, avant la communion, il réussit à lui glisser encore:

— À mon retour tout à l'heure, tu auras droit à ton premier cours de conduite.

Même s'il répondait à sa demande, cette perspective inquiéta Marie-Andrée.

La maison d'Ernest Berger se situait en périphérie de la ville, sur le même terrain que son commerce. Ainsi, les cultivateurs n'avaient pas à s'engager dans la grande cité maskoutaine afin d'acheter une nouvelle herse ou la presse à foin du dernier modèle.

La demeure blanche était très grande, cossue même. Maurice frappa à la porte et attendit trois bonnes minutes avant que quelqu'un vienne ouvrir.

— Te voilà! s'exclama son père. Entre.

Déjà il tournait les talons. Le bonjour de son fils ne reçut aucune réponse.

— La p'tite est pas avec toi?

— Non. Elle avait autre chose à faire.

— Ah!

Cette absence ne sema pas la consternation chez son parent. Il le suivit jusque dans un salon aux meubles démodés. Sur les murs, on ne voyait que des images pieuses: des Sacré-Cœur, des vierges de toutes les dénominations – Notre-Dame des Sept-Douleurs, du Bon-Secours, de Fatima, de Lourdes, etc. – et dans toutes les situations possibles, de la visite à Anne jusqu'à la mort sur la croix.

Le vieil homme occupa son fauteuil habituel, assis très droit. Ses yeux se portaient sur le *Journal de Montréal* de la veille. Il semblait regretter de devoir interrompre sa lecture à cause d'un visiteur. Après un moment de silence, il demanda:

— À l'école, ça se passe bien?

— Début avril, je commence toujours à me lasser de la routine.

Maurice marqua une pause, puis ajouta:

— Avec mes nouveaux collègues, les rapports sont difficiles. Parfois, je pense que nous ne venons pas de la même planète, eux et moi.

Ernest hocha la tête, mais ne fit aucun commentaire. Peut-être lui aussi considérait-il que son fils arrivait de l'autre bout de la galaxie. Le silence s'étira assez longtemps pour que Maurice se résolve à demander:

— Les affaires vont bien, au commerce?

— Bah! Au printemps, les cultivateurs veulent tous avoir les derniers modèles.

Au fond, ses parents et lui se révélaient aussi étrangers l'un à l'autre qu'il était possible. Avec eux, aucune conversation véritable, il fallait s'en tenir à la répétition de phrases convenues, vides de sens. Sa mère vint dans l'entrée de la pièce pour dire :

— Voilà, c'est servi.

— Bonjour, maman.

— … Bonjour.

Elle lui jeta un regard surpris, comme si se saluer était une initiative saugrenue, puis se dirigea vers la salle à manger. En s'asseyant, Ernest dit :

— Tu peux enlever un couvert, on est juste trois.

Perpétue fixa son fils, surprise.

— Où se trouve ta fille ?

— Elle a préféré ne pas venir.

— Tu avais juste à lui dire de monter dans la voiture.

— À dix-sept ans, elle est assez âgée pour décider si rendre visite à ses grands-parents lui plaît ou non.

La grand-mère secoua la tête, comme si Maurice venait de dire une sottise. Avec ostentation, elle enleva le couvert, puis servit la soupe. En prenant sa place, elle commenta encore :

— Ce n'est pas à une gamine de décider si elle va ou non à une activité familiale. Je te le disais, aussi, que ta femme la gâtait trop. Puis toi maintenant, tu ne fais pas mieux.

La critique à l'égard de son épouse décédée agit sur Maurice comme une gifle.

— Nous pensions tous les deux qu'aimer son enfant est tout naturel. Quand cet amour est réciproque, les rencontres familiales deviennent un plaisir, pas une corvée. Tu vois beaucoup de plaisir, toi, dans cette pièce ? Elle a préféré ne pas s'imposer encore trois heures détestables.

La vieille femme accusa le coup. Voilà que son fils épousait les idées folles maintenant dans le vent : ne pas forcer sa progéniture à quoi que ce soit, respecter ses désirs, raisonner avec elle au lieu de mettre fin à la discussion avec une bonne fessée.

— C'est encore à toi de décider, tu es le père. À vingt et un ans, elle sera majeure.

— Je suis surpris que tu n'aies pas encore cité le quatrième commandement de Dieu : "Père et mère tu honoreras afin de vivre longuement."

— Penses-tu sérieusement que ces psychologues à gogo savent mieux que Lui quelle éducation donner aux enfants ?

Perpétue avait accès à la vérité révélée par Dieu, transmise par ses prêtres. Impossible d'avoir le dessus dans une discussion avec elle. Ni même d'échanger des propos dans le respect. Il ne lui restait qu'à manger en silence, le temps que cette rencontre se termine. Toutefois, Maurice songeait à profiter lui-même, dorénavant, de la liberté qu'il avait accordée à Marie-Andrée.

Chapitre 11

En revenant chez lui, Maurice montrait un visage attristé. Sa fille s'abstint de poser la moindre question sur le climat régnant à la table de ses grands-parents ce jour-là.

De toute façon, elle-même avait tout un défi à relever. Pour un premier essai au volant d'une voiture, mieux valait s'éloigner des rues et des avenues. Le père conduisit jusqu'au grand stationnement du Centre d'achat Douville. Puisque les commerces étaient fermés le dimanche, conduire sur ce long espace dégagé réduirait les risques d'accident.

— Prête? demanda-t-il.

— Tout à coup, je me demande si c'est une bonne idée.

— Allez, viens prendre ma place.

Bientôt, l'homme se penchait vers la gauche pour lui montrer l'ensemble des commandes.

— Je dois donc apprendre à utiliser à la fois mon pied et ma main?

— Plutôt tes deux mains, pour le volant et le levier de vitesse. Tu appuies sur la pédale d'embrayage, et tu passes de l'une à l'autre en conduisant cette coccinelle. Je pense que nous attendrons un autre jour pour aborder la question des feux de signalisation, du chauffage… De toute façon, pour ce que vaut le chauffage d'une Volkswagen, tu pourras t'en passer.

Pendant une petite minute, le moteur éteint, Marie-Andrée apprit la position de chacune des vitesses, y compris la marche arrière.

— Avec une transmission manuelle, le grand défi, c'est le point de friction. Sais-tu comment démarrer ?

Un peu vexée, elle avança la main vers la clé, toujours dans le contact.

— Non, non… Tu ne démarres jamais le moteur embrayé. Avant, tu te mets au neutre.

— Papa, te doutais-tu qu'un jour, je trouverais faciles les déclinaisons latines ? Comparé à cela, ce n'est rien.

— Donne-toi le temps. D'ailleurs, ça s'applique à tous les apprentissages de la vie. Rien ne se fait bien en un jour.

La jeune fille saisit sans mal l'invitation à la retenue. Cette fois, elle démarra sans encombre. La radio se mit en marche tout de suite. Maurice tendit la main pour l'éteindre.

— Non, laisse, ça me détendra un peu.

Que ce rock'n'roll puisse détendre qui que ce soit le laissait sceptique.

— Si tu préfères entendre de la musique, d'accord. Là, tu appuies à fond, et tu passes en première.

Quand ce fut fait, il insista pour qu'elle lève le pied lentement, « pour trouver le point de friction ». La voiture avança d'un pied, s'arrêta brutalement. Vingt minutes plus tard, elle en avait parcouru vingt, en faisant gémir la transmission sur tous les tons.

À la radio, l'animateur annonça les Rolling Stones, puis vinrent les premières phrases :

I can't get no satisfaction

L'adolescente commença à chanter aussi.

'Cause I try and I try and I try

Elle avait une jolie voix, pas très forte toutefois. Rien pour se retrouver au palmarès. Toutefois son anglais ne comportait pas le moindre accent. Élevée par Ann Johnson, devenue Berger par son mariage, elle en avait un mérite limité : c'était la langue de sa mère. Sa capacité de traduire les succès britanniques ou américains à ses camarades lui procurait une toute petite popularité.

When I'm drivin' in my car
And that man comes on the radio…

— Tu aimes vraiment ?
— Bien sûr. Le rythme, puis les mots…
— Bon… Comme je comprends mieux ta prononciation que la sienne, je suis heureux de constater qu'il y a un sens dans cette chanson. Jusqu'à maintenant, je croyais qu'il s'agissait d'onomatopées.
— Papa ! Ne fais pas ton vieux croulant.
Le bon côté de ce tête-à-tête avec Marie-Andrée était de lui faire oublier totalement le dîner avec ses parents.
— Là, tu vas essayer de rouler cinquante pieds au moins sans caler. Tu démarres, tu cherches le point de friction, tu fais passer ton pied sur l'accélérateur…
La jeune fille effectua toutes les opérations une à une et parcourut à peu près cent pieds. La Volkswagen s'immobilisa tout de même abruptement. À ce moment sonnèrent les dernières mesures de la chanson de Mick Jagger.
— Il faudrait apprendre à désembrayer lorsque tu t'arrêtes, pour ne pas faire caler le moteur.
La radio enchaînait avec :

Mrs. Brown you've got a lovely daughter

— Comment s'appelle ce chanteur ?
— Hermans Hermits. C'est un groupe britannique.

Girls as sharp as her are something rare

— Tant mieux, car s'appeler vraiment Hermans Hermits serait une catastrophe.

Marie-Andrée relança le moteur, les sourcils froncés, résolue à aller plus loin.

— Je ne connais pas de Mrs. Brown, mais s'il chantait *Mr. Berger, you have a lovely daughter*, je serais totalement d'accord avec lui.

Le pied de l'adolescente glissa sur la pédale et tous les deux furent projetés en avant. Elle tourna les yeux vers son père, émue au point de sentir des larmes lui venir aux yeux.

— La suite aussi est vraie, *lovely* comme toi, c'est quelque chose de rare. Je le pense depuis ta naissance.

Avec une maladresse touchante, elle s'approcha pour passer ses bras autour de son cou. Maurice mit un moment avant de pouvoir poursuivre :

— Tu partiras bientôt de la maison. Ne laisse personne te manquer de respect. C'est le meilleur conseil que je te donnerai de toute ma vie.

« Et je devrais me l'appliquer à moi-même », pensa Maurice. Il y eut un nouveau silence embarrassé, puis il reprit, sur un ton beaucoup moins solennel :

— Maintenant, tu vas essayer de passer en seconde. Même chose que pour la première : la pédale au fond, changement de vitesse, point de friction…

— Puis accélérer sans caler.

La leçon de conduite continua encore une quarantaine de minutes. À aucun moment Maurice n'éleva la voix ni ne montra son impatience, même quand la transmission gémissait. Pourtant, enseigner à quelqu'un à conduire une voiture manuelle menait la vie dure aux meilleures relations.

Le professeur tint tout de même à prendre le volant pour revenir à la maison. Quand ils ôtèrent leur manteau, il dit encore :

— Une dernière chose. Quand je serai très vieux, je serai toujours heureux de te recevoir tous les dimanches où tu voudras venir.

Ce serait sa seule référence explicite au dîner de ce jour-là. En se levant sur le bout des pieds pour lui embrasser la joue, elle répondit :

— Et moi, je serai heureuse d'y aller.

De très nombreux mois passeraient avant que Maurice Berger ne remette les pieds chez ses parents.

Sa résolution de la veille fléchissait. Chercher l'amour dans les annonces d'un journal devait être la démarche des désespérés. Puis le souvenir de Ginette lui revint. Si son seul ami ne pouvait lui présenter des personnes convenables, il ne lui restait pas d'autre choix.

Pendant toute l'émission des *Beaux Dimanches*, Maurice retourna la question en tous sens dans son esprit. De temps en temps, il levait les yeux en direction de sa fille. Marie-Andrée était installée dans le canapé, comme à son habitude, plongée dans un roman dont elle devait rédiger le compte rendu pour l'école. Il lui enviait la simplicité des rencontres de son âge : se rendre au restaurant du coin, occuper la

même table que des garçons, puis développer une amitié
avec l'un d'eux.

Évidemment, les adultes avaient aussi des lieux de
rencontre : des restaurants, des bars, des salles de danse.
Toutefois, aborder des inconnues dans un endroit public
lui paraissait au-dessus de ses forces. Intimidé au point
de bégayer, il deviendrait ridicule. Et puis, il ne savait pas
danser. Jeune homme supposément promis à la prêtrise,
terriblement timide, les occasions d'apprendre lui avaient
manqué. De toute façon, les jeunes filles le regardaient de
loin, peu désireuses de lui faire rater sa vocation. Il avait
fallu une certaine Ann, une Montréalaise venue passer
quelques jours à Saint-Hyacinthe, pour lui faire perdre la
tête au point de se montrer audacieux. Un tel hasard ne
devait survenir qu'une fois dans une vie.

À dix heures trente commençait l'émission *Le prof
Guillemin*. Ce Français racontait avec entrain la vie de
Napoléon, de Jeanne d'Arc ou d'un autre personnage
illustre du passé.

— Demain, j'aurai un cours d'histoire avec sœur Saint-
Lucien, alors je m'en priverai ce dimanche, annonça Marie-
Andrée en quittant le canapé.

— Après, ce sera le *Téléjournal*.

— Si une nouvelle risque d'affecter la vie d'une fille de
mon âge, tu me la raconteras demain, au déjeuner.

Elle se pencha pour lui donner une bise, puis reçut la
sienne avant de disparaître dans la salle de bain. Maurice
prêta une oreille bien distraite à Guillemin, attendant
le moment où sa fille gagnerait sa chambre pour la nuit.
Tout de suite après, il se rendit dans la pièce lui servant de
bureau pour prendre une feuille de papier, une enveloppe
portant déjà un timbre et la mallette qu'il utilisait pour
aller à l'école.

Il chercha les mots exacts devant la télévision, le gros livre de Lagarde et Michard sur ses genoux. L'anthologie de textes littéraires lui servait tous les jours en classe. Si sa fille revenait dans la pièce, cet ouvrage lui permettrait de donner le change. En attendant, la couverture cartonnée lui fournissait une écritoire parfaite.

Que disait-on à une pure inconnue? D'abord, convenait-il d'écrire: «Chère mademoiselle», «Chère Fleur», une évocation de son pseudonyme, ou encore un «Mademoiselle» tout sec? Comment être formel avec une personne annonçant à tous sa recherche du bon parti? D'un autre côté, la familiarité lui paraissait déplacée. À la fin, «Chère inconnue» l'emporta.

Je suis un instituteur de quarante-trois ans.

Pareille occupation en faisait-il un candidat désirable? Comme dans ces annonces lues dans le journal, il enchaîna avec sa taille, son poids, la couleur de ses yeux. En tout, cela donnait trois lignes sur une petite feuille de papier. Rien de plus ne lui venait à l'esprit, sauf les salutations d'usage. Sur l'enveloppe, il indiqua le pseudonyme «Fleur Sauvage», puis l'adresse du journal. L'émission de Guillemin se terminait. La lettre disparut dans la mallette. L'homme put regarder les nouvelles avec plus d'attention.

❖

Depuis son réveil, Maurice Berger ne cessait de songer à l'enveloppe dans sa mallette. Il avait encore le loisir de la déchirer, ou mieux, de la brûler. En mangeant, Marie-Andrée remarqua avec à-propos:

— Il pleut beaucoup ce matin.

— Tant mieux, la neige disparaîtra plus vite.

L'adolescente adressa un regard déçu à son père.

— Si tu es prête cinq minutes avant l'heure habituelle de mon départ, je te déposerai.

Un sourire le remercia. Au moment annoncé, Marie-Andrée se tenait près de la porte, son sac à la main.

— La peur d'être mouillée te rend très ponctuelle.

— Passer toute la journée avec des vêtements trempés ne me dit rien. Attraper un rhume encore moins.

— Verrouille, j'ouvrirai ta portière.

Le couvent se situait à quelques rues de la maison, ils y furent très vite.

— S'il pleut ce soir, je passerai te prendre.

— Merci, papa, dit-elle en ouvrant la portière. Bonne journée.

Elle allait sortir quand il la retint :

— Attends.

Ayant retrouvé toute son attention, il lui demanda le plus sérieusement du monde :

— Veux-tu que je fasse un message à Jeannot de ta part ?

— Ah ! Papa !

Son « Bonne journée » fut couvert par le claquement de la portière. En repartant, il songea au changement d'attitude de Marie-Andrée au cours des deux dernières semaines. Les attentions de ce garçon la rendaient plus souriante. Peut-être cela tenait-il au simple fait de participer enfin à des activités de jeunes de son âge. Cela signifiait aussi qu'il lui fallait trouver un moyen d'occuper ses soirées sans compter sur sa présence. Machinalement, il alluma la radio. Le son d'une guitare lui fit murmurer :

— Voilà que nous avons ce genre de musique du matin au soir, sur toutes les chaînes.

Il s'agissait de yé-yé, bien sûr. Les jeunes représentaient la moitié de la population du Québec, les médias cherchaient leur clientèle.

Découragé, je suis au désespoir…

Ceux-là portaient-ils un habit jaune ou vert, des cheveux blancs ou roses, ou même des gants blancs ? Sur son chemin, il aperçut une boîte aux lettres. Après un coup de pied sur le frein, il récupéra sa mallette sur la banquette arrière, puis descendit pour poster sa lettre.

Voilà, il venait de lancer une bouteille à la mer.

❖

Le jeune Labonté se tenait dans le salon des professeurs, aussi Maurice Berger marcha directement vers son casier pour y laisser ses affaires. Il sortait déjà de la pièce quand Émile arriva. Tous deux s'éloignèrent dans le couloir pour profiter d'un peu de discrétion.

— Je te remercie de l'invitation, pour samedi soir.

La voix contenait une ironie suffisante pour que l'ancien religieux rétorque :

— Je sais, je sais, il s'agissait d'une très mauvaise idée. Pas la sortie, mais cette Ginette…

— Qui est-elle pour que tu lui présentes un esseulé ?

— Une lointaine cousine de Jeanne. De bouche à oreille, une douzaine de parentes se sont enquises un jour ou l'autre de la présence de vieux garçons ou de veufs dans nos fréquentations. Considère cela comme une agence de rencontres familiale.

L'allusion troubla un peu Maurice. Son ami devinait peut-être à quelle extrémité il en était rendu. Recourir à une agence de rencontres !

— Jeanne t'envoie ses excuses. D'un autre côté, elle se montre satisfaite de la façon dont tu as géré la situation.

— Une espèce d'examen, pour juger si je suis présentable ?

À cette pensée, cette femme lui parut un peu moins aimable.

— Si tu veux, mais administré avec l'espoir sincère que tu le réussisses.

Comment lui en vouloir ? Sa propre attitude demeurait ambiguë. Désirait-il vraiment rompre sa solitude ? L'envie lui en venait si longtemps après le décès d'Ann que les autres pouvaient en douter. Et puis, lui qui promenait partout un visage morose depuis les quatre dernières années, restait-il un parti agréable ? Jeanne l'avait sans doute vérifié avant de lui faire connaître une véritable amie.

— J'ai même pensé qu'il s'agissait d'un poisson d'avril d'un nouveau genre.

— Si elle est en mesure de te présenter une autre personne, accepteras-tu ?

La question méritait un moment de réflexion. L'autre option, c'étaient les annonces d'un hebdomadaire ou d'un quotidien.

— Si c'est une autre Ginette…

— Je m'assurerai qu'elle te convienne.

Maurice donna son assentiment d'un signe de la tête.

Quelques minutes plus tard, il arrivait à la porte de sa classe en même temps que Jeannot.

— Bonjour, monsieur Berger, le salua l'adolescent après un moment d'hésitation.

— Bonjour, monsieur Léveillé. Vous avez passé une bonne fin de semaine, j'espère ?

— Oui, monsieur, très bonne.

Le professeur se découvrait un esprit taquin.

— Pas bonne au point de négliger vos devoirs ?

— Oh ! Non, monsieur.

— Peut-être souhaitez-vous que je fasse un message à ma fille ce soir ?

L'adolescent rougit, mais le demi-sourire de l'enseignant lui donna une certaine assurance.

— Dites-lui que je vais lui téléphoner.

— Je le ferai.

Sur ces mots, Maurice retrouva son bureau, sur la petite estrade.

Diane Lespérance mettait vingt bonnes minutes à parcourir la distance entre sa demeure et le café de la gare routière. Son horaire de travail s'avérait étrange : elle arrivait au moment du plus fort achalandage de la journée. Parfois au point que celle dont elle prenait le relais devait retarder son départ pour effectuer un peu de temps supplémentaire.

Ce n'était toutefois pas le cas le lundi, aussi le temps de mettre son tablier et elle fut dans le feu de l'action. Vers sept heures, l'endroit devenait un peu plus calme. En revenant de la caisse posée au bout du comptoir, où les clients réglaient leur addition, le propriétaire lança, goguenard :

— Comme ça, ton admirateur est revenu te chanter la pomme.

— Qui ça ?

Diane le savait très bien, mais elle préférait jouer l'innocente.

— Le type avec le veston. À matin, Cloutier me disait qu'il s'est pointé après dix heures, samedi.

— Je suis contente de savoir que la pire commère de la ville te raconte tout ce qui se passe en ton absence ! C'est comme si tu avais ton propre espion. Mais fais attention, il invente des grands bouts de ce qu'il rapporte.

Ce Cloutier conduisait un taxi. Vieux garçon, ce café lui faisait office de salon.

— Prends-le pas de même. C'est pas péché de regarder, pis y a l'air trop pogné pour faire autre chose que ça, regarder.

À cet égard, Maurice avait bien assimilé son manuel de bienséance. Il semblait bien peu apte à lui faire des propositions audacieuses.

❖

L'affluence se révélait exaspérante. Le jeudi soir, on se bousculait dans les allées du Steinberg de la rue Notre-Dame. Maurice poussait son panier en multipliant les « Excusez-moi ». Dans cet échantillon, les Ginette et ses semblables dominaient. Tout de même, avril autorisait des manteaux courts et légers, et la plupart du temps détachés. Ses yeux s'attardaient sur les jambes, les hanches des plus jeunes. Alors qu'il prenait une pomme de salade, sa main en effleura une autre, deux yeux bruns se levèrent vers lui.

— Je m'excuse, prenez-la.

Elle l'aurait fait de toute façon. La bienséance lui donnait l'avantage dans ce genre de situation.

— Cependant, continua-t-il, elles ne sont plus très fraîches. Je suppose que la distance est trop grande entre ici et le sud des États-Unis.

— Les États-Unis ?

— On n'en récolte pas avant la fin de juin dans la région.

La femme devait avoir vingt-sept ou vingt-huit ans. Un garçonnet se pointa au bout de l'allée.

— Maman, je veux ça.

Il tenait dans la main une boîte de céréales abondamment sucrées, des Cap'n Crunch, moussées par de nombreuses publicités à la télévision.

— Je te rejoins.

Puis, en se tournant vers l'inconnu, elle ajouta :

— Bonsoir, monsieur.

Le dernier salut de Maurice s'adressa à son dos. Pour finir par rencontrer l'âme sœur au-dessus d'un étalage de laitues, il lui faudrait parler à environ la moitié de la population féminine de la ville.

Après avoir placé son sac sur le siège du passager de son auto, la pensée lui vint de faire un arrêt au café de la gare d'autobus.

— Pour me retrouver avec une pinte de crème glacée dégoulinante, grommela-t-il.

Surtout, sa fille l'attendait à la maison. Comme d'habitude, elle vint lui prendre le sac des mains pour en ranger le contenu dans les armoires et le frigidaire. Quand elle retourna s'asseoir dans le salon, son père demanda :

— Tu es toujours prête à effectuer un voyage à Montréal samedi ?

Comme elle se montrait hésitante, il ajouta :

— Les religieuses n'offriront pas plusieurs journées portes ouvertes, puis comme ta tante veut bien te loger, mieux vaut aller régler tous les détails au plus tôt.

Marie-Andrée donna son assentiment d'un signe de tête.

— De toute façon, ne travaille-t-il pas au magasin de son père tous les samedis ?

L'allusion à Jeannot l'embarrassa un peu.

— Pas le soir.

— Je suis certain que votre amour résistera à ce rendez-vous manqué.

L'adolescente ne se fâcha pas devant son ironie. Ce garçon faisait un excellent ami. S'agissait-il d'un amoureux ou simplement du premier adolescent qu'elle avait embrassé ? Qu'elle se pose la question lui donnait une réponse.

— Bon, il nous restera toujours dimanche.

— Et les longues conversations au téléphone.

Cette pensée lui ramena le sourire. Justement, ils se parlaient pratiquement tous les soirs, à cette heure-là.

Chapitre 12

En cette jolie journée d'avril, la température s'avéra idéale pour une longue promenade en voiture.

— Marie-Andrée, tu es prête? lança Maurice Berger depuis l'entrée.

Tout de suite, elle vint le rejoindre, excitée par leur programme d'activité.

— Oui, j'ai mangé tout à l'heure. Et toi?

— Ça ira, je me suis confectionné un sandwich en revenant de l'épicerie.

Tout en parlant, il lui présentait son manteau pour qu'elle enfile une manche, puis l'autre. Comme elle allait ouvrir la porte, il demanda:

— Tu ne mets pas ton béret?

— Regarde comme il fait beau.

L'instant d'après, elle montait dans la Volkswagen. Son père la conduisait à l'école normale de la congrégation Notre-Dame. Sa petite voiture ne permettant pas les excès de vitesse, il mettrait plus d'une heure pour arriver à destination. Pour atteindre le pont Jacques-Cartier, il fallait traverser Longueuil en partie. Comme chaque fois, en passant sur l'autre rive, l'adolescente sentit son ventre se serrer. Elle imaginait l'automobile plongeant dans le vide.

Pourtant, cette fois, Marie-Andrée ne ferma pas les yeux à demi. Le front collé à la vitre, elle chercha à voir les îles du milieu du fleuve.

— Voilà La Ronde. Des millions de personnes vont venir ici cet été.

— D'après mes lectures, il s'agit d'un parc Belmont un peu plus grand.

— Pas un peu, immensément plus grand, avec des manèges comme on n'en a jamais vu.

La Ronde, les îles Sainte-Hélène et Notre-Dame : depuis quelques jours, le sujet occupait des pages entières dans les journaux, aucun bulletin de nouvelles ne négligeait d'en parler. L'exposition universelle de Montréal allait éblouir le monde.

— Nous irons, n'est-ce pas ?

— Je te l'ai promis, nous irons. Je vais d'ailleurs passer bientôt dans une succursale de la Banque Royale pour acheter nos passeports.

— À la banque ?

— Là, on les vend moins cher.

Un professeur d'école secondaire ne gagnait pas si mal sa vie, et puis les dernières négociations collectives lui octroieraient une bonne augmentation. Toutefois, l'homme ne ratait aucune occasion de réaliser une économie.

— Pour toute la saison ?

— Tout de même, nous ne ferons pas le trajet tous les jours. Mais ne t'inquiète pas, tu verras tout ce que tu veux.

Combien d'adolescents recevaient le même engagement ces jours-ci ? L'Expo serait d'abord la célébration de la jeunesse.

Bientôt, la voiture atteignit l'île de Montréal. Sans en être un familier, le professeur arrivait à repérer son chemin dans la ville. Il ne s'agissait que de rouler jusqu'à la rue Sherbrooke, puis de tourner vers l'ouest. La section féminine de l'école normale Jacques-Cartier se trouvait au numéro 2330, au-delà de la rue Saint-Laurent. L'édifice comptait trois étages. Au dernier, un grand dortoir accueillait les pensionnaires et les enseignantes. Dans les autres, on avait aménagé des classes et les installations pédagogiques.

— Nous sommes au bon endroit? demanda Marie-Andrée.

— Regarde au-dessus de l'entrée, c'est gravé dans la façade.

L'immeuble présentait une architecture assez simple, au décor peu chargé, avec un revêtement en brique jaunâtre.

— Nous y allons?

Elle hocha la tête, maintenant intimidée. Plusieurs candidates avaient eu la même idée. Certaines se présentaient seules, d'autres avec leurs parents. Dans l'entrée, une religieuse leur souhaita la bienvenue. Puis des étudiantes de dix-neuf ou vingt ans firent de même. On les avait recrutées pour servir de guides. L'initiative devait payer, les futures étudiantes s'identifieraient davantage à des jeunes femmes prêtes à commencer dans l'enseignement qu'à de vieilles religieuses.

Bien sûr, toutes ces dernières n'avaient pas un âge canonique. Le costume traditionnel ajoutait trente bonnes années aux aînées, et la version nouvelle, une robe austère se terminant sous les genoux, avec aux pieds des bottines sans élégance, vingt ans aux dernières recrues.

— Je peux vous aider? s'enquit une charmante normalienne en s'approchant. Je me nomme Francine Delisle.

Elle tendit d'abord la main au père, qui se présenta comme « monsieur Berger ».

— Et voici ma fille, Marie-Andrée.

— Feras-tu le brevet A ? demanda la future institutrice.

La visiteuse consulta son père des yeux.

— Oui, le brevet A, répondit celui-ci.

— Voilà la meilleure décision. La Commission Parent évoque le fait que la formation des enseignantes se fera bientôt à l'université.

Monseigneur Parent présidait une commission d'enquête sur l'éducation dans la province. Ses recommandations chamboulaient la totalité du réseau scolaire.

— Les détentrices des brevets B et C se verront interdire de travailler, continua-t-elle, à moins de se recycler. Peut-être que ce sera aussi le cas de celles qui ont le brevet A.

Son ton trahissait une réelle inquiétude, aussi Maurice voulut la rassurer.

— Je ne pense pas. Cependant, au moment où on veut améliorer les conditions de formation des maîtresses d'école, mieux vaut aller chercher le meilleur diplôme disponible.

D'un sourire, la jeune fille le remercia.

— Si vous voulez, nous commencerons par visiter le dortoir, au dernier étage, puis nous redescendrons pour voir tout le reste.

— Je ne pense pas que je vais habiter ici, commenta la visiteuse.

— Comme nous y sommes, intervint le père, autant y jeter un coup d'œil.

Il souhaitait prendre la décision finale en bénéficiant de toutes les informations. Leur guide hocha la tête, puis les précéda dans le grand escalier. Avec l'affluence, il fallait longer les murs pour permettre à d'autres de passer. Maurice se retrouva trois marches plus bas que

Francine Delisle, les yeux fixés sur ses formes. Puis il se reprit, secoua la tête pour l'incliner ensuite. Il espérait que sa fille n'ait rien remarqué. Ses désirs prenaient une allure d'obsession. Devrait-il voir un médecin pour s'en débarrasser ?

Vieille de cinquante ans, la bâtisse présentait un décor démodé, des couloirs étroits, des planchers aux madriers usés par des millions de pas. Le dortoir n'avait rien d'étonnant pour un ancien élève du cours classique. Marie-Andrée, quant à elle, montra bien peu d'enthousiasme.

— Ce n'est pas si mal, la rassura leur guide. Parmi les pensionnaires, nous nous faisons des amies pour la vie.

La jeune fille hocha la tête, peu convaincue.

— Les professeurs habitent ici ? demanda Maurice.

— Non, et cela, depuis les débuts de l'institution. Nous sommes dans la section féminine. La section masculine est plus à l'est, rue Sherbrooke aussi. Les maîtres de là-bas nous donnent les leçons de psychologie, de pédagogie, et d'autres disciplines encore.

— Des hommes ?

— Oui.

La jeune femme présentait un sourire un peu narquois.

— Pour que la morale soit sauve, une sœur reste assise là pendant le cours.

De la main, elle désigna une chaise adossée au mur, entre l'estrade du professeur et les tables des élèves. Maurice comprenait bien le souci des religieuses. Lui-même ne détaillait-il pas depuis des semaines n'importe quelle femme un peu séduisante ?

Les classes ressemblaient à celles des autres écoles de la province. Au rez-de-chaussée, ils virent la pièce où les étudiantes prenaient leurs repas, les cuisines et la salle où se déroulaient les cérémonies.

Quand le petit groupe revint dans le hall, Francine Delisle proposa :

— Voulez-vous voir la directrice ?

— Non. Dès lundi, je confirmerai l'inscription de Marie-Andrée par lettre… à moins que celle-ci ne revienne sur sa décision.

Des yeux, il cherchait à lire l'expression de sa fille. Du trac, certainement… une hésitation peut-être. Pourtant, elle affirma :

— Je viendrai ici, n'en doute pas.

— Alors, je vous remercie, dit-il en tendant la main à leur guide.

Dehors, il passa le bras autour des épaules de sa fille, puis remarqua :

— Alors, que se passe-t-il ?

— Je… À cet endroit, je me suis vraiment rendu compte que j'allais te quitter.

Il l'attira contre lui pour poser ses lèvres sur son front.

— Moi aussi, je le réalise très bien. Mais tu n'abandonnerais pas tes projets d'avenir pour te consacrer à ton vieux père, n'est-ce pas ?

Elle hocha la tête pour donner son assentiment.

❖

En approchant de la rue Saint-Hubert, Maurice ressentait des sentiments ambigus. Retrouver la famille de sa femme lui faisait plaisir, tout en ravivant des souvenirs difficiles.

Cette artère était bordée de beaux immeubles de deux ou trois étages, plusieurs en pierre, les autres en brique. Le professeur se stationna à peu de distance de la demeure de sa belle-sœur.

— Nous arrivons un peu tôt pour le souper, remarqua Marie-Andrée.

— Je suis d'accord avec toi, mais les religieuses n'ont pas voulu nous offrir du thé et des biscuits pour nous permettre d'attendre.

Quelques instants plus tard, il sonnait à l'appartement du rez-de-chaussée d'un bel édifice. Sur le verre des fenêtres, tout comme au-dessus et sur les côtés de la porte, on voyait de beaux dessins richement colorés.

— Ah! Maurice, te voilà. Viens m'embrasser.

Une femme de quarante-cinq ans ouvrait les bras pour les recevoir. Après des bises sonores sur les joues, elle s'éloigna pour dire :

— Tu ne changes pas vraiment, tu sais.

— Toi non plus, Mary.

— Ça, c'est grâce à mon coiffeur. Je l'ai vu hier. Dans deux semaines, le gris va commencer à réapparaître.

Le visiteur aussi aurait pu évoquer ses cheveux gris. Il comprenait toutefois le sens de sa remarque : il portait toujours le même type de vêtements, pesait juste un peu plus lourd. À vingt ans, réservé, trop sérieux déjà, on aurait pu lui en donner quarante. Maintenant, à peine un peu plus.

— Et cette très jolie fille, c'est ma filleule.

La nouvelle étreinte se prolongea. Cette femme s'avérait la seconde raison du prénom composé de Marie-Andrée : Marie pour Mary, Andrée pour Adrien. Sa mère avait imposé un veto absolu au prénom Adrienne.

— Toi, tu ne me rajeunis pas. Hier, tu étais une belle enfant, et aujourd'hui, regarde-toi ! Tu vas en faire tourner, des têtes.

— Bonjour, marraine.

Elle aussi voyait en sa tante l'image de sa mère. Pourtant, autant la première donnait dans l'exubérance, autant Ann avait toujours été discrète.

— Bon, vous n'allez pas rester à veiller sur le perron. Entrez, entrez. Je viens de commencer à préparer le repas, alors vous allez vous asseoir dans la cuisine.

Ils la suivirent dans le couloir qui traversait l'appartement jusqu'au fond.

— Installez-vous sur ces chaises et racontez-moi ce qui s'est passé depuis les fêtes.

Maurice et sa fille assistaient toujours au repas du jour de l'An chez cette parente. Ils devaient donc rendre compte des trois derniers mois.

❖

Depuis les fêtes, les événements s'étaient un peu précipités. La grève des enseignants avait mis un terme au calme de la vie professionnelle de Maurice Berger. Puis, tout droit sortis de l'école normale, des jeunes professeurs bousculaient bien des habitudes. Pourtant, le récit de ces péripéties dura à peine quelques minutes.

— J'aurais bien aimé te voir sur une ligne de piquetage avec une pancarte dans les mains. Criais-tu «Mort au gouvernement»?

Mary Johnson s'affairait devant le comptoir de la cuisine, les mains dans les plats. Elle se retournait parfois pour lancer à son beau-frère un regard narquois.

— Les autres criaient tellement fort, je n'avais qu'à fredonner *Mon pays, c'est l'hiver* pour donner le change.

D'autres changements survenaient encore dans la petite maison de Saint-Hyacinthe, mais ceux-là concernaient sa fille. Leur évocation manquerait du tact le plus élémentaire. Aussi, il retourna la question à son hôtesse.

— De ton côté, il y a du neuf?

— Bah! Toujours la même chose. Pour me proposer le mariage, mon Roméo se montre moins empressé que celui de l'histoire.

— Il se nomme vraiment Roméo?

— Roméo Gladu. Un collègue de mon défunt mari.

Les yeux de Maurice se portèrent machinalement sur la photographie accrochée au mur. Elle représentait Paul Tanguay, un membre de la valeureuse force constabulaire de la Ville de Montréal. Il était mort en devoir. Pas dans un échange de coups de feu avec la célèbre voleuse de banque prénommée Monica, mais d'un infarctus en matraquant des grévistes. Cette façon d'agrémenter les arrêts de travail devenait à la mode, elle aussi, comme la musique yé-yé et les jupes trop courtes.

— Peux-tu croire qu'il m'a proposé de sortir alors que je revenais du cimetière, le jour de l'enterrement?

— Tu as accepté?

— Pas tout de suite, répondit la femme en riant. Présenté comme ça, le gars ressemble à un beau salaud. Mais il y mettait les formes: "Après un temps qui vous paraîtra convenable, je serai heureux de vous sortir un peu. D'ici là, je viendrai vous voir une fois de temps en temps. Avec un bloc, ce ne sera pas facile."

Le défunt mari possédait un triplex dont les loyers devaient compléter son fonds de retraite. Pareil patrimoine ne demeurait rentable que si le propriétaire effectuait seul tout l'entretien. Si sa veuve payait des travailleurs pour faire les réparations, le gain deviendrait nul.

— Alors, votre Roméo est venu vous aider.

— Quand une ampoule devait être changée, ou alors un carreau, il se portait volontaire. Chaque fois, il me disait: "Mon invitation tient toujours."

Le professeur enviait cette manière toute simple de faire la cour. Devrait-il faire le tour de Saint-Hyacinthe afin d'offrir ses services aux veuves ou aux vieilles filles?

— Après un an, j'ai pensé que les convenances étaient respectées. Et un an après, voilà qu'il tarde à faire la grande demande.

Mary prenait tout de même la chose en riant. Son besoin d'un compagnon ne devait pas être si grand. Marie-Andrée suivait la conversation en silence, comme toujours. On lui avait enseigné à ne pas interrompre les adultes, cela lui valait de longues périodes de mutisme.

La situation changerait bientôt. La porte d'entrée s'ouvrit et se referma, puis vint un « Bonjour maman! » joyeux.

— Viens nous rejoindre. La visite est déjà arrivée.

Une grande fille brune se montra bientôt dans l'entrée de la cuisine.

— Mon oncle Maurice, comment allez-vous?

En deux pas, elle s'approcha et posa les lèvres sur sa joue. Cette familiarité le mit mal à l'aise. Habitué à tenir ses distances, il trouvait les manières de sa belle-sœur et de sa nièce lui bien chaleureuses.

— Je vais bien. Et toi?

— Si j'oublie le côté très ennuyant du travail de secrétaire, très bien. Et ça ira mieux bientôt.

Elle se tourna à demi afin de poursuivre sans faire une pause.

— Ma jolie cousine!

Marie-Andrée accepta les baisers en prononçant un « Bonjour, Nicole » intimidé. Pendant ce temps, son père détaillait la nouvelle venue. Cette coiffure avec les cheveux remontés lui paraissait aguichante pour être portée pendant une journée de travail au bureau d'une compagnie d'assurances. Surtout, sa petite robe rouge s'avérait la plus courte qu'il ait vue ailleurs que dans une émission de télévision ou un film. Si elle se penchait juste un peu, sa culotte serait très visible. Comment sa belle-sœur tolérait-elle de voir sa fille accoutrée ainsi?

— Accompagne-moi dans ma chambre, nous parlerons entre filles.

Des yeux, l'adolescente consulta son père, qui hocha la tête pour dire oui.

❖

Nicole passa dans l'une des pièces à droite du couloir divisant l'appartement, sa cousine sur les talons, puis referma la porte derrière elle.

— Ton père paraît tellement sévère. Tu ne dois pas t'amuser beaucoup.

Le jugement à l'emporte-pièce heurta la jeune fille.

— C'est le meilleur homme possible.

Devant son ton peiné, l'autre esquissa un sourire, puis murmura :

— Je suis certaine qu'il est très bon avec toi. Tu admettras tout de même qu'il a toujours l'air d'un professeur fâché.

— C'est un bon professeur et un homme plutôt gentil.

Les mots de Jeannot lui revenaient souvent. Sa délicatesse, à l'évocation de l'enseignant, la touchait toujours.

— Bon, je veux bien te croire, tu vis avec lui. Installe-toi sur le lit et dis-moi ce qui se passe dans ta vie. Commenceras-tu l'école normale en septembre?

— Oui. Nous sommes allés visiter les lieux tout à l'heure.

La jeune femme passait les bras derrière son dos pour baisser la fermeture éclair de sa robe. N'y arrivant pas, elle se plaça devant sa cousine en disant :

— Peux-tu m'aider ?

Marie-Andrée prit la tirette et l'amena jusqu'en bas, dégageant tout le dos jusqu'au creux des reins. Le soutien-gorge et la culotte, blancs, s'ornaient de dentelle. Nicole fit glisser sa robe jusque sur le sol pour en dégager ses pieds, puis la plaça sur un cintre avant de la ranger dans la garde-robe.

— Tu es belle, murmura l'adolescente. Comme les actrices de cinéma.

Nicole se retourna. Ses longues jambes étaient gainées d'un collant couleur chair, ses seins débordaient du soutien-gorge. Les mamelons sombres, tout comme les poils du pubis, apparaissaient en transparence.

— Merci, mais je peux te retourner le compliment, tu sais.

— Voyons, comparée à toi…

— Tu es magnifique.

La main de Nicole passa sous les longs cheveux pour les soulever et les laisser glisser entre ses doigts.

— Dans le genre ingénue, tu es parfaite. De grands yeux gris, des traits délicats, une bouche comme une cerise. Que peux-tu demander de mieux ?

L'énumération de ses qualités, le contact de la main et surtout la proximité d'une femme presque nue la mettaient terriblement mal à l'aise.

— Allez, lève-toi.

Marie-Andrée obtempéra. Sa cousine se pencha un peu pour prendre les pans de la jupe et en relever l'ourlet trois pouces au-dessus des genoux.

— Tu devrais la porter à cette hauteur. Tu as de jolies jambes, et tu le caches à tout le monde.

— Ça, papa ne me le permettra jamais.

— Hum ! Le gars pas sévère du tout…

— Ça n'en fait pas un homme mauvais. De nombreuses personnes sont contre la minijupe.

— Pour insister ainsi, tu l'aimes beaucoup. Alors, tu as certainement raison. Il est juste un peu trop scrupuleux.

Nicole lui adressa un autre sourire moqueur, puis chercha un pantalon noir dans sa garde-robe. Elle s'assit sur le lit, près de sa cousine, pour l'enfiler, puis se releva afin d'attacher la ceinture. Serré, il la découpait à la perfection. Pendant qu'elle se penchait sur un tiroir de sa commode, Marie-Andrée demanda :

— Aimes-tu ton travail de secrétaire ?

— C'est du travail.

Le ton contenait un certain dépit. Sa situation ne devait rien avoir d'idyllique.

— De toute façon, je n'en ai que pour quelques jours encore.

— Tu… tu vas perdre ton emploi ?

— Je vais le quitter. Je viens d'être embauchée comme hôtesse à l'Expo. La formation va commencer dans huit jours.

À la fin du mois, la grande exposition universelle recevrait ses premiers visiteurs. Des centaines de jeunes des deux sexes trouveraient un emploi à cet endroit.

— Ça ne durera que quelques mois. Ensuite, que feras-tu ?

— Quelques mois à accueillir des millions de personnes, ça peut me conduire n'importe où. Imagines-tu le nombre de célibataires dans le lot ?

Le ton se révélait un peu cynique. Les îles du milieu du fleuve lui procureraient le terrain de chasse idéal. La jeune femme enfilait un chandail d'un rouge bien vif, trop serré, lui aussi. En se rasseyant sur le lit, elle dit à sa cousine :

— Tu devrais venir travailler à l'exposition. Ça te permettrait de découvrir Montréal, et de te… dégourdir un peu.

«Me déniaiser», songea Marie-Andrée. Cette jeune femme dans le vent devait la trouver tout à fait idiote, au point de souhaiter la tirer de son trou.

— Je serai encore à l'école pendant les mois de mai et juin.

— Ça ne fait rien. Fin juin, le nombre de touristes augmentera. Des centaines d'emplois deviendront disponibles. Il y en aura bien un pour toi.

La proposition laissait l'adolescente hésitante entre l'envie de rompre la monotonie de son existence et la peur de l'inconnu.

✖

Laissé seul dans la cuisine avec sa belle-sœur, Maurice demanda :

— Pour l'an prochain, ta proposition tient toujours ?

Pour tous les professeurs, l'année commençait début septembre et se terminait à la fin des grandes vacances. Le 1er janvier ne signifiait rien.

— Prendre Marie-Andrée comme pensionnaire ?

— Les coûts de la scolarité ne sont pas trop élevés, mais avec la pension, je n'y arriverais pas.

— Ne t'inquiète pas, elle pourra venir ici. Je suppose qu'elle mange toujours comme un oiseau et ne parle pas plus souvent que cet après-midi. On ne remarquera même pas sa présence.

Cette description de sa fille embarrassa Maurice. Il devait être responsable de son manque de confiance en elle.

— Ça lui fera sans doute du bien de vivre avec des femmes. Je ne suis pas certain de savoir toujours y faire. M'assurer qu'elle ne prenne pas froid et mettre de la nourriture sur la table ne suffisent pas.

— Je ne voulais pas te blesser. Ta fille ne manque de rien, et je ne parle pas du thermomètre ou de la nourriture. Comment veux-tu qu'elle ne soit pas timide, avec l'exemple de son père et de sa mère ? Ann ne faisait pas beaucoup de bruit, elle non plus. On pouvait passer une journée complète sans se rendre compte de sa présence.

— Pas moi. Je pense que j'entendais battre son cœur.

Mary Tanguay demeura un moment songeuse, puis elle murmura :

— C'est toi qui devrais t'appeler Roméo.

Le sourire de son interlocutrice s'attrista, comme à chaque évocation de sa cadette.

— Ta fille pourra nous rejoindre à la fin de l'été, comme nous en avons convenu au jour de l'An.

— Merci, ça fera du bien à mon portefeuille et je me sentirai rassuré de la savoir avec la famille. Comme ça, elle sera à l'abri des mauvaises influences.

Immédiatement après avoir prononcé ces mots, le professeur se remémora l'arrivée de Nicole un peu plus tôt dans l'après-midi. Si jamais Marie-Andrée apparaissait vêtue de la même façon, il ne savait pas comment il réagirait.

✠

Quand Nicole vint s'asseoir à la table familiale en compagnie de Marie-Andrée, Maurice apprécia de nouveau la différence entre les deux jeunes filles. Le pantalon trop serré, le chandail rouge soulignant les seins attiraient irrésistiblement le regard. En avalant sa soupe, il songea : « Ces temps-ci, j'examine toutes les femmes, même mes parentes. » En contraste, la chemise boutonnée jusqu'au cou de Marie-Andrée et sa jupe à carreaux en faisaient l'exemple même de la modestie. D'autres hommes la scrutaient-ils avec des yeux comme les siens ?

Les aménagements à prévoir pour la rentrée scolaire retinrent la conversation pendant le premier service. L'appartement de Mary comprenait trois chambres. La dernière reviendrait à la pensionnaire. Nicole échangea un regard avec sa cousine, lui fit signe de parler, mais l'autre se déroba. Aussi, elle se résolut à intervenir :

— Tout à l'heure, je disais à Marie-Andrée qu'elle pourrait travailler aussi à l'exposition cet été. Cela lui permettrait de mettre un peu d'argent de côté.

— Voyons, elle n'a jamais travaillé, objecta Maurice.

— Si elle ne commence pas un jour prochain, elle ne commencera jamais.

Cette logique s'avérait implacable. Au mieux, en attendant septembre, sa fille gagnerait deux ou trois dollars par semaine en gardant des enfants chez les voisins.

— Qu'en penses-tu ?

L'adolescente s'émut un peu en répondant :

— Je suis tellement mal à l'aise quand je te demande de quoi aller au restaurant du coin, ou m'acheter un livre, ou un magazine…

Oblique, la réponse n'en était pas moins claire : un salaire lui donnerait un peu d'autonomie. Cela lui permettrait de prendre ses distances. De nombreuses jeunes filles de son âge se mariaient pour la même raison.

— Comme tu seras en congé à compter de la Saint-Jean, l'exposition aura déjà tout son personnel.

Peu auparavant, Marie-Andrée présentait le même argument. Sa cousine donna à son père la même réponse, puis continua :

— Et comme je travaillerai là moi aussi, je pourrai la présenter à des employeurs éventuels.

— Tu ne seras plus à la Sun Life ? demanda l'oncle.

— Ma fille sera une hôtesse, intervint la belle-sœur. La plus belle.

Sa parente semblait fière de l'allure si suggestive de son enfant. Elle aussi devait être dans le vent. Était-il le seul à demeurer vieux jeu dans la province ?

— Ça me permettra de l'accompagner matin et soir, au moins les premiers temps.

La perspective de voir Nicole guider sa fille dans la ville de Montréal ne lui disait rien qui vaille. Pourtant, il dit :

— Marie-Andrée fera comme bon lui semble.

— La difficulté sera de te trouver un logis, remarqua Mary à l'intention de sa nièce.

Ses mots firent l'effet d'une douche froide. Les deux filles perdirent tout de suite leur sourire.

— Cet été, on avait prévu de louer la chambre aux touristes de passage…

Mary marqua une pause, puis reconnut un ton plus bas :

— Selon Logexpo, ce sera une petite mine d'or. Les journaux parlent de dix-sept millions de visiteurs.

On évoquait là des jours de visite, pas des personnes. Tout de même, à dix visites pour chacun, cela faisait encore beaucoup de monde.

— Elle pourrait partager la mienne.

Nicole attira tous les regards sur elle. Ses yeux se posèrent sur sa cousine pour dire :

— Tu ne ronfles pas, j'espère ?

Marie-Andrée fit signe que non.

— Dans ce cas, aucun problème, conclut la mère.

Par la suite, la conversation porta sur les magnifiques uniformes des hôtesses de l'Expo 67.

Chapitre 13

Le père et la fille reprirent la route un peu avant neuf heures. Comme Maurice n'aimait pas conduire le soir, il allait lentement. Sur le pont Jacques-Cartier, Marie-Andrée, assise du côté ouest, distingua clairement les îles Sainte-Hélène et Notre-Dame. Cette dernière avait été construite avec la terre récupérée lors de l'excavation des tunnels du métro. De nombreuses lumières éclairaient certains édifices. Comme dans tous les grands chantiers du monde, les retards s'accumulaient, et l'inauguration était prévue le 28 avril.

— As-tu vraiment envie de travailler là ?

L'adolescente retournait la question dans tous les sens depuis la première allusion de Nicole.

— Je suis si facilement intimidée. Me vois-tu jouer un rôle d'hôtesse ? Je ne ferais que bafouiller des informations.

Maurice la voyait suffisamment souvent parler à des inconnus pour savoir combien elle disait vrai.

— Alors, je pense que je ferais mieux de sortir de ma coquille. Et puis, gagner un peu d'argent pour mes dépenses personnelles aidera aussi. Je me sens gênée de dépendre de toi pour tout.

— C'est naturel.

— Pas à dix-sept ans. Nous ne pouvons pas nous passer de ce salaire.

— Nous ne sommes pas si pauvres.

L'homme songeait souvent à la précarité de sa condition. Si ses parents se montraient déterminés à payer des études menant à la prêtrise, il n'en était pas allé de même pour les autres professions. Sans leur soutien, impossible d'entrer dans une faculté. Avec un diplôme aussi inutile que celui couronnant le cours classique, l'enseignement s'était avéré la seule possibilité. Pour un salaire de misère. La mort de sa femme lui avait permis de solder son hypothèque plus tôt que prévu, mais sa paie demeurait modeste.

— Je sais, convint Marie-Andrée, mais je voudrais ajouter ma participation au coût de mes études.

— La perspective de partager le lit de Nicole ne te dérange pas ?

La question, posée de cette manière, donnait un côté scabreux à cet arrangement.

— Ce ne sera pas la première fois.

Lors des visites familiales, le manque d'espace avait forcé ce genre de compromis.

— Pour deux jours, je veux bien, mais là, ce sera pour deux mois.

Le rappel de la durée de cette cohabitation tira un rire bref à la jeune fille.

— Ce ne sera pas si long. En septembre, nous aurons chacune la nôtre.

— Tu sais, trouver un emploi ne sera pas si simple.

Le ton de son père rendait impossible de savoir s'il espérait que ce projet se réalise ou pas.

Parmi les activités étranges proposées aux étudiants fréquentant le cours classique figuraient les versions latines : la traduction de textes latins vieux d'une éternité, alors que déjà, ceux de la décennie précédente paraissaient tellement dépassés, semblait insensée. À tout le moins, cela avait le don de cultiver la patience. Quand la cloche annonça le dîner, les pas des jeunes filles dans le grand escalier ressemblèrent à une cavalcade.

Marie-Andrée se retrouva avec un plateau dans les mains, attendant qu'une dame d'un âge certain, avec un filet sur la tête, lui tende son assiette contenant le menu du jour. Si on aimait les sauces grasses et les pommes de terre, les haut-le-cœur ne venaient pas trop vite. À la mi-avril cependant, de plus en plus de clientes se contentaient d'une frite et d'un soda. C'était le choix de Denise Marois.

Les deux amies reprirent leur table habituelle, parmi d'autres jeunes filles venues de la même école primaire.

— Vois-tu encore Léveillé? demanda Denise.

— Nous nous sommes vus dimanche dernier.

La jeune fille trop potelée imaginait que deux semaines créaient déjà une relation, au temps des amours éphémères.

— Peux-tu lui demander s'il a des amis qui n'ont pas de blonde? Je veux dire, des amis qu'il pourrait me présenter.

Formuler une telle demande la rendait très mal à l'aise. Devant la bonne élève, son statut de fille dégourdie lui avait si longtemps donné un sentiment de supériorité! Cette époque semblait toutefois révolue.

— Je ne sais pas trop. Il évoque bien des camarades de classe, mais je ne sais rien de plus à leur sujet.

— Tout de même, tu peux lui poser la question.

— Je le ferai.

Son amie afficha un air soulagé, alors que si peu de temps auparavant, les mains de son camarade accédaient à des recoins plutôt privés de son anatomie. Marie-Andrée ne résista pas à son envie de se faire indiscrète:

— Paul, dans tout ça?

— Il regarde les autres filles à s'arracher les yeux. Je ne vois pas pourquoi je me priverais.

En réalité, le garçon ne faisait pas que les regarder, il les touchait aussi. Elle insista :

— Jeannot pourrait me présenter quelqu'un à la salle de danse.

— Je n'y suis jamais allée.

Son expérience la plus proche d'un endroit de ce genre demeurait la petite imitation des *Go-go girls* de l'émission *Jeunesse d'aujourd'hui* dans le salon des Marois. Répéter ces faits d'armes devant témoins ne lui disait rien qui vaille.

— Il faudra bien une première fois, ricana sa compagne. Tu ne peux pas limiter tes sorties au cinéma et au restaurant du coin.

« Pourquoi pas ? » songea Marie-Andrée. Cette façon qu'avait son amie de fixer les règles de vie lui tombait de plus en plus sur les nerfs.

— Je ferai ton message à Jeannot, mais je ne peux rien promettre à sa place.

Denise Marois devrait se contenter de cet engagement. Elle trouva une raison pour quitter la table avant les autres.

❖

Parfois, l'accumulation des copies à corriger devenait une bénédiction. Peu après le dîner, le dimanche 9 avril, Marie-Andrée décida d'aller marcher avec Jeannot. La température et les flaques d'eau sur les trottoirs laissaient penser que la promenade ne s'éterniserait pas. Ils se réfugieraient au restaurant du coin pour prendre une boisson.

Maurice Berger chercha une station de radio peu susceptible de l'inonder de yé-yé, puis il s'installa dans son fauteuil favori pour se consacrer à quelques heures de lecture de la prose de jeunes gens de seize, dix-sept et dix-huit ans. Ses fins de semaine ressembleraient probablement toutes à ça, dans moins de trois mois, car sa fille ne viendrait pas lui tenir compagnie chaque fois. Et si elle faisait le voyage de Montréal à Saint-Hyacinthe, ce serait probablement pour voir Jeannot.

La pensée de tromper sa solitude en allant plus souvent dîner chez ses parents lui donnait une véritable envie de vomir. Le souvenir de leur dernière rencontre l'incitait à raréfier ces tête-à-tête, pas à en augmenter la fréquence.

— Je devrais m'inscrire chez les Chevaliers de Colomb ou au Club Richelieu, dit-il en posant un compte rendu de *L'Étranger* de Camus sur la pile des copies annotées.

Il ne se résoudrait jamais à cette extrémité : ce serait marcher sur les traces de son père. Cela le conduisit à s'inquiéter du retard de la réponse de Fleur Sauvage.

Le sourire lui revint lorsqu'il prit la copie de Veilleux. Cet élève s'installait dans la dernière rangée des bancs, dans un coin de la classe, la place la plus éloignée de son bureau. Celui-là ne lisait jamais les textes au programme. Il inventait plutôt une histoire dont il faisait le compte rendu.

À l'avenir, les travaux des cancres constitueraient le premier loisir du professeur.

❖

Son père avait eu raison. Les pieds mouillés, Marie-Andrée proposa à son ami de s'arrêter un moment au restaurant. Tout de suite, elle remarqua Denise Marois assise sur une banquette, la tête plongée dans la revue *Salut les copains*. Elle alla près d'elle pour demander :

— Nous pouvons nous asseoir, ou tu attends quelqu'un ?

— Non, je n'attends personne.

La jeune fille ferma son magazine alors que le couple s'installait sur la banquette juste en face d'elle.

— On ne te voit plus, lui reprocha-t-elle.

— Voyons, j'étais à l'école vendredi dernier.

— Je veux dire hier.

Après un premier samedi sans lui parler, voilà qu'elle avait droit à cette scène.

— Tu le savais, je devais aller visiter l'école normale.

— Vous êtes revenus si tard que tu n'as pas songé à me téléphoner?

— Nous avons soupé en ville.

À ce moment, Jeannot se leva en disant:

— Je vais aller chercher de quoi boire.

L'adolescent entendait prendre son temps. L'orage imminent lui donnait envie de se faire discret, surtout qu'il savait où cette conversation les conduirait.

— Tu n'es pas avec Paul?

Une ombre passa sur le visage de Denise.

— Je t'ai dit qu'il voyait une autre fille.

Marie-Andrée fit non de la tête. Lors de leur dernière conversation à ce sujet, la blonde avait parlé de regards sur les autres, pas sur une autre en particulier.

— Une maigre, avec des cuisses comme des allumettes, puis plate.

Une fois traduits, ces mots signifiaient sans doute: «Un peu bâtie comme toi.» Denise portait quelques livres en trop, alors que la mode lui lançait sans cesse au visage l'image de maigrichonnes.

— Je suis désolée. Cependant, pour toi, trouver un garçon n'a jamais fait problème.

Elle évoquait en tout cas plusieurs prénoms au fil de ses conversations.

— Oui, fit Denise d'une voix peu convaincue. Mais celui-là me plaisait.

Pendant un moment, l'adolescente fit mine de s'intéresser à des jeunes qui se tenaient de l'autre côté de la rue. Jeannot profita de l'accalmie pour revenir s'asseoir près de Marie-Andrée.

— Tu as vu Paul dernièrement? demanda la blonde en portant son attention sur lui.

— À l'école, tous les jours.

— Il a parlé de moi?

Le garçon haussa les épaules. Son camarade ne montrait aucun état d'âme en mentionnant quelques jeunes filles. Il semblait se faire une petite réserve de prétendantes.

— Bon, dit Denise en se levant, comme visiblement il ne viendra pas aujourd'hui, je m'en vais.

Et elle quitta le restaurant sans plus de cérémonie. Le garçon alla s'asseoir sur la banquette opposée.

— Comme ça, tu iras à Montréal en septembre.

— Ou en juin, si je me trouve un emploi là-bas.

— Nous ne nous verrons plus.

Sa tristesse perceptible lui fit chaud au cœur.

— Voyons, je ne serai pas en classe la fin de semaine.

Les projets d'avenir aussi pouvaient séparer, pas juste les filles – ou les garçons – plus beaux qu'eux.

En revenant de l'école le lendemain, Maurice constata que sa fille était déjà rentrée. Après l'échange de bises, ils s'attaquèrent à la préparation du repas.

— Je ne devrais pas te dire ça, car je suis tenu au secret, comme un médecin…

— Dans ce cas, tu devrais t'abstenir.

— Je suis trop heureux de t'en faire part: depuis qu'il te connaît, Jeannot a vu ses notes s'améliorer. Si tu les fréquentais tous, je passerais pour un professeur génial.

Elle lui adressa un froncement de sourcils sévère.

— Au lieu de t'amuser à mes dépens, occupe-toi du courrier. Il y a le compte de téléphone et une lettre anonyme.

— Anonyme?

— À tout le moins, l'expéditeur ne s'est pas identifié sur l'enveloppe.

Le professeur songea aussitôt à l'agence de rencontres de *Nos Vedettes*. Il lui parut impossible d'attendre pour pouvoir ouvrir la lettre en toute discrétion. Changer de pièce ne ferait qu'attiser la curiosité de Marie-Andrée. Il commença par récupérer la facture de Bell Canada.

— La petitesse de notre famille a un seul effet positif: nous ne payons pas d'interurbains.

— Ce sera le cas dès mon arrivée à Montréal. Tu seras déçu.

Maurice s'approcha pour poser ses lèvres sur son front.

— J'économise depuis des années pour arriver à faire face à cette dépense.

Il déchira le rabat de la seconde enveloppe avec son pouce. Dedans, il trouva une lettre écrite sur une page arrachée à un cahier.

Monsieur Maurice,
Je vous remercie pour votre très courte missive. Vous entendez sans doute mieux vous présenter de vive voix.

«Plutôt, je trouvais la démarche un peu ridicule», se dit-il. Fleur Sauvage aussi savait se montrer très brève.

J'ai mis mon numéro de téléphone. Appelez-moi, nous nous entendrons sur un lieu de rendez-vous.

— De quoi s'agit-il? demanda Marie-Andrée.

— Euh… Des anciens du collège. Ils veulent organiser une rencontre pour le vingt-cinquième anniversaire de notre diplomation.

— C'est très loin, ça.

— Dans deux ans, en juin.

L'homme replia la lettre pour la mettre dans la poche intérieure de sa veste. Avant que sa fille ne demande plus de renseignements, il revint au premier sujet:

— Tout à l'heure, je disais vrai. Les notes de Jeannot se sont améliorées.

— Il essaie de faire bonne impression sur toi.

— Encore un peu et il réussira! Maintenant, si je ne t'aide pas, tu feras tout sans moi.

Marie-Andrée lui mit un chaudron entre les mains.

⬗

Une fois couché, Maurice relut à plusieurs reprises les quelques lignes que lui avait adressées l'inconnue. Évidemment, il lui fallait la rencontrer ou oublier tout cela. S'endormir lui demanda du temps. Dans son esprit, Fleur Sauvage prenait la forme de diverses femmes, parfois des vedettes de cinéma ou de la télévision. Des beautés absolues. Alors, il s'inquiétait de son propre physique ou se réprimandait pour ses fantasmes adolescents. Souvent aussi, l'inconnue ressemblait à Ginette, à la femme croisée à l'épicerie, à la serveuse du café. Les personnes de son environnement immédiat lui paraissaient plus accessibles.

Son malaise montait de plusieurs crans quand Fleur Sauvage prenait la forme de Jeanne Trottier. Il se surprit à imaginer qu'il s'agissait de Jeanne elle-même, lassée d'Émile et désireuse de se procurer un nouveau compagnon de cette façon un peu particulière.

❖

À son lever, le professeur aurait voulu déchirer cette lettre en tout petits morceaux pour les jeter dans les toilettes et les faire disparaître en tirant la chasse d'eau. Pourtant, elle était toujours dans la poche intérieure de sa veste quand il passa à table pour le déjeuner. Sa fille l'entretint de ses activités de la journée. Il répondit par monosyllabes.

À l'école, les élèves le trouvèrent suffisamment absent pour échanger de petits sourires entendus entre eux.

En soirée, il replia son journal en disant :

— J'aimerais aller marcher un peu, ou même faire une balade en voiture. Histoire de me changer les idées.

— Papa, tu vas bien ?

L'inquiétude sincère dans la voix de sa fille lui fit plaisir. Il souhaitait la mettre au courant de sa démarche, mais sa honte l'en empêchait. Pour garder sa dignité, mieux valait lui cacher son recours à des moyens désespérés en vue de rencontrer quelqu'un.

— Oui, ne t'en fais pas. J'aimerais simplement m'aérer l'esprit.

La jeune fille hocha la tête, tout de même un peu anxieuse.

Une fois à l'extérieur, Maurice monta dans sa voiture. Machinalement, il prit le chemin du café de la gare. Il ne souhaitait pas passer son appel d'une cabine téléphonique située au bord de la rue.

Dans le petit commerce, l'homme reconnut la serveuse derrière le comptoir, Diane. Il la salua d'un signe de la tête, vint vers elle en fouillant dans ses poches.

— Pouvez-vous me faire la monnaie de deux dollars ? Je veux téléphoner à Montréal et je ne sais pas du tout combien ça coûte.

— Bien sûr. Des vingt-cinq sous ?

L'homme hocha la tête de haut en bas.

Dans la cabine, il demanda à la téléphoniste de le mettre en relation avec le numéro donné dans la lettre. Elle lui annonça le montant nécessaire pour une durée de trois minutes. Après un moment, une voix lointaine fit :

— Oui, allô.

— Vous êtes en communication, dit l'employée de Bell Canada.

— Fleur... Fleur Sauvage.

Quel pseudonyme ridicule. Il souhaita que la téléphoniste ne puisse plus les entendre.

— Oui, c'est moi.

— Maurice...

Au dernier moment, il se retint de donner son nom de famille.

— Ah ! Oui, Maurice. Comment allez-vous ?

— Bien, dit l'homme en consultant sa montre pour voir les secondes s'écouler. Et vous ?

— Bien aussi. Vous avez mis longtemps à me joindre.

— Si j'ai bien compris, j'ai écrit à *Nos Vedettes*, qui vous a transmis la lettre. Vous avez écrit au journal, qui me l'a envoyée.

Ces explications ne servaient à rien, sinon à satisfaire le désir de cette inconnue d'avoir le dessus dans l'échange. Elle le forçait à se justifier.

— Voulez-vous me voir ? proposa-t-il.

La question mit fin au petit jeu.

— Oui. Demain, si vous voulez.

— Je travaille.

— Moi aussi, mais pas à l'heure du dîner.

— Je n'aurai pas le temps de faire tout ce trajet.

Le silence dura un moment, Maurice comptait toujours les secondes qui s'égrenaient.

— Je pourrai me rendre à Montréal samedi, pas avant.

— Vous connaissez Place Versailles?

— J'y suis allé parfois.

— Il y a un restaurant près du Steinberg. Vous trouverez sans mal.

Évidemment, un repère aussi gros qu'une grande sur-face, ça ne se ratait pas, même avec la plus mauvaise volonté.

— Je peux y être à deux heures.

— D'accord. Comment pourrai-je vous reconnaître?

Elle connaissait sa taille, son poids, la couleur de ses yeux, mais aucun signe vraiment distinctif, comme une cicatrice au front ou un tatouage sur la joue.

— Je peux porter une cravate rouge.

— Rouge? Vous serez bien le seul. D'accord. Le premier qui arrive prend une place. Je ne veux pas me planter devant la porte avec l'air d'attendre le Messie.

Le nouveau silence s'allongea tellement que Maurice eut peur de voir la communication s'interrompre.

— Je suis dans un téléphone public, je dois raccrocher ou on le fera pour moi. Donc, au petit restaurant près du Steinberg, samedi à deux heures.

— C'est ça, à deux heures.

— Au revoir, Fleur.

«Fleur, ce n'est pas un prénom, ça.» Il allait lui demander le vrai quand un bruit mécanique se fit entendre, et vint la tonalité. Il songea à rappeler pour s'excuser de cette fin abrupte, puis renonça. Elle serait là ou non.

Quand il quitta la cabine, une place était libre devant le comptoir. La serveuse vint tout de suite.

— Alors, Maurice, quelle tarte vous fait envie ce soir ?

Elle se souvenait de son prénom. Cela le toucha.

— Que me conseillez-vous, Diane ?

— Comme les gens prennent le plus souvent la tarte aux pommes, elle est plus fraîche.

— D'accord. Avec un café.

Pendant tout le temps où elle s'occupa de sa commande, le professeur la détailla encore une fois. Comme cet uniforme de tissu synthétique ne l'avantageait pas ! Quand on en faisait abstraction, cette femme devenait plus attirante. Alors qu'elle posait le café devant lui, il dit :

— Merci, Fleur.

— Fleur ?

Maurice rougit certainement un peu.

— Ce doit être le printemps qui tarde à venir qui me fait penser aux fleurs.

Le regard de la serveuse exprima un certain scepticisme. On lui avait rappelé à deux reprises l'intérêt non équivoque de cet homme pour sa personne. En posant la pointe de tarte devant lui, elle demanda :

— Vous aimez nos desserts ?

— Pas tant que cela. C'est seulement la troisième fois.

— Alors, rien ne vous attire vraiment ici.

Diane posa ses coudes sur le comptoir. Penchée vers l'avant, elle laissait voir un peu de sa poitrine, et plus bas la ligne de dentelle du soutien-gorge. Le geste lui apparut vulgaire, mais il ne détourna pas le regard. Comme cette peau semblait douce.

— Certains soirs, j'ai absolument besoin de sortir de la maison.

— Rien ne vous attire ici, vous fuyez seulement votre foyer.

Le sourire de la serveuse se révélait tellement moqueur. Ses regards insistants ne lui échappaient pas. La honte monta en lui, l'expression de la peur du péché si profondément incrustée dans son cœur. Diane fit mine d'aller vers un autre client, puis ajouta encore :

— Je ne dirai pas au cuisinier qu'il n'est pour rien dans vos visites, ça lui ferait de la peine.

Quand elle s'éloigna, Maurice fronçait les sourcils. Cette femme lui faisait-elle des avances ? Pareille éventualité lui paraissait impossible. Au lieu de s'en assurer, il préférait tenir le plus mauvais rôle dans le scénario de sa vie.

❖

En revenant de l'école le mercredi 12 avril, le père et la fille s'empressèrent de souper afin d'arriver tôt au Cinéma de Paris. La sortie exigeait que Marie-Andrée porte son meilleur chemisier et sa plus belle jupe. En entrant dans le salon, elle demanda :

— Je devrais me maquiller pour cette occasion, non ?

Son père la contempla avec un demi-sourire.

— Les femmes se maquillent pour cacher des rides, des joues très pâles, des yeux cernés. Celles de mon âge, en tout cas. Tu n'en as pas besoin.

Tout de même, sa fille ne se montra pas convaincue.

— Cependant, je n'y connais rien, ajouta-t-il. Alors, regarde si tu ne trouverais pas où apprendre comment faire. On a facilement l'air grotesque quand on ne sait pas s'y prendre… et tu ne peux pas compter sur moi pour t'aider.

« Quelqu'un comme Jeanne saurait certainement », songea-t-il. Puis il se trouva ridicule de penser à cela.

Marie-Andrée comprit que ce soir-là aucun rouge ne soulignerait ses lèvres ni aucun noir, ses yeux.

— Nous y allons ? demanda son père.

Quelques minutes plus tard, ils arrivaient au cinéma. Cela demeurait le meilleur endroit de la ville où offrir des spectacles. Maurice se planta devant les grands panneaux d'affichage de part et d'autre de l'entrée. La publicité de *Tête-à-tête sur l'oreiller* s'y trouvait toujours. Il jeta un regard moqueur à sa fille.

— Ce n'était pas si mauvais, affirma celle-ci.

— Meilleur que *Sœur Sourire*, sûrement. Viens.

Pour le spectacle, toutes les lumières resteraient allumées, et on avait même placé un projecteur au fond de la salle afin de mieux voir les artistes. Tous les sièges seraient occupés. Depuis des mois, Jacques Brel promenait son dernier show partout dans le monde. Après New York et Montréal, l'artiste se produisait à Saint-Hyacinthe. Une façon de terminer en beauté, probablement.

Bien sûr, il resterait encore Paris.

Toutefois, avant la grande vedette, Renée Claude passerait sur la scène. Une grande brune mince aux cheveux longs, à la voix chaude.

Elle commença par l'une de ses chansons toutes récentes, *Shippagan*.

Il est le seul de son village qui soit parti de l'Acadie
À Shippagan ceux de son âge sont tous restés dans le pays

Malgré l'excellence de sa prestation, l'attention des spectateurs faisait défaut. Tout le monde attendait la vedette étrangère. Après une pause d'une demi-heure, le chanteur

se présenta dans un petit complet noir, la cravate un peu
de travers.

À mon dernier repas, je veux voir mes frères,
et mes chiens et mes chats, et le bord de la mer

La chanson donnait le ton. La gestuelle, les mains
osseuses presque toujours devant lui, une intensité sur le
visage très vite couvert de sueur : Brel imposait un silence
total. Certains textes tiraient une larme – *Les vieux, Voir un*
ami pleurer, Quand on n'a que l'amour, Ne me quitte pas. Les
plus drôles ne servaient qu'à dissimuler une tristesse plus
profonde encore, comme dans *Les bonbons.*

Quand la dernière chanson se termina, chacun se leva
pour applaudir sans réserve. Le vacarme se poursuivit
jusqu'à ce que le chanteur revienne, une serviette autour du
cou, une autre pour s'éponger le visage. Tous ses vêtements
semblaient dégoulinants. Personne dans l'assistance ne
douterait plus que le métier d'artiste demandait un effort
surhumain.

Sur le chemin du retour à la maison, Marie-Andrée
s'accrocha au bras de son père.

— Je te remercie de m'avoir invitée. Je pense que je
n'oublierai jamais ce spectacle.

— Moi non plus. Dommage que bien peu de ces chanteurs viennent dans notre petite ville. Je devrais me résoudre
à aller plus souvent à la Place des Arts, à Montréal. Je
suppose que je pourrais même faire le trajet en autobus dans
la même soirée, si conduire jusque-là me rebute trop.

En réalité, jamais encore il n'avait vu la Place des Arts
de l'intérieur. Tous les soirs, sa fille et lui restaient dans la
petite maison de la rue Couillard.

— Désormais, ce sera plus facile.

L'adolescente devinait que lorsqu'elle vivrait à Montréal, son père pourrait occuper ses loisirs d'une autre façon.

— Tu pourras même m'inviter. Ce sera une belle occasion de nous revoir.

— Tu voudras partager ce genre d'activité avec quelqu'un de ton âge.

— Alors, nous irons à trois, ou à quatre.

Sur ces mots, Marie-Andrée serra l'avant-bras de son père. Qu'est-ce qui échappait à la jeune fille? Bien peu de choses, sans doute. Peut-être même remarquait-elle les regards insistants dont il accablait toutes les femmes. Aussi, il se décida à plonger:

— J'aimerais me rendre à Montréal samedi prochain, pour une sortie… personnelle. Si tu veux profiter de la grande ville, tu pourrais inviter quelqu'un à venir avec toi.

— Denise?

— Je pensais plutôt à Jeannot. Toi et la petite Marois prenez vos distances, non?

Il disait vrai. Même à l'école, les anciennes « meilleures amies du monde » n'avaient maintenant presque plus rien à se dire. la jeune fille remarqua surtout combien son père se montrait résolu à favoriser son envol.

— Le samedi, il travaille au commerce familial.

— Je suppose que la perspective de se faire conduire à Montréal par son professeur l'aidera à trouver les bons arguments pour négliger son devoir. Sans compter ta présence…

Cela, la jeune fille n'en doutait pas. Le tout serait de voir si cela suffirait à convaincre le marchand de meubles.

Chapitre 14

Depuis quelques semaines, le téléphone de la famille Berger sonnait beaucoup plus souvent qu'auparavant. Marie-Andrée l'accaparait, toujours avec la même personne au bout du fil, Jeannot.

Celui-ci ne dissimula pas sa surprise.

— Là, tu me fais marcher.

— Je t'assure. Il veut aller à Montréal et m'offre de monter avec lui, mais si je suis seule, il me laissera certainement ici. Penses-tu, m'exposer aux dangers de la grande ville sans un chevalier servant l'effraierait bien trop.

Son ton se révélait moqueur. Heureusement, son père était sorti faire les courses.

— Quel beau programme ! Faire tout le trajet assis sur la banquette arrière de la voiture de mon professeur !

— Là, tu me fais de la peine. Papa est tout à fait charmant. Et puis, je serai là.

En disant ces mots, l'adolescente adressait un sourire au reflet de son visage que lui renvoyait la vitre de la fenêtre.

— Bon, je vais en parler à mon père dès son retour.

— J'espère qu'il dira oui. J'aimerais que tu sois là. Nous pourrions aller voir un film et manger quelque part. Je ne sais pas trop, nous pourrons en discuter.

— Je ferai tout pour arranger ça.

Marie-Andrée mit fin à la conversation quand elle entendit son père dans l'entrée. Maintenant, elle préférait garder pour elle certains aspects de son existence.

En se dirigeant vers sa classe, le professeur aperçut Jeannot Léveillé planté près de la porte. L'écolier l'accueillit avec un sourire intimidé.

— Monsieur, j'aimerais vous parler.

Maurice s'arrêta.

— Oui, bien sûr.

— Pour demain, c'est sérieux ?

Le garçon présentait un visage sceptique.

— Vous craignez de passer tout un après-midi avec moi ?

Comme le garçon ne répondait pas, il précisa :

— Marie-Andrée vous a sans doute expliqué. Je vous ferai descendre rue Sainte-Catherine et je vous y reprendrai au retour, pas trop tard en soirée.

— Alors, si cela vous agrée, j'aimerais bien me joindre à vous.

— Si cela m'agrée… Voilà un langage châtié que je n'entends plus très souvent. C'est réglé, mais vous le ferez savoir à Marie-Andrée vous-même. Elle rentre de l'école vers cinq heures.

Cela valait une véritable injonction. Le père se retint de lui faire remarquer qu'il aurait pu lui poser cette question la veille, au téléphone. Que l'on fasse attendre sa fille vingt-quatre heures avant de répondre à son invitation le vexait personnellement.

Depuis plusieurs jours, excepté les brefs échanges au moment d'entrer ou de sortir de classe, Marie-Andrée et Denise ne se fréquentaient plus comme auparavant. Il n'existait pas entre elles de véritable hostilité. Seulement une petite jalousie d'un côté, et la lassitude de servir de faire-valoir de l'autre.

Pendant la deuxième semaine d'avril, toutes deux firent cependant ensemble le trajet du retour vers la rue Couillard. Après quelques mots sur les événements de la vie scolaire, la blonde demanda :

— Samedi dernier, tu paraissais bien t'amuser avec Jeannot.

Cette façon de dire les choses tira un sourire à son interlocutrice. Avec la main de Paul entre ses cuisses, celle-là n'avait pas paru s'ennuyer non plus.

— C'est un garçon agréable, je me plais avec lui.

— Il s'agit de ton amoureux ?

— Je le connais depuis un peu plus de deux semaines.

Pourtant, elle se sentait différente, maintenant. Comme un oiseau qui prend son envol.

— Florence m'a dit que tu irais passer la journée de samedi avec lui à Montréal.

La proposition avait tant excité Marie-Andrée que le matin même, elle n'avait pu résister à l'envie d'en discuter avec sa voisine de pupitre.

— Papa doit s'y rendre, alors il m'a offert de sauter sur l'occasion pour une visite, tout en me proposant d'inviter Jeannot.

— On dirait une attention d'un beau-père pour son gendre.

Marie-Andrée ralentit le pas, troublée. Oui, son père entendait se faire son complice, malgré des résistances parfois exprimées. La sortie pour aller voir Brel, les cours de conduite : cela revenait à la pousser vers l'avenir, au lieu de continuer de la surprotéger.

— Il est tout simplement gentil. Une rencontre l'amène à Montréal, il nous offre de profiter de l'occasion.

— Quand même, Jeannot est ton amoureux, avec la bénédiction de ton père.

Si peu de temps auparavant, Denise présentait Maurice Berger comme sévère, dominateur. Il se montrait seulement très – peut-être trop – attaché à sa fille.

— Avec Jeannot, tu vas jusqu'où ?

Elle ne parlait pas de la durée de l'expédition. La blonde ne se montrait guère économe de ses charmes. Souhaitait-elle afficher haut et fort son côté émancipé en se comparant à une camarade moins dégourdie ?

— C'est mon ami.

La réponse pouvait être interprétée de diverses manières. Denise ne choisit pas la plus respectueuse.

— Tu restes une sainte nitouche.

— Tu as peut-être raison. D'un autre côté, selon les courriéristes du cœur, les garçons aiment les filles sages et délaissent les autres après en avoir profité.

Cette nouvelle forme de moralité venait de tous les censeurs, depuis ceux s'exprimant dans les médias de masse jusqu'aux personnes murmurant dans les confessionnaux : les jeunes gens cherchaient à « aller jusqu'au bout » avec les unes, pour épouser finalement les plus vertueuses. Prosaïquement, ils se liaient pour toujours à une femme demeurée intacte. La présence ou l'absence d'un hymen préoccupait bien des esprits.

La réplique porta. Denise se tint coite tout le reste du trajet, puis regagna sa demeure après un « À demain » sans grande conviction.

Il avait fallu manger tôt, un repas ressemblant à un petit déjeuner tardif très copieux ou à un dîner hâtif plutôt léger. En montant en voiture, Maurice tendit une dizaine de billets de deux dollars à sa fille en disant: «J'allais oublier.» Au salaire minimum, cela représentait une vingtaine d'heures de travail, vingt-deux pour les employés de moins de dix-huit ans.

— Voyons, ce n'est pas nécessaire. Avec mes cadeaux de Noël et d'anniversaire…

— Comme ça, tu pourras faire face aux imprévus. Si nécessaire, tu en auras assez pour prendre un taxi et te rendre chez ta marraine, ou pour revenir ici en autobus.

Comme elle ouvrait de grands yeux, il lui adressa son meilleur sourire.

— Le propre des imprévus, c'est d'être imprévisibles. Admettons que Jeannot Léveillé s'endorme soudainement et ne veuille pas se réveiller… Tu pourras te débrouiller.

Marie-Andrée le regarda un moment, puis elle hocha la tête.

— Si, pour une raison quelconque, tu ne peux être au rendez-vous en fin de journée, téléphone à Mary pour lui expliquer ce qui se passe. Si je ne te trouve pas à l'endroit convenu, je la contacterai.

— On dirait que je m'engage dans une opération militaire, quelque chose comme *Les canons de Navarone*, plutôt que de m'apprêter à faire une sortie à Montréal.

Le professeur se dit qu'il avait un talent fou pour inquiéter une jeune fille déjà peu assurée.

— Il s'agit de convenir d'une façon de parer aux imprévus. Si moi-même je ne suis pas à l'endroit convenu, appelle ta marraine, elle saura à quoi s'en tenir.

— C'est une somme importante. Je te la rendrai si je n'en ai pas besoin.

— Non. Comme ça, tu n'auras pas à me demander un dollar chaque fois que tu voudras aller manger un hot-dog au restaurant du coin.

Quand la jeune fille murmura «Merci», la Volkswagen roulait déjà vers le commerce de meubles des Léveillé. Marie-Andrée surveillait chacun des mouvements de son père. À deux reprises depuis le dimanche précédent, il lui avait ménagé une leçon de conduite. Au rythme de ses progrès, elle n'obtiendrait pas son permis avant l'été.

Il avait été convenu de prendre Jeannot à midi pile, en passant. Cinq minutes avant l'heure dite, il se tenait sur le trottoir devant le magasin. À l'arrêt de la voiture, l'adolescente descendit. Devant témoin, les retrouvailles furent un peu embarrassées. Les «Salut» ne s'accompagnèrent d'aucune bise.

— Tu veux monter à l'avant? offrit-elle.

— Non, non. Je préfère la banquette arrière.

Une heure de route assis à côté de son professeur ne lui disait rien. Avec une automobile comptant seulement deux portières, se glisser à l'arrière exigeait une certaine souplesse. En s'asseyant, il murmura:

— Bonjour, monsieur Berger.

Maurice se tourna à demi:

— Bonjour. Si tu le permets, en dehors de l'école, je vais te tutoyer et t'appeler Jeannot.

— Bien sûr. Cela va de soi.

— Mais je ne pense pas que nous soyons assez familiers pour que tu fasses la même chose.

— D'accord.

À l'avant, la jeune fille eut un sourire embarrassé. Son père avait le chic pour rendre ses étudiants mal à l'aise. Ces deux-là se trouvaient loin du tutoiement réciproque.

Grâce à l'autoroute 20, le trajet s'effectuait facilement. La conversation ne démarra pas vraiment, les jeunes étant gênés par la présence de Maurice. À la fin, ce dernier entreprit un interrogatoire, pour apprendre que le garçon avait deux sœurs un peu plus jeunes et un frère plus âgé, étudiant à l'école des textiles de Saint-Hyacinthe.

— Jeannot, as-tu déjà une idée de tes études futures ?

— Mon père semble convaincu que la vie d'avocat est idéale.

— Et toi ?

— Comme dans *Perry Mason*, ça me plairait.

Cette émission de télévision devait susciter bon nombre de carrières. Pourtant, Maurice ne se souvenait d'avoir lu aucun article de journal évoquant un procès durant lequel un témoin, habilement questionné par une vedette des prétoires, aurait confessé le meurtre, innocentant du même coup sur-le-champ l'accusé…

— Tes notes s'améliorent depuis trois semaines, comment expliques-tu ça ?

— Papa ! fit sa fille à ses côtés.

— Comment, "papa" ? J'aimerais savoir, et toi-même, tu pourrais en tirer profit. Tu as de bons résultats, mais il y a toujours place à l'amélioration.

Jeannot avait confié à Marie-Andrée qu'il trouvait l'humour de son père un peu étrange, mais en ce moment, il ne s'amusait pas du tout.

— Alors ?

— Je ne sais pas. J'étudie plus qu'avant, je suppose.

— En tout cas, si tu continues ainsi au cours des prochaines années, tu seras admis en droit.

— Je vous remercie, monsieur Berger.

Le père échangea un sourire de connivence avec Marie-Andrée. Le motif de la performance améliorée du garçon ne lui échappait pas. Oui, son humour était un peu particulier.

✠

Lorsqu'ils prirent le pont Jacques-Cartier, Marie-Andrée tendit le cou afin de voir les îles Sainte-Hélène et Notre-Dame. L'exposition serait inaugurée exactement treize jours plus tard. Tout le monde ne parlait plus que de cela dans la province.

— J'ai une cousine, Nicole, qui sera hôtesse.

— Elle a de la chance, répondit son ami. Ce sera comme une fête de quatre mois.

— Et elle sera tellement jolie dans son uniforme.

« Habillée n'importe comment, elle est jolie », songea Maurice. Maintenant, son rendez-vous de l'après-midi commençait à l'angoisser. Quelle idée absurde ! Sa cravate rouge était pliée dans la poche de son veston, il ne la mettrait qu'au dernier moment, pour éviter de devoir donner des explications à sa fille.

— Je crois que le mieux est de vous faire descendre au coin de Saint-Denis et Sainte-Catherine. Vous trouverez certainement comment vous orienter à partir de là.

Les deux jeunes gens en convinrent sans mal. Cinq minutes plus tard, le professeur stationnait sa voiture à l'endroit convenu.

— Regardez, dit-il à ses passagers, la nouvelle université sera bâtie dans ce coin. Le gouvernement veut regrouper des institutions existantes, comme le Collège Sainte-Marie et l'école normale Jacques-Cartier. Je me demande comment ils vont construire un campus ici, il n'y a pas de place dans les environs.

Ses commentaires sur les projets éducatifs tombaient à plat. Ils ne servaient qu'à retarder le moment de son rendez-vous. À la fin, le professeur brandit le doigt en direction de l'autre côté de la rue Sainte-Catherine.

— Vous voyez le restaurant, au-delà du Archambault? Nous pourrions nous y retrouver vers huit heures ce soir.

— D'accord. Bonne journée, papa.

La jeune fille ouvrait déjà la portière pour descendre.

— Bonne journée à vous deux.

Jeannot s'extirpa de la banquette arrière, puis, une fois sur le trottoir, il se pencha pour dire:

— Bonne journée, monsieur Berger, et merci pour la sortie.

Maurice lui adressa un sourire, le premier dénué d'ironie. La portière se referma. Les jeunes gens restaient plantés sur le trottoir, ils ne bougeraient pas avant lui. Aussi, il démarra pour se diriger vers l'est.

Tous deux regardèrent la Volkswagen s'éloigner.

— Alors, monsieur Léveillé, pourquoi vos notes se sont-elles améliorées? demanda Marie-Andrée. Hum! Pourquoi?

— Je ne sais pas trop, monsieur Berger. Je veux impressionner ma blonde, je suppose.

«Je suis sa blonde», songea la jeune fille. Il formulait les choses ainsi pour la première fois. Donc, elle avait un *chum*, son premier. Pas un promis, comme le prétendait Denise. Celle-là aimait exagérer pour la ridiculiser.

— Que veux-tu faire? demanda le garçon.

— Nous avions parlé de cinéma.

— Que dirais-tu de *Haute Infidélité*? Ou alors *Un certain désir*?

Devant les sourcils froncés de son amie, il éclata de rire.

— Il y a aussi *Tendre voyou*, avec Belmondo, ou *I'm Like A Flint*. C'est une mauvaise imitation des James Bond.

Comme elle ne manifestait pas un grand intérêt, il se montra bon prince.

— Toi, qu'as-tu trouvé d'intéressant à voir ?

— *Docteur Jivago*. C'est présenté dans l'ouest de la ville, au Loews.

«Un film de filles», se dit-il. Pourtant, il donna son assentiment d'un signe de la tête.

— Nous pouvons y aller à pied ?

— Pourquoi pas en métro ? La station se trouve juste là. Ce sera la première fois pour moi.

Le magasin Dupuis Frères sur leur gauche donnait accès à la station Berri-de-Montigny. Marie-Andrée ne se souvenait pas d'avoir jamais emprunté un couloir si large. Il débouchait sur un immense espace, plus grand que de nombreuses cathédrales. Plusieurs commerces y recevaient une clientèle de voyageurs. L'idée de faire ses emplettes, ou même de manger sous terre paraissait étrange à la jeune fille.

Des barrières empêchaient d'accéder au quai. Jeannot se présenta au guichet pour acheter deux billets, puis ils passèrent le tourniquet.

— Je les prendrai au retour, affirma Marie-Andrée. Tu n'as pas à payer mes dépenses.

— Les choses se passent comme ça, non ?

Lui non plus ne connaissait pas bien les règles. Les hommes payaient pour les femmes, mais entre deux écoliers aux ressources limitées, comment faisait-on ?

— Partageons les frais, ce sera plus équitable.

Marie-Andrée se montrait cool. Tout en parlant, ils s'engagèrent dans l'escalier donnant accès au train de la ligne verte. Le flot de voyageurs ne leur donnait pas le choix du rythme de leur progression. Sur le quai, ils apprécièrent la foule compacte. La fin de semaine, les grands magasins de la Catherine attiraient les foules. Le mouvement de l'air, à l'arrivée du train bleu et blanc, fit du bien dans la chaleur ambiante. Un peu bousculés par l'empressement des autres passagers, ils montèrent dans la voiture la plus proche.

Les sièges recouverts de matière plastique, les stations aux revêtements rares – céramique, brique vernissée, béton brut –, tout était incroyablement moderne. Marie-Andrée s'imaginait dans un monde du futur, comme si elle était plongée dans un roman de science-fiction. L'affluence les forçait à demeurer debout, tout près l'un de l'autre, se tenant au poteau métallique. Leurs mains s'effleurèrent, Jeannot murmura «Excuse-moi», puis se trouva ridicule. Les jeunes sortant ensemble se touchaient, cela pouvait même devenir le seul motif de la fréquentation.

Le trajet ne durerait que quelques minutes. Il y eut successivement les stations Saint-Laurent et Place-des-Arts. Le garçon regardait le schéma placé au-dessus des rangées de banquettes.

— C'est la prochaine.

Ils se rapprochèrent des portes, sortirent avec des dizaines de personnes, dérangés par celles qui désiraient monter. Les colonnes orangées, les rampes des escaliers d'un jaune vif accentuaient encore un décor audacieux. Du côté sud, des vitraux illustraient l'histoire de Montréal, de la fondation à la ville industrielle.

— On dirait une église d'un nouveau genre, commenta Marie-Andrée.

— Nous pourrions visiter chacune des stations. Dans dix ans, le monde entier ressemblera à ça. Toutes les vieilleries vont disparaître. Imagine, les Américains vont se poser sur la Lune dans deux ans !

Les journaux et la télévision racontaient par le menu les péripéties de la course vers la Lune opposant les États-Unis à l'Union soviétique. Les progrès de la médecine faisaient espérer à chacun de devenir centenaire. L'architecture moderne donnait une allure nouvelle au monde. Tout bougeait très vite partout en Occident; au Québec, on qualifiait la révolution de tranquille.

Ils grimpèrent les escaliers pour arriver au niveau du sol. Jeannot se planta devant une grande carte.

— Ton cinéma se trouve bien rue Sainte-Catherine?

— Au 954 Ouest.

— Nous devons prendre Union ou University, vers le sud.

Au-dessus des sorties, un panneau indiquait le nom des rues et les numéros des autobus permettant la correspondance. Tout de même, à l'extérieur, le jeune homme demanda à un passant de lui indiquer la bonne direction. Comme celui-ci répondit en anglais, Marie-Andrée vint à son aide. Quand ils s'engagèrent rue Union, elle remarqua :

— Je n'ai pas pensé à te le dire, le film est diffusé en anglais. Ça te posera une difficulté?

Cette préoccupation lui venait un peu tardivement. La présence du magasin Eaton, sur la droite, et dans une rue toute proche vers l'est de celui de la Hudson's Bay, lui donna une nouvelle idée. Tout à coup, elle se sentait prête à sacrifier l'histoire du bon docteur russe pour un après-midi à parcourir des rayons de vêtements féminins. Puis elle songea que son compagnon n'apprécierait sans doute pas.

— J'ai eu des cours à l'école, dit Jeannot. Et toi?

— Ma mère a été élevée en anglais, elle parlait très bien les deux langues. Elle a eu le temps de m'apprendre.

— Dans ce cas, tu me murmureras à l'oreille les bouts que je ne comprendrai pas.

Ce programme ne lui déplaisait donc pas. Le cinéma se situait à une faible distance vers l'ouest. Ils y arrivèrent à temps pour la représentation de deux heures trente-six. Ils en auraient pour plus de trois heures à se promener entre Moscou et les steppes glacées. Marie-Andrée put rêver à Omar Sharif tout son saoul. Son compagnon, quant à lui, hésita tout au long de la représentation entre les charmes de la blonde et de la brune.

❈

Après avoir parcouru quelques centaines de verges rue Sainte-Catherine, Maurice tourna à gauche pour rejoindre Sherbrooke. Il ne s'agissait sans doute pas de l'itinéraire le plus court, mais celui-là lui était familier. Impossible pour lui de s'égarer.

La Place Versailles existait depuis quelques années. Tout l'est de la ville venait y faire ses courses. Ce samedi, le stationnement affichait presque complet, aussi le professeur parcourut les allées plusieurs minutes avant de dénicher une place.

— Quelque chose me dit que Fleur Sauvage s'attend à mieux que moi, marmotta-t-il.

Des deux mains, il orienta le rétroviseur de façon à voir le reflet de son visage. Il se trouva des poches sous les yeux et un tout petit peu de gris aux tempes. Surtout, une espèce de mélancolie marquait son regard. Rien pour faire penser à un joyeux luron. De nouveau, l'envie lui vint d'oublier cette ridicule histoire.

— Si je ne le fais pas aujourd'hui, je ne le ferai jamais. Alors, je n'aurai rien de mieux comme perspective que de devenir curé, comme le voulait ma mère.

Cette pensée agit comme un aiguillon. Il récupéra la cravate dans la poche de sa veste, la trouva un peu fripée et surtout trop criarde. Toutefois, le temps lui manquait pour en dénicher une autre. En descendant du véhicule, il se sentait très intimidé. Le Steinberg se situait à l'extrémité est du complexe, à l'opposé d'un Kmart.

D'un pas rapide, tout en consultant sa montre, il marcha vers l'entrée principale. S'il arrivait à l'heure, ce serait sans une minute d'avance. La grande surface comptait trente commerces ou un peu plus. Un restaurant se trouvait bien tout près du marché d'alimentation, l'un de ces *diners* avec des banquettes en matière plastique.

Aucune femme ne se tenait à la porte. Une fois à l'intérieur, il constata la présence d'une dizaine de clientes. En éliminant celles qui n'auraient visiblement pas trente ans avant 1977 et celles pour qui cet anniversaire était déjà un souvenir lointain, il en restait trois. La plus grosse n'avait rien d'une fleur, la plus maigre rappelait un cactus. En portant la main à sa cravate, il s'avança vers la dernière.

Que dirait-il ? « Vous appelez-vous Fleur ? » Ce serait avoir l'air d'un parfait imbécile. La dame le dévisagea un moment, puis replongea dans son magazine, avec sur le visage l'air de dire : « Quel genre de colon se met une cravate de ce genre, de nos jours ? » Alors, il s'installa sur une banquette, de façon à voir l'entrée.

Une serveuse lui apporta un menu, revint un peu plus tard lui demander ce qu'il voulait.

— Pas tout de suite, j'attends quelqu'un.

Le regard soupçonneux de l'employée lui enleva la minuscule assurance qui lui restait. Maurice consulta de nouveau sa montre, constata qu'il était déjà deux heures huit.

« Je poireaute jusqu'à quelle heure ? » Combien de temps aurait patienté cette inconnue ? Pas une minute, sans doute.

« Bon, encore dix minutes, pas plus. » Au troisième passage de la serveuse, il se décida à prendre un café. Des yeux, il regardait les passantes à l'extérieur du restaurant, jugeant leur beauté. L'une d'elles s'approcha de l'entrée. Tout de suite, il replaça sa cravate… puis elle disparut.

Le professeur eut envie d'aller chercher l'un des journaux traînant sur le comptoir. Au moins, à son arrivée, il n'aurait pas l'air de s'ennuyer. Enfin, une minute avant la limite qu'il s'était fixée, quelqu'un apparut dans l'entrée. Une grande femme portant un imperméable gris serré à la taille, des cheveux courts, châtains, et des lunettes à la monture de plastique qui se terminait en pointe de chaque côté, avec de faux diamants incrustés. La cravate rouge se distinguait de loin, car elle vint directement vers lui. Il se leva.

— Maurice ? Vous êtes Maurice ?

— Oui, c'est moi.

L'homme se leva pour tendre la main, elle l'accepta.

— Gaétane. Ce n'est pas mon vrai nom, car nous ne nous connaissons pas.

— Oui, bien sûr.

Ils demeurèrent un moment debout face à face, puis la femme prit sur elle de s'asseoir, et il fit la même chose. Tous les deux se soumettaient à un examen réciproque. Heureusement, la serveuse revint, le malaise fut rompu. La nouvelle venue commanda un café, il en demanda un second. Puis, de nouveau, le silence pesa sur eux.

— C'est la première fois que je vis ce genre de situation, dit-il. Je ne sais pas trop comment agir. Répondre à une annonce pour rencontrer quelqu'un me semble si étrange.

Son malaise aurait été le même quelle que soit la façon de rencontrer une femme, il le réalisa douloureusement en se remémorant l'aventure avec Ginette. Cette manière d'entamer la conversation n'ajouterait rien au plaisir de chacun de se trouver là.

— Je n'en ai pas l'habitude non plus. Qu'est-ce que vous croyez ?

Le ton avait quelque chose de grinçant. « Inutile de réserver tout de suite l'hôtel pour le voyage de noces », songea-t-il. Secouant la tête, il fit un geste pour effacer ses derniers mots. Tout de même, elle ne prendrait pas la fuite, car elle détachait son imperméable, enlevait les manches l'une après l'autre. Cette femme le dépassait de plus d'un pouce. Sa robe tombait sur une poitrine plate, son visage lui donnait certainement plus de trente ans, peut-être simplement à cause de l'allure renfrognée.

— Que faites-vous dans la vie, Gaétane ?

L'utilisation du prénom la rendrait peut-être un peu moins revêche.

— Secrétaire. Je suis secrétaire depuis une douzaine d'années dans une société d'assurances, pas loin d'ici.

— Vous habitez aussi dans ce quartier ?

Elle dit oui d'un mouvement de la tête, les sourcils froncés. Soupçonnait-elle qu'il lui demanderait d'aller dans son appartement pour se livrer à des actions répugnantes ? On lisait des histoires de ce genre dans les journaux, on en voyait à la télévision, au cinéma.

— Vous avez été mariée, déjà ?

— Non, bien sûr que non, je suis célibataire. Je l'avais dit dans mon annonce.

— Oui, bien sûr, où ai-je la tête.

Gaétane prit sa tasse de café de ses longs doigts osseux. « Pas mieux que Ginette », se fit-il la réflexion. Au moment de leur rencontre en 1944, Ann était une ravissante personne, un peu frêle, mais ravissante. Tout ne se limitait pas à son physique. Sans sa gentillesse, son humour, sa délicatesse de sentiments, les choses auraient été différentes. Quelles étaient les qualités de son interlocutrice ?

— Vous, vous êtes veuf ?

— Oui, depuis quatre ans.

— Vous avez des enfants ?

— Une fille de dix-sept ans.

Gaétane secouait la tête, comme si elle pesait le pour et le contre de ces informations.

— La présence d'un enfant… je ne sais pas trop si je pourrais.

— Elle quittera la maison dans quelques mois.

Maurice se reprocha de présenter ce départ comme un avantage. De toute façon, cette rencontre n'aurait pas de suite. Depuis l'arrivée de cette femme, son malaise ne s'était pas allégé. À sa vue, la première image qui lui venait était celle de sa mère. Cette impression désagréable augmenta quand il entendit :

— Professeur au secondaire, c'est une bonne occupation ?

— J'en vis depuis plus de vingt ans.

La réponse n'était pas la bonne, à en juger par l'éclair dans les yeux de son interlocutrice. Attendait-elle un chiffre ? Son salaire annuel, peut-être ? Gaétane entendit pourtant poursuivre sa cueillette d'information :

— Que cherchez-vous chez une femme, Maurice ?

La contemplation de sa tasse de café l'occupa un moment. « Une seconde Ann », voulait-il crier. Puis l'absurdité de la situation lui sauta au visage. Son épouse n'existait plus, et le Maurice qui l'avait épousée en 1946 non plus. L'horloge de sa vie repartait à zéro tous les jours.

— Me sentir bien avec elle.

— Ça ne veut rien dire, comme réponse. Quelle allure physique, quelles qualités ? Tenez, nommez-moi une comédienne qui vous plaît.

L'envie lui vint de répondre Andrée Champagne, l'interprète de Donalda dans *Les belles histoires des pays d'en haut*. Il s'agissait de l'archétype de la femme soumise. Son interlocutrice risquait de ne pas apprécier son humour.

— Je ne sais pas trop, je ne connais pas tellement le cinéma.

C'était une curieuse affirmation, pour un père qui emmenait sa fille dans une salle obscure chaque semaine.

— Tout de même, vous voyez des films.

— Debbie Reynolds, dans *Sœur Sourire*.

C'était à peine mieux que de mentionner Donalda, mais Gaétane esquissa tout de même l'ombre d'un sourire.

— Et vous ?

— Robert Redford, dans *Pieds nus dans le parc*.

«Oh! La demoiselle vise très haut», songea-t-il. Un bellâtre à la mâchoire carrée, aux yeux bleus. Dans ce film, il jouait un nouveau marié qui s'habituait difficilement à sa vie de couple avec Jane Fonda. Devait-il nommer celle-là pour faire bonne mesure ?

— Vraiment, je ne fantasme pas sur une comédienne, je n'ai pas de liste des caractéristiques de la femme idéale non plus. J'aimerais juste connaître une femme qui me donnerait envie de la rejoindre au plus vite, une fois ma journée de travail terminée.

Gaétane le regardait de ses grands yeux myopes. Depuis le début, elle souhaitait quitter ce restaurant. Mais tant qu'à se trouver là, Maurice voulut satisfaire sa curiosité.

— Vous avez rencontré beaucoup d'hommes de cette façon ?

Les yeux de la femme se détournèrent. Il lui demandait d'évoquer des échecs.

— C'est la quatrième fois.

— Les autres… Personne ne vous a plu parmi eux ?

— Je suppose qu'il n'y a que des ratés qui regardent des annonces pour se trouver une compagne.

Son interlocuteur accusa le coup, puis ressentit le désir de sortir ses griffes aussi. Cela ne servirait à rien, aussi il attendit.

— Bon, je dois y aller, maintenant.

La femme se leva, Maurice fit la même chose.

— Je vais demander l'addition, dit-elle.

— Non, je m'en occuperai. Je vous souhaite bonne chance, mademoiselle.

Dans un endroit public, elle ne pouvait refuser la main tendue. Ensuite, serrant son imperméable contre elle, l'inconnue quitta les lieux. Maurice la regarda, grande et maigre, jusqu'à ce qu'elle disparaisse. Malgré les yeux fixés sur lui, il détacha sa cravate et la remit dans sa poche. Autant terminer la seconde tasse de café, maintenant.

Quelques minutes plus tard, il payait l'addition, puis sortait. Comment écouler tout ce temps disponible d'ici huit heures ? Une fois rendu dans le stationnement, l'homme repéra le cinéma près de la rue Sherbrooke. Pourquoi pas ? Au moins, il serait assis au frais. Après avoir franchi une centaine de verges, il put lire sur la grande affiche : *La vie secrète des femmes*.

— Dire que je m'inquiète de ce que veut voir ma fille !

Ce film ne lui disait rien. De retour dans sa voiture, il fit l'inventaire des diverses possibilités s'offrant à lui. De meilleurs films se trouvaient certainement à l'affiche quelque part dans cette ville. Un instant, il pensa à *Pieds nus dans le parc*, afin de juger du charme de ce Robert Redford. À la fin, il préféra se promener un peu en automobile.

Chapitre 15

Même si tous deux portaient une veste susceptible de les tenir au chaud, à la mi-avril, le spectacle de l'hiver russe sur un écran géant avait de quoi donner des frissons aux Canadiens les plus endurcis. Puis il y avait cette cruelle histoire d'amour. Marie-Andrée sentit un petit picotement aux paupières, elle y porta le bout de ses doigts pour s'assurer de l'absence de larmes. « Ce ne sont pas de vraies personnes, mais des comédiens », songea-t-elle pour reprendre contenance.

En même temps, impossible de douter que des femmes de la rue Couillard avaient des époux capables de donner de sérieux coups de canif dans le contrat conjugal. Aucun d'eux n'était emporté dans un tourbillon aussi dramatique que la révolution bolchévique, mais les journaux ne tarissaient pas sur les crimes passionnels. L'amour, ou un simple désir, suffisait à défaire les couples dans des circonstances tragiques.

Aux côtés de la jeune fille, Jeannot Léveillé se demandait où se situait le mur invisible entre eux. Cette sortie, en fait, demeurait leur véritable première rencontre seul à seule. Sa compagne portait un pantalon, comme lors des rendez-vous précédents. Était-ce à cause de jambes toutes croches ? Sans doute pas. Ses mains reposaient sur ses cuisses. L'envie le tenaillait d'en prendre une pour la tenir dans la sienne. La peur d'être mal reçu le convainquit de se retenir. Le dilemme était grand : trop entreprenant, il risquait fort d'être repoussé ; pas assez, il paraîtrait indifférent, ou imbécile, ce qui serait pire.

En prenant bien garde d'être discret, Jeannot regarda sur sa droite. L'écran illuminé jetait un éclairage blafard dans toute la salle. Le chandail dessinait deux jolis seins. Rien du 36-24-36 dont parlaient les revues… ou ses camarades de classe relatant des aventures aussi aguichantes qu'imaginaires. Paul affirmait que Denise s'approchait de cette combinaison de chiffres magique. Au renflement de ses vêtements, cela se pouvait bien… sauf pour la mensuration du milieu. Les explorations manuelles de son ami signifiaient qu'il savait à quoi s'en tenir.

Rien de tel avec Marie-Andrée, et il ne s'en plaindrait pas. Les demi-pommes le faisaient rêver. Au Cinéma de Paris, son bras autour de ses épaules ne lui avait valu aucune rebuffade. Il pouvait peut-être récidiver sans risque.

Le geste pouvait attirer l'attention. La jeune fille dut pencher la tête pour éviter le contact de son coude contre son front. Cette petite complicité l'enhardit. Sa main se posa sur l'épaule, s'aventura dans un mouvement caressant après de longues minutes d'immobilité.

Marie-Andrée avait remarqué les regards sur sa poitrine. Des publicités de salons de beauté, de gymnases ou de boutiques de sous-vêtements, dans les journaux, promettaient des seins de vedette de cinéma en quelques semaines. Devait-elle y regarder de plus près ? Puis l'affirmation du docteur Gendron sur la vanité de ces appréhensions lui revint en mémoire.

Le bras de Jeannot entourant ses épaules était bien visible : tout le monde dans la salle connaissait les tentations de son voisin. Toutefois, la main sur son épaule lui parut respectueuse. Rassurante, plutôt. Quand les doigts bougèrent un peu, imperceptiblement son corps commença à s'incliner vers la gauche. Pas jusqu'à toucher celui de son compagnon, mais tout de même, il s'agissait d'une marque de complicité.

Jeannot vit le mouvement, se sentit plus audacieux. Ses doigts glissèrent jusqu'au visage pour le tourner un peu vers lui. Un instant, les amoureux restèrent sans bouger, les yeux dans les yeux, puis il se pencha jusqu'à poser ses lèvres sur celles de Marie-Andrée. Cette fois, il ne s'agissait pas d'un baiser pour dire bonne nuit, ni d'un geste prescrit par les usages. Seulement de l'expression du désir. Elle accepta le contact, une chaleur se développa dans son ventre. Par la suite, son corps s'inclina un peu plus, cette fois jusqu'à s'appuyer contre le sien.

À ce moment, le garçon sentit son cœur battre dans sa poitrine. Quelle sensation étrange ! Cela lui arrivait parfois au cours d'éducation physique, après un effort intense. Dans les circonstances présentes, cette émotion puissante s'accompagnait d'un membre raide à lui faire mal. Dans cette condition, garder ses mains pour lui et se concentrer sur un film romantique à souhait tenait du tour de force.

Pourvu que cela lui passe avant qu'il doive se lever pour sortir de la salle.

◈

Pour un homme déçu par son premier rendez-vous obtenu grâce à l'agence de rencontres de *Nos Vedettes*, Montréal offrait de nombreuses façons de perdre quelques heures. Ou aucune, dans l'état d'esprit où il se trouvait.

Pendant un moment, il roula dans les rues sans but réel. Son inconscient le guidait cependant, puisqu'il se retrouva rue Saint-Hubert. Une fois la Volkswagen garée devant la maison de sa belle-sœur, il songea à lui rendre une petite visite surprise. Comment percevrait-elle cette attention ? Un veuf rendant visite à une veuve trahissait souvent un intérêt « pour le bon motif », et on rencontrait parfois un homme épousant consécutivement deux sœurs. Mais Maurice avait aimé Ann pour des qualités que Mary ne possédait pas.

Ensuite, le professeur s'arrêta en face de la section masculine de l'école normale Jacques-Cartier. S'il avait eu l'âge de sa fille en septembre 1967, il aurait étudié là, ou alors dans un établissement similaire affilié à l'Université de Montréal. Son absence de toute formation pédagogique le tracassait parfois. Qu'en serait-il de son souhait de passer prochainement au cégep ? En descendant la rue Saint-Denis, il s'intéressa au programme offert au théâtre portant le même nom.

À la fin, il se stationna tout près de l'église Saint-Jacques. Son errance se poursuivrait à pied vers le sud. Dans la rue Dorchester, il tourna à droite, puis il prit Saint-Laurent vers le nord. Sa promenade le conduisit devant le cabaret l'Odéo. Un peu furtivement, il regarda les photos en noir et blanc de danseuses à gogo. Elles portaient des bottes et le bas d'un bikini, et un rectangle noir cachait leurs seins. Une fois dans cet établissement, aucun rectangle ne lui boucherait la vue.

Maurice eut l'impression qu'une femme ralentissait le pas de l'autre côté de la rue pour jeter sur lui un regard accusateur. « Cochon ! » Tout de suite il reprit sa progression vers le nord, d'un pas rapide d'abord, puis de plus en plus lent, jusqu'à s'immobiliser un moment puis tourner les talons. De nouveau, il s'arrêta devant le cabaret, jeta un regard aux photographies, malheureux de ne pouvoir mieux maîtriser sa concupiscence. Vraiment, cela tenait de l'obsession. Un instant plus tard, il faisait dix pas et s'admonestait pour son incapacité à se libérer de son éducation janséniste. Quels que soient ses efforts pour s'en dégager, la culpabilité ne le lâchait pas.

Finalement, il poussa la porte pour se retrouver dans une espèce de couloir. Au bout se tenait un costaud.

— Je veux entrer…

— Une table ou près de la scène ?

— Une table près de la scène.

L'homme lui jeta un regard moqueur, apprécia le costume un peu démodé, la mine de commis comptable. S'il n'avait pas quitté l'école à onze ans, il aurait pu reconnaître un enseignant.

— Je vais vous dénicher absolument ce que vous voulez.

Le portier le conduisit à une table, tendit une main large et épaisse. «Bien sûr, on donne un pourboire dans ces endroits», songea Maurice. Combien ? Nerveux, il chercha dans le fond de sa poche, trouva un billet, le tendit pour s'apercevoir qu'il s'agissait d'un deux. Réclamer de la monnaie le gêna.

— Merci, mon prince, ricana l'autre.

Une fois assis, Maurice examina les lieux. Les tables paraissaient sales, les cendriers débordaient de mégots. Des affiches rappelaient les artistes s'étant produits en ces lieux au cours des dix dernières années. La moitié montraient des seins nus, la plupart énormes. Un nuage de fumée de cigarette flottait au-dessus des clients, tous des hommes. Il reconnut les vareuses des ouvriers, les complets étriqués de modestes employés. Les bourgeois trouvaient certainement des spectacles identiques dans des lieux plus huppés. Près de la scène, plus exactement une estrade de trois pieds de hauteur, une douzaine d'esseulés regardaient fixement droit devant eux, de peur de reconnaître quelqu'un ou d'être reconnus.

Dans cet endroit toutefois, autre chose que le décor passionna le professeur. Quatre ou cinq serveuses allaient d'une table à l'autre. Ce qu'il avait pris pour des maillots de bain en contemplant les photos était des sous-vêtements. Quand l'une d'elles s'approcha, il porta son regard sur la table, intimidé.

— Tu prends quoi, mon beau?

Les yeux de Maurice dévièrent en direction de l'employée, sur son ventre un peu lourd, sur la culotte ornée de dentelles qui épousait son pubis. Des poils noirs apparaissaient à l'entrejambe.

— Une Molson.

La femme s'éloigna, il fixa ses fesses. La culotte s'enfonçait entre elles.

Près de la scène, un juke-box permettait aux serveuses de mettre de la musique pour accompagner leur sauterie. La maison ne leur en faisait pas cadeau: chacune y allait de sa propre pièce. Celle qui s'exécutait à ce moment lui rappela tout de suite Gaétane, sa rencontre de l'après-midi. Des lunettes dont les montures se terminaient en pointe, des cheveux plutôt courts et, surtout, une longue carcasse maigrichonne. Son soutien-gorge paraissait aux trois quarts vide, la culotte s'accrochait à des hanches osseuses. De dos, ses fesses parurent molles et plates.

Pendant toute la première chanson, elle s'agita comme une poupée désarticulée. Ses mouvements ne suivaient en rien la musique, mais cela n'embêtait personne dans cette salle. La clientèle ne se composait pas d'esthètes attirés par les talents artistiques de ces femmes. Les charmes un peu défraîchis de celle-là ne les rebutaient pas. Quand elle enleva son soutien-gorge pour la dernière chanson, ses seins ressemblaient à de tout petits sacs vides, avec au bout une aréole et un mamelon très gros, beaucoup plus foncés que la peau.

À son grand désarroi, Maurice s'aperçut qu'il bandait. Au cours des quatre dernières années, il avait été privé de tous les charmes féminins, flétris ou non. Ceux-là produisaient leur effet.

※

Une fois le film terminé, le jeune couple revint dans la rue. Après presque trois heures vingt minutes dans une salle obscure, la lumière les fit cligner des yeux.

— Nous avons encore deux bonnes heures avant de rejoindre ton père. Que proposes-tu ?

— Nous pourrions marcher lentement jusqu'au restaurant, en faisant du lèche-vitrines. Si nous arrivons en avance, nous souperons tout simplement.

Jeannot accepta d'un signe de la tête, puis il lui offrit sa main droite, un sourire engageant sur les lèvres. Marie-Andrée marqua une petite hésitation, puis lui donna la sienne. Le contact la troubla. Voilà qu'enfin elle goûtait aux yeux dans les yeux, à la main dans la main évoqués par Françoise Hardy.

Le garçon adapta son pas au sien, acceptant de traverser la rue Sainte-Catherine afin de lui permettre de contempler les plus belles vitrines.

— Je te remercie d'avoir accepté de m'accompagner pour voir un film de ce genre.

— Que veux-tu dire ?

— Les garçons préfèrent les films d'action, non ? Un film tiré d'un roman russe, ça ne devait pas figurer dans tes premiers choix.

Jeannot marcha encore un long moment avant de remarquer :

— Tu sais, j'ai déjà parcouru le roman de Boris Pasternak, en me promettant de le lire attentivement quand j'aurai le temps. Une chance d'ailleurs, car ma connaissance de l'anglais est moins bonne que la tienne. Ça me permettait de me situer dans l'histoire sans trop de mal.

Marie-Andrée lui serra la main, comme pour s'excuser de ses préjugés. Les cheveux longs et les petites lunettes à la John Lennon pouvaient cohabiter avec un intérêt pour les romans de plusieurs centaines de pages.

Le plaisir de tenir quelqu'un par la main pour la première fois fit en sorte que le temps passa très vite. Même une vitrine montrant des vêtements pour bébé devenait passionnante. Aussi, il était largement sept heures quand les jeunes gens s'attablèrent au restaurant.

Après être sorti du bar de danseuses, Maurice se sentait particulièrement malpropre. Pourquoi ces jeunes filles acceptaient-elles de se dénuder ainsi et de se trémousser devant des inconnus pervers, pour la plupart ayant passé quarante ans ? Les hommes plus jeunes devaient être dans le vent. Cela signifiait avoir une bonne amie avec qui s'ébattre quand le besoin s'en faisait sentir. Le nouveau concept était celui de l'amour libre. D'une société où la sexualité devait être soigneusement cachée, on était passé sans vraie transition dans un monde où tout s'étalait, y compris le corps des femmes en échange de quelques bières.

Dans la rue Saint-Laurent, sa grande crainte était de croiser Marie-Andrée. Tous les commerces de cette artère lui semblaient plus ou moins licites. Les journaux parlaient de la *main*, là où s'exerçait le plus vieux métier du monde. L'expression le faisait toujours sourire. Une bonne centaine d'occupations avaient dû précéder la prostitution, à moins de faire passer le mariage sous cette appellation. Comme dans la phrase : « Tu pourras utiliser mon corps si tu subviens à tous mes besoins. »

Parmi les serveuses de l'Odéo, certaines étaient venues à sa table pour entamer la conversation. Mieux accueillies, lui auraient-elles offert des services plus intimes ? S'imaginer dans un coin sombre de cet établissement avec une fille sur ses genoux éveillait des sentiments ambigus.

Quand il s'engagea dans la rue Sainte-Catherine, il porta une main à sa bouche pour souffler dedans, puis la huma. Sa fille percevrait sans doute l'odeur de l'alcool. Sinon, Jeannot n'y manquerait pas. Mâcher de la gomme effacerait les traces les plus évidentes de son escapade. Les autres – un souvenir flou des corps nus, une immense gêne d'en être venu à cette extrémité pour assouvir sa curiosité – lui laisseraient une impression de saleté, mais échapperaient aux jeunes gens.

Sa visite dans ce bar devrait absolument rester secrète. Qu'en était-il de son rendez-vous avec Gaétane ? Pouvait-il dire à sa fille à quel expédient il en arrivait pour dénicher une femme ? Rencontrer quelqu'un grâce à l'initiative d'Émile était une chose – tout de même un peu gênante –, mais l'usage des annonces du *Nos Vedettes*, une autre. S'il voulait récidiver, son histoire devrait devenir plausible.

Après une longue promenade pour s'aérer un peu, Maurice se dirigea vers le restaurant désigné plusieurs heures plus tôt. Depuis l'entrée, il les chercha du regard. Ils étaient assis de part et d'autre d'une banquette, conversant les yeux dans les yeux. Marie-Andrée paraissait avoir aimé sa journée. Finalement, elle s'en tirait bien mieux que lui.

— Oh ! Bonsoir, papa, dit-elle en le voyant s'approcher.

— Bonsoir les jeunes.

Il se tourna vers Jeannot pour ajouter :

— Je parie que tu aimerais mieux être assis près d'elle que près de moi.

— Oui, monsieur.

Le garçon craignait d'avoir montré trop d'enthousiasme, mais son professeur l'aida à faire passer assiette, napperon, couvert, Coke de l'autre côté. Se tenir côte à côte leur faisait plaisir, et Maurice préférait ne pas être reniflé de trop près.

— Vous êtes allés au cinéma cet après-midi ?

— Pour voir *Docteur Jivago*.

Maurice regarda Jeannot avec un sourire narquois.

— De nous deux, intervint Marie-Andrée, il était le mieux informé. Il connaissait déjà le roman.

Voilà que ce jeune se révélait un parti enviable, visiblement plus respectable que son enseignant. Il avait vu un film terriblement romantique, pas une monstruosité avec la mention « pour adultes seulement » ou, pire, un spectacle de cabaret minable.

— La révolution bolchévique t'intéresse ?

— Si on me demandait quel événement a marqué le plus profondément le XXᵉ siècle, je nommerais celui-là.

— Il reste encore trente-trois ans au siècle.

— Tout de même, je crois que la révolution de 1917 demeurerait en bonne place dans la liste… à moins que des extraterrestres ne débarquent à Saint-Hyacinthe.

— Ça, ou le retour du Christ sur terre.

Finalement, cet étudiant lui réservait un lot de surprises.

— Et le bolchévisme ?

— Trop de souffrances, d'inégalités conduisent là, je suppose. Cependant, je ne pense pas que mon père perdra son commerce de sitôt aux mains du Parti communiste du Canada.

Décidément, Jeannot Léveillé portait bien son nom. La serveuse vint prendre sa commande et disparut. Les questions politiques les retinrent un moment, puis Marie-Andrée ramena son père au présent.

— Toi, as-tu passé un bel après-midi?

— Mon rendez-vous avec mon condisciple m'a permis de constater que mon séjour au collège n'a comporté aucun moment particulièrement agréable.

Devinait-elle le mensonge? Lui-même la perçait toujours, dans ces cas-là.

— Après, je me suis promené un peu dans la ville. Je viendrai certainement de nouveau à Montréal, alors si vous désirez en profiter encore, dites-le-moi.

Marie-Andrée lui adressa son meilleur sourire, celui de Maurice s'avéra un peu plus incertain. En favorisant ainsi ses sorties, il exercerait une surveillance plus lointaine, sans lui couper les ailes. Et surtout, il se donnait l'excuse toute rêvée pour de nouvelles rencontres.

À la fin du repas, le trio marcha jusqu'à la voiture, le père devant, les jeunes gens trois pas derrière lui, la main dans la main. Il les trouvait touchants. Devait-il se laisser pousser les cheveux et s'acheter de nouvelles lunettes, juste pour se donner une chance supplémentaire de faire une aimable rencontre?

— Que diriez-vous de passer par le tunnel Louis-Hippolyte-La Fontaine? proposa Maurice.

Cet ouvrage, inauguré à peu près un mois plus tôt, figurait parmi les grandes réalisations de la décennie, comme l'autoroute transcanadienne, le pont Champlain et le boulevard métropolitain. L'automobile permettait à tous les ménages de se déplacer, il fallait doter le territoire d'infrastructures adéquates.

— ... Tu veux dire passer sous le fleuve ? s'enquit Marie-Andrée.

— Au lieu de passer au-dessus.

— Je ne sais pas trop...

L'idée la rendait extrêmement nerveuse. Dans son esprit, des millions de verges cubes d'eau écraseraient la petite Volkswagen.

— Moi, j'aimerais beaucoup, intervint Jeannot. J'ai vu les reportages à la télé, c'est tellement impressionnant.

— Alors, d'accord, consentit la jeune fille d'une voix faible.

Son ami l'incitait à surmonter ses craintes.

Maurice rejoignit la rue Notre-Dame pour rouler vers l'est. Cela l'amena à longer de nouveaux aménagements portuaires. Le pont-tunnel se trouvait tout près de Place Versailles. Cette proximité lui remémora sa rencontre avec Gaétane.

Les voies d'accès longeaient l'hôpital psychiatrique portant aussi le nom du politicien La Fontaine. Quand la voiture s'engagea dans le tunnel aux parois recouvertes de tuiles blanches, les plus jeunes ne retinrent pas les « Oh ! » et les « Ah ! » admiratifs. Le Québec semblait se transformer pour le plaisir de cette nouvelle génération dans le vent.

— Finalement, conclut Marie-Andrée quand le véhicule arriva à Boucherville, ça va mieux que le pont. On n'a même pas conscience du fleuve au-dessus de nous.

Son père la regarda, touché par son désir de faire face à ses appréhensions.

— Quand nous viendrons faire des courses en ville, nous l'emprunterons pour aller à Place Versailles.

L'évocation raviva de nouveau le souvenir désagréable de Gaétane. Décidément, la recherche de l'âme sœur paraissait plus facile quand on avait dix-sept ans.

Peu après, sur la banquette arrière, Jeannot sembla enclin à feindre le sommeil pour se soustraire au mauvais humour de son enseignant.

❖

Pendant tout le chemin du retour, le silence régna dans la Volkswagen. Souvent, Marie-Andrée se retournait à demi afin d'échanger un regard avec son ami. « Ou son amoureux ? » se demanda Maurice. Peut-être seulement un copain. Il démêlait mal ces catégories dans le monde des jeunes. Alors qu'il entrait dans la ville de Saint-Hyacinthe, l'adolescente demanda de sa petite voix, celle utilisée pour obtenir une grande faveur :

— Papa, Jeannot peut-il venir à la maison un moment ?

Elle cherchait un moyen d'allonger cette agréable journée.

— Hum… Pas trop longtemps.

— Une petite demi-heure.

— D'accord, si vous me promettez d'être sages.

Le mot sous-entendait toute une variété de fautes. Marie-Andrée songea aux mêmes que lui.

— Papa !

— Après tout, ce garçon doit étudier. Des contrôles sont prévus la semaine prochaine.

— Dans ce cas, compte sur moi, je le chasserai…

Elle s'arrêta pour consulter sa montre.

— … avant onze heures.

Il était dix heures vingt. La petite demi-heure dépassait quarante minutes maintenant.

— D'accord.

Bientôt, il s'arrêta devant la maison familiale.

— Descendez, je vais me promener encore un peu.

La jeune fille demeura un moment interdite. Décidément, son vieux père ressentait une soif inextinguible de balades en voiture.

— Très bien, à tout à l'heure.

Jeannot Léveillé s'extirpa de la banquette arrière, puis se pencha pour dire :

— Merci beaucoup, monsieur Berger.

— Bienvenue, et n'oublie pas : jusqu'à onze heures.

Le garçon le rassura à ce sujet, puis referma la portière.

❖

Depuis une heure, Maurice ressentait le besoin irrépressible de manger une part de tarte aux pommes. Le samedi soir, le café de la gare d'autobus recevait une clientèle un peu plus nombreuse que d'habitude. Des jeunes gens qui sortaient du cinéma, d'une salle de danse ou d'une réception privée y venaient prolonger leur soirée. Quelques couples avaient l'âge de sa fille, il les observa un bref instant, puis alla occuper un tabouret au comptoir. Avoir sa place assignée dans un endroit comme celui-là témoignait de son statut de vieux garçon.

Une nouvelle fois, il commença son examen de la jeune serveuse, toujours aussi accorte.

— Ce soir encore, votre maison vous a paru insupportable.

— Je me suis senti de trop.

Il lui adressa un sourire contraint.

— Vous prendrez la même chose ?

Il acquiesça d'un signe de la tête, certain qu'elle ne se souvenait pas. Pourtant, la jeune femme marcha tout droit vers la tarte aux pommes placée sous verre. Maurice alla chercher des journaux sur le présentoir. Quand il regarda sa montre pour la première fois, ce fut pour constater que le temps accordé à Jeannot tirait à sa fin. L'envie lui prit de se diriger tout de suite à la maison pour s'assurer de son départ.

Chapitre 16

En passant le seuil, Marie-Andrée sentit le rose lui monter au visage. Seule avec un garçon, dans la maison. Il s'agissait d'une première. Elle prit un cintre dans la garde-robe.

— Veux-tu que je t'aide à enlever ta veste?

— Dans quatre-vingts ans, sans doute, mais ce soir, je vais y arriver.

Il enleva le vêtement de velours côtelé, le suspendit lui-même. Puis il aida sa compagne à faire de même. Elle le guida dans le salon.

— Veux-tu que je te serve quelque chose? Peut-être une bière…

— Un Coke plutôt? Comme ça, si ton père revient nous surprendre, il me trouvera tout à fait respectable.

— Tu n'as pas besoin de t'en faire à ce sujet. Je reviens, installe-toi.

Jeannot choisit de s'asseoir sur le canapé. De cette façon, il donnait une chance à son amie de se mettre tout à côté. Marie-Andrée se fit exactement la même réflexion à son retour dans la pièce. Elle tendit le verre à Jeannot, puis s'installa à son côté comme une jeune fille sage, bien droite, les genoux l'un contre l'autre.

— Toi, tu ne prends rien?

— Pas après ce que j'ai avalé au restaurant. D'ailleurs, attends-moi un moment.

Elle se releva pour se rendre à la salle de bain. La présence du garçon l'impressionnait, mais beaucoup moins que ce qu'elle avait craint. Elle trouvait facile de se sentir à l'aise en sa compagnie.

Lorsqu'elle reprit sa place, elle adopta la même posture, puis se détendit un peu, appuya son dos.

— Jeannot, je te remercie pour cette journée. Ce fut très agréable.

De nouveau, un peu de chaleur lui monta au visage.

— Pour moi aussi, crois-moi.

Assis de travers maintenant, ils se faisaient à peu près face. Le garçon se pencha, posa ses lèvres sur celles de sa compagne. Quand il s'éloigna, elle le suivit pour ne pas perdre le contact.

Le garçon mit son verre sur la table basse pour reprendre le baiser. Cette fois, il put poser sa main droite sur l'épaule de son amie. Elle glissa sur la joue, légère et caressante, pour se perdre dans les longs cheveux châtains. Marie-Andrée vint mettre sa tête au creux de son épaule gauche, accepta sans s'effrayer le mouvement des lèvres. Quand la langue l'effleura, elle la laissa s'insinuer dans sa bouche. Aucun « Ouach », aucun sursaut pour se dérober.

La courriériste du *Nos Vedettes* affirmait que même sans danger en soi, ce genre de baiser s'avérait la prémisse à l'acte sexuel. Cette pensée la troubla. Se sentant bien accueilli, Jeannot laissa retomber sa main jusque sur la cuisse, esquissa un mouvement caressant, la passa le long du flanc pour empaumer le petit sein. Le tricot léger permettait de sentir la dentelle du bonnet dessous, et la pointe du sein. Avec le pouce, il exerça une légère pression.

Marie-Andrée aspira comme une plongeuse retrouvant la surface, puis arracha sa bouche pour murmurer :

— Jeannot, s'il te plaît.

Il arrêta son mouvement, retira sa main.

— Tu sais, je suis un peu…

Quel mot retenait-elle ? Gourde ? Niaise ?

— N'ajoute rien. Je ne voudrais être en présence de personne d'autre.

Ses yeux demeuraient accrochés aux siens, son visage à deux pouces de distance. Marie-Andrée réprimait mal son envie de reprendre là où elle s'était arrêtée. Oui, la courriériste avait raison au sujet de ce type de baiser.

À la fin, Jeannot prit sur lui de s'éloigner, en esquissant un sourire un peu attristé.

— Je pense que je vais rentrer.

— … Il reste un peu de temps.

— Jusqu'à maintenant, notre journée demeure parfaite. Serions-nous plus satisfaits demain si je me laisse emporter ?…

Le garçon devinait que s'ils restaient sur leur appétit, leurs retrouvailles n'en seraient que plus agréables. Autrement, le réveil serait cruel, surtout pour elle. Marie-Andrée hocha la tête après une hésitation. Alors il se leva, sans aucun désir de camoufler son érection. Ne pas en avoir une à ce moment aurait été une insulte pour elle. Dans l'entrée, la jeune fille lui présenta sa veste. Un bref instant, ils gardèrent le silence, l'un en face de l'autre.

— À bientôt, dit-elle enfin.

— Oui, à bientôt.

Cette fois l'adolescente s'avança la première. Le baiser donna lieu à un petit échange de salive. De ses deux mains, il la tint par la taille, l'attira vers lui, la pressa contre son corps. « Oui, il bande », songea-t-elle. L'une des grandes mains du garçon vint au creux de ses reins, descendit jusque sur les fesses, exerça une pression.

— Cette fois, j'y vais, dit-il en s'éloignant.

— Bonne nuit, Jeannot.

Il se retourna encore pour lui adresser un petit geste. Quand Marie-Andrée referma la porte, elle s'appuya contre le bois, le souffle court.

❖

Comme lors de ses arrêts précédents, le café de la gare d'autobus se vida lentement, mais pas totalement : le samedi soir, de nombreux esseulés devaient avoir du mal à rentrer chez eux. Il en restait une demi-douzaine, dispersés dans la salle, plongés dans leur lecture. Certains apportaient de gros tomes, comme s'ils entendaient passer la nuit sur place.

— Comme ça, vous vous sentiez de trop dans votre propre maison.

— … Oui. Ma fille a invité un copain. M'enfermer dans ma chambre pour leur laisser un moment d'intimité ne me disait rien.

— Wow ! Vous êtes vraiment un père dans le vent ! La laisser seule à la maison avec son petit ami…

Présentée de cette façon, le professeur s'inquiéta de sa propre attitude. Leur donnait-il une occasion en or pour se livrer à des privautés ? Son embarras devait paraître si évident que Diane Lespérance redevint sérieuse pour demander :

— Quel âge a-t-elle ?

— Dix-sept ans.

— Donc, elle sait sans doute très bien ce qu'elle fait.

De cela, Maurice ne se sentait pas tout à fait certain. Le chapitre intitulé « Êtes-vous une fille-mère en puissance ? » lui revint en mémoire. Le livre du docteur Gendron avait des aspects un peu effrayants.

Un autre client lança un «Mademoiselle!», aussi la jeune femme disparut un moment pour se rendre à sa table. Maurice alla chercher le *Nos Vedettes*. La couverture n'avait rien pour le rassurer ce soir-là : «C'est inouï, mais une enquête le prouve. Moins de naissances légitimes… et plus de filles-mères. Des femmes désirent une grossesse illégitime. La pilule ne règle pas le problème social.»

De retour en face de lui, la serveuse regarda les grands titres.

— On ne devrait pas laisser ce journal entre les mains des pères inquiets.

— Ce n'est pas ça…

Puis un sourire en coin indiqua qu'il s'agissait d'une demi-vérité. Le souvenir de sa propre turpitude dans la journée alimentait de sombres pensées.

— Pouvez-vous me dire quel genre de fille c'est?

— …Je ne sais pas trop.

Devant le visage sceptique de Diane Lespérance, il dit encore :

— C'est curieux, non? Je passe mes journées avec des adolescents, mais je me rends compte que je ne les connais pas si bien. Tenez, aujourd'hui, un garçon que je croyais totalement endormi m'a parlé de la révolution bolchévique.

— Le gars qui courtise votre princesse présentement… comment le connaissez-vous?

— Il est dans ma classe.

Comme sa tasse de café était vide, Diane alla chercher la cafetière pour la remplir.

— Parlez-moi de cette fille que vous ne connaissez pas. D'abord, quel est son nom?

— Marie-Andrée. Une jolie fille, un peu menue. Intelligente aussi.

— Comme son père?

— Ça, ce n'est pas certain. Sa mère ne donnait pas sa place. Sage, raisonnable, tranquille… et peut-être un peu naïve. Je crois qu'un garçon habile pourrait la mettre dans cet état-là.

De la main, l'homme désigna la première page de l'hebdomadaire. Que devait-il faire ? Se réserver une conversation en tête-à-tête avec sa fille pour aborder des sujets comme la pilule contraceptive et le condom ? Comme Diane s'éloignait pour donner son addition à un autre client, il ouvrit le *Nos Vedettes* au hasard, tomba sur une rubrique intitulée « Interdit aux croulants, permis aux autres ». On y parlait surtout des difficultés financières des étudiants universitaires au moment où commençait pour eux la période d'examens.

— Vous n'avez pas d'autre choix que de lui faire confiance.

La voix de la serveuse le fit sursauter. Le sujet de sa fille semblait vraiment l'intéresser.

— Je préférerais tout de même qu'une femme s'entretienne avec elle… Pour lui parler de ces questions-là.

— La fameuse conversation mère-fille.

Deux clients se tenaient près de la caisse, prêts à payer. Quand ils furent partis, Diane se mit à ranger. La présence de quatre personnes encore l'empêchait d'aller dans la cuisine afin de s'occuper de la vaisselle. Cela présageait une longue soirée. « Je devrais rentrer, maintenant », songea Maurice. Ne serait-ce que pour s'assurer que Jeannot Léveillé ne se trouvait plus chez lui.

Pourtant, il ne bougea pas, donnant son attention en alternance au *Nos Vedettes* et à Diane Lespérance. Pendant un moment, il l'imagina se trémoussant sur la scène du cabaret de la rue Saint-Laurent. Celle-là aurait bien rempli son soutien-gorge et sa culotte. À cet instant, elle se tenait accroupie pour avoir accès à une armoire basse, révélant une bonne longueur de ses cuisses. Quand elle pivota sur le bout de ses pieds, il entrevit le triangle blanc du sous-vêtement.

Instantanément, son érection revint. Décidément, ses nombreuses années d'abstinence lui pesaient. L'homme s'arrangea pour se placer au bout du tabouret, de façon à mieux cacher son état. Son seul motif pour venir à cet endroit, et cela, dès sa deuxième visite, tenait à la présence de cette femme. Elle ne s'y trompait pas, de là son accueil toujours chargé d'ironie. Pourtant, chaque fois, elle venait lui faire la conversation. Comme s'il existait un intérêt de sa part.

« Nous avons certainement dix bonnes années de différence. » À ce moment, la jeune femme se tourna à demi pour lui adresser un sourire. « Une gentille fille, sans plus. » Croire à un intérêt réciproque était impossible. Pourtant, cela ne l'empêchait pas de la dévorer des yeux. De nouveau, il fut le dernier client sur les lieux. Il se rendit à la caisse pour régler l'addition.

— Je vais vous reconduire, si vous voulez.

— Je dois encore mettre de l'ordre dans la cuisine.

— Comme la dernière fois.

— Dans ce cas, venez de l'autre côté.

À l'autre extrémité du comptoir, on pouvait accéder au fond du commerce. Maurice connaissait bien les équipements pour les avoir utilisés à l'époque où il exerçait le même travail : une grande plaque de cuisson, un four, un vaste frigidaire. Surtout, les tasses et les soucoupes accumulées au cours de la soirée.

— Je vais vous donner un coup de main.

Il prit aussitôt la lame de métal équipée d'un manche.

— Non, laissez.

Comme il la regardait avec une interrogation sur le visage, elle précisa :

— C'est mon travail.

Elle marqua une pause avant d'ajouter :

— Puis vous allez gâcher tous vos vêtements.

Un tablier crasseux pendait à un clou, il le passa. Elle le regarda commencer à gratter la plaque de cuisson, puis céda :

— Je vais tenter de terminer en même temps que vous.

Tout de suite, elle s'attaqua à la vaisselle.

— Quand vous êtes ici, vous ne craignez pas que quelqu'un vienne vider la caisse ?

— La porte est équipée d'un *buzzer*. Si quelqu'un l'ouvre, je l'entends.

« Tu pèses tout au plus cent vingt livres, songea Maurice. N'importe quel voyou t'assommerait d'un coup de poing. » La serveuse suivit le cours de ses pensées.

— Heureusement, les mauvais garçons ne sont pas si nombreux à Saint-Hyacinthe, puis il y a en permanence un long couteau sous le comptoir.

Le professeur n'exprima pas son incrédulité. Cette femme ne ferait pas le poids dans un affrontement. Avec de grands gestes, en appliquant toute sa force, il grattait le morceau d'acier pour faire disparaître le gras et les vestiges de pièces de viande préparées dessus.

— Vous avez perdu votre femme il y a longtemps ?

La question, sans cesse entendue, agaçait Maurice. D'un autre côté, à son âge, chercher l'âme sœur exigeait de montrer patte blanche.

— Quatre ans, dans un accident de voiture.

— Depuis ce temps…

Diane n'osa pas terminer sa question, la jugeant indiscrète.

— Je me suis occupé de ma fille.

Ce dévouement le lui rendait attachant. Tous les deux continuèrent leur nettoyage en silence. Un peu après minuit, ils en avaient terminé. En enlevant son tablier, la serveuse le remercia avec chaleur.

— Ce n'est rien. Et puis, je ne voulais pas vous laisser travailler jusqu'au milieu de la nuit.

— Vous êtes gentil, mais c'est pourtant ce que je fais six jours par semaine.

— Malheureusement, je ne viendrai pas tous les soirs. À quelle heure commencez-vous ?

— Six heures. Jusqu'à neuf heures, le cuisinier est là. Après, je me débrouille seule.

Maurice avait remis son veston, essayant de se faire discret en examinant la silhouette de la femme. Il prit l'initiative de décrocher son imperméable pour l'aider à l'endosser.

— Toutes vos soirées y passent, finalement.

— Sauf le dimanche.

Normalement, une précision de ce genre conduisait à une invitation. Le professeur demeura pourtant silencieux, convaincu qu'une femme de cet âge, et aussi jolie, ne manquait pas de chevaliers servants. De nouveau, elle verrouilla le restaurant. Il l'attendit, puis marcha auprès d'elle. La Volkswagen était la seule auto dans le stationnement. Il lui ouvrit la portière du passager, et gagna sa place.

Malgré les deux semaines écoulées, Maurice se souvenait de son adresse. Quand il s'arrêta devant sa porte, pendant un moment tous deux demeurèrent silencieux. À la fin, Diane profita de l'exiguïté de l'habitacle pour lui plaquer un baiser sur la joue.

— Merci, vous êtes très gentil. Maintenant, filez rejoindre votre grande fille.

L'initiative le surprit. Déjà, elle ouvrait la portière pour descendre.

— Bonne nuit, Diane.

Très vite, elle atteignit le pied de l'escalier, monta en courant à l'appartement du haut.

Dans la rue Couillard, Maurice aperçut une faible lueur mouvante à la fenêtre du salon. Immédiatement, il imagina Jeannot et sa fille se livrant à des cabrioles dans la pénombre. Il déverrouilla la porte en faisant le moins de bruit possible, alla se planter dans l'entrée de la pièce.

Marie-Andrée se tenait bien là, seule. Il s'en voulut de ses soupçons de la minute précédente. En pyjama avec son peignoir sur le dos, elle dormait, étendue sur le canapé. La télévision était allumée avec le son très bas, comme si la jeune fille avait voulu entendre un murmure rassurant. Elle avait choisi le film de Radio-Canada, pour s'endormir ensuite.

Quelques instants, l'homme resta penché sur elle. Abandonnée comme ça, elle lui rappelait la petite fille qu'elle avait été dix ans plus tôt. Marie-Andrée le resterait toujours à ses yeux, mais sa raison lui disait que la réalité était dorénavant tout autre.

— Marie-Andrée, dit-il doucement en lui touchant l'épaule, pour dormir tu serais mieux dans ton lit, non ?

Ses paupières bougèrent, elle ouvrit les yeux.

— Papa ?

— Oui, c'est moi. Va te coucher.

Il se passa un moment avant qu'elle ne se lève.

— Bonne nuit, fit-elle de sa voix ensommeillée.

Elle tendit la joue pour recevoir une bise, puis s'engagea dans le couloir. Maurice regarda autour de lui pour s'assurer que tout était en ordre. Seul un verre de Coke plein traînait sur la table basse. Il le vida dans l'évier de la cuisine avant de gagner sa chambre.

Le lendemain matin, le père et la fille se retrouvèrent dans la cuisine, un peu embarrassés. Il lui proposa :

— Que dirais-tu de manger des crêpes ce matin ?

— J'aimerais bien, mais c'est un peu long à préparer.

Partageant la confection du repas, elle se sentirait bousculée ensuite jusqu'au départ pour la messe.

— Si tu allais t'habiller tout de suite, à ton retour tu seras servie.

Marie-Andrée lui adressa un sourire reconnaissant, puis disparut. Ce moment permettrait à Maurice de réfléchir encore sur l'attitude à adopter. Devait-il s'enquérir des événements de la fin de la soirée ou garder le silence ? Dans la première éventualité, serait-il trop intrusif ? Dans la seconde, semblerait-il trop indifférent ?

À son retour dans la pièce, la jeune fille mit fin à son dilemme.

— Je te remercie encore, pour hier. J'ai beaucoup aimé ma journée à Montréal. Ça m'a permis de connaître Jeannot un peu mieux.

« Beaucoup mieux ? » À haute voix, Maurice demanda :

— Hier soir, avez-vous parlé longtemps ?

— Non seulement était-il parti avant l'heure dite, mais il a pris l'initiative du départ, l'assura-t-elle d'un ton narquois. Je n'ai pas eu à le chasser à coups de balai.

Néanmoins, le souvenir des événements survenus avant le départ du garçon provoqua une petite chaleur dans son bas-ventre. En s'éveillant ce matin-là, elle avait trouvé son sexe tout poisseux. Le docteur Gendron évoquait ces orgasmes venus pendant le sommeil. Malheureusement, elle ne gardait aucun souvenir des rêves l'ayant conduite jusque-là.

— … Quels sont tes sentiments pour lui ?

Cette question lui tiraillait l'esprit depuis son lever.

— J'ai l'impression qu'il s'agit du meilleur garçon du monde, mais réalises-tu que je n'en connais aucun autre?

Le père reçut ces mots comme un reproche. Au cours des dernières années, il n'avait même pas songé à l'étrangeté de leur mode de vie. Marie-Andrée ne connaissait aucun autre représentant de la moitié de la population du globe, aucun autre que lui, et Jeannot depuis deux ou trois semaines.

— Tu en connaîtras d'autres au cours de l'été, surtout si tu travailles à l'exposition.

— Tu serais d'accord avec cette idée? Tu ne semblais pas chaud, quand Nicole en a parlé.

— Cependant, je ne m'y suis pas opposé.

Cette répartie ne satisfaisait pas l'adolescente. Après avoir fait le service, l'homme vint s'asseoir devant elle.

— Tu vas me manquer, mais je comprends que tu dois quitter la maison. Alors, je suis prêt à t'y aider… tout en te recommandant de faire attention à toi.

Elle hocha la tête, songeant toutefois qu'à faire trop attention, on ne vivait plus rien. Les nouvelles expériences exigeaient la prise d'un minimum de risques. Afin de détourner le projecteur de sa petite personne, elle demanda:

— Tu ne m'as pas dit ce que tu avais fait hier. Bon, il y a bien cet ancien camarade de collège, mais tu n'es pas resté avec lui jusqu'à huit heures.

— Tu sais, les rencontres d'anciens… Nous avions les événements des vingt dernières années à partager.

Sa voix se brisa sur les derniers mots. Mentir avec ces grands yeux gris posés sur lui se révélait difficile. Cela ressemblait à la trahison d'un pacte ancien entre eux.

— J'ai du mal à te traiter comme une grande personne. Après…

Il ne pouvait quand même pas admettre maintenant qu'il lui mentait depuis une semaine.

— J'ai cherché les endroits où un homme de mon âge pouvait rencontrer une femme, se reprit-il. Tu sais, je ne peux pas compter sur une rencontre au restaurant du coin, en écoutant *I Want to Hold Your Hand* sur le juke-box.

Même si l'idée de voir une autre femme dans la vie de son père la troublait vraiment, Marie-Andrée entendait ne pas faire obstacle à ce projet. Agir autrement serait si égoïste !

— Il y a sans doute des soirées de danse dans les hôtels ou les bars. Je ne sais pas trop.

— Le pire, c'est que je ne le sais pas non plus.

Les crêpes menaçaient d'être froides avant qu'ils n'aient avalé la première bouchée. Pendant un moment, ils s'occupèrent de déjeuner. Bonne fille, Marie-Andrée chercha dans ses souvenirs d'émissions télévisées ou de films les endroits où des grandes personnes faisaient connaissance.

— Les occasions se présentent tous les jours, non ? Au moment de faire les courses, au restaurant, dans la rue.

— Tu m'imagines abordant une inconnue pour lui demander de sortir avec moi ?

Cela se produisait au restaurant du coin, pourtant elle fit non de la tête. Elle-même se trouvait trop timide pour cela, et son père n'était certes pas plus audacieux à ce chapitre. L'idée lui vint d'évoquer les agences de rencontres, celle de *Nos Vedettes*, bien sûr, mais aussi les autres faisant l'objet de publicités dans les hebdomadaires ou les quotidiens.

De son côté, Maurice se serait senti franchement honteux de parler de sa rencontre avec Gaétane, et plus encore de son désir de renouveler l'expérience avec une autre.

— Peut-être que monsieur Trottier te présentera quelqu'un d'autre, risqua la jeune fille après un long silence.

— Après mon expérience avec Ginette, je me demande si ce serait une bonne ou une mauvaise idée.

Au moins, maintenant, s'il s'absentait de nouveau, elle devinerait pourquoi, qu'il ose ou non lui révéler.

Quand ils prirent la voiture pour se rendre à l'église, Maurice demanda, un peu moqueur :

— Cet après-midi, seras-tu prête à rouler dans la rue ?

Comme elle lui présentait un regard un peu effaré, il ajouta :

— Si tu préfères, nous irons dans un chemin de la campagne où il passe moins d'une voiture par mois.

Elle accepta d'un signe de la tête. Après s'être engagé, son père se montrait toujours soucieux de respecter la parole donnée.

✦

En fin d'après-midi, Marie-Andrée s'aventura dans un chemin de campagne non pavé. Comme elle roulait très lentement, l'irrégularité de la chaussée ne l'embêtait guère.

— Tu prends plus d'assurance, commenta Maurice.

— Si je donne cette impression, je deviens une bonne comédienne. Je roule au milieu de la route, et si jamais nous rencontrons un autre véhicule, je risque de me retrouver dans le fossé juste pour lui laisser assez de place pour passer.

— Dans ce cas, j'espère être assez rapide pour saisir le volant d'une main et t'arrêter à temps.

Les changements de vitesse s'avéraient toujours laborieux, chaque fois la transmission se lamentait, au point où le professeur s'était enquis du prix de son remplacement lors de son dernier passage au garage. Cependant, il donnait ses conseils d'un ton toujours égal, sans éclat de voix.

À la radio, toujours à bas volume pour ne pas gêner Maurice, Mireille Mathieu commençait *La chanson de notre amour*.

— Honnêtement, celle-là, je ne peux pas l'endurer. Les Classels, les Hou-Lops, je veux bien, et même les Têtes blanches. Mais pas celle-là.

La jeune fille tendit la main pour réduire le volume presque à zéro.

— Ce sont les mêmes.

— … Pardon ?

— Les Hou-Lops et les Têtes blanches, c'est le même groupe. Une question de monopole de la décoloration des cheveux au peroxyde.

Un cultivateur apparut en sens inverse dans une voiture tirée par un cheval.

— Prends le volant.

— Voyons, cet animal ne marche pas à plus de quatre milles à l'heure.

— La route est si étroite…

L'adolescente serrait le volant de ses deux mains, tout en ralentissant au point de caler le moteur.

— Redémarre.

— J'aime autant attendre qu'il passe. Il a assez de place, je pense.

— Redémarre. Tu as droit à la moitié de la route. Ne la donne pas aux autres. Si tu le fais aujourd'hui, ce sera plus difficile la prochaine fois.

Après un moment de réflexion, Marie-Andrée fit comme son père le lui conseillait. Les deux véhicules se rencontrèrent à peu près à la même vitesse sans qu'aucun bruit de tôle froissée ne se fasse entendre. Elle laissa échapper un soupir de soulagement, puis en vint au sujet qui la préoccupait :

— Tu as accepté une invitation chez les Trottier, maintenant la bienséance veut que tu la retournes.

— Je sais. Compte tenu de mes compétences culinaires, je pensais les emmener au restaurant.

— Ce ne serait pas la même chose. Et puis, nous avons le livre de recettes de la Congrégation Notre-Dame.

Depuis deux générations, *La cuisine raisonnée* permettait à des jeunes femmes de nourrir leur famille. Maurice devait être l'un de ses rares lecteurs de sexe masculin.

— Le résultat ne serait pas à la hauteur.

— Les recevoir ailleurs qu'à la maison ne serait pas poli.

— Toi, tu es curieuse. Tu veux juste jeter un coup d'œil sur ce couple improbable.

Bien sûr, voir de près un religieux défroqué et nouvellement marié l'intéressait. On parlait tellement de ces situations dans les médias.

— Mais tu as raison, il convient que je les invite. Maintenant, que dirais-tu de nous ramener à la maison ?

— … Il y aura des autos. Je ne quitterai pas la première vitesse.

— Si c'est trop long, je descendrai pour marcher à côté de la voiture.

Ce ne fut pas nécessaire.

Chapitre 17

Passé la mi-avril, la neige fondait rapidement, laissant voir l'herbe jaunie des pelouses. Près des murs, les amoncellements devenus grisâtres résisteraient jusqu'au mois de mai. À l'heure du dîner, Maurice et son ami avaient marché jusqu'à un parc voisin afin de manger leur lunch. Cela valait mieux que de demeurer dans le salon des professeurs, à échanger des regards mauvais avec leurs collègues les plus jeunes.

— Encore deux bons mois avant la fin de l'année, se lamenta Émile. Cette année scolaire me semble la plus longue des vingt-cinq dernières.

— J'ai la même impression. Je me demande si cela ne tient pas à l'été paradisiaque que l'on nous promet depuis des mois.

— Cette exposition universelle rend tout le monde frénétique. À lire les journaux, la moitié de la population du monde défilera à Montréal.

— La moitié, c'est un minimum.

On ne parlait plus d'autre chose. Tout le monde participait à ce climat d'euphorie. Selon les journalistes, rien ne serait plus pareil dans la province.

— Marie-Andrée projette de travailler à Terre des hommes. Les meilleurs emplois auront toutefois trouvé preneur au début des grandes vacances.

— Au ton de ta voix, je me demande si tu souhaites la voir réussir.

— Je me le demande aussi.

Maurice ne s'opposerait pas aux projets de sa fille, mais le moment de leur séparation viendrait trop rapidement. Il s'imaginait dans la maison vide à se morfondre, prenant tous ses repas en solitaire, avec la seule compagnie de ses livres.

— Si elle ne partait qu'en septembre, ce serait moins dur. À la rentrée, je ferai connaissance avec une nouvelle fournée d'adolescents rêvant avec raison de se trouver ailleurs que dans ma classe. L'impression de vide serait moins grande.

— Ce serait simplement retarder l'inévitable. Puis, à son âge, cette exposition doit signifier beaucoup. C'est comme si elle pouvait coller son œil à un trou de serrure pour voir ce que sera le futur !

— Je le trouve un peu effrayant, ce futur.

Il aimait se souvenir d'un temps où tout lui paraissait plus simple. Un temps qui n'avait jamais existé, en réalité.

— Moi, c'est plutôt le passé qui me fait peur.

Maurice comprenait mal la détermination de son ami à renier ses années passées en congrégation. Il avait alors des règles précises à suivre, la conviction de bien faire s'il les respectait, avec la promesse du salut éternel au terme de son existence. Les jeunes lui paraissaient vouloir édicter leurs propres règles, susceptibles de les rendre heureux tout de suite.

Il consulta sa montre pour constater que la classe reprendrait bientôt.

— J'aimerais vous inviter à souper.

— À en juger par ton intonation, tu ne parais pas convaincu que ce soit une si bonne idée…

— Je pensais à une invitation au restaurant, car dans une cuisine, je ne me compare pas à Jeanne.

— Tu ne te compares pas à Jeanne dans n'importe quelle pièce de la maison.

Sa réflexion amusa beaucoup Maurice, puis il retrouva son sérieux pour proposer :

— Que diriez-vous du 29 avril ?

— À six heures ?

L'hôte fit oui d'un geste de la tête. Cela lui donnerait une dizaine de jours pour lire son livre de recettes du début à la fin.

— Nous y retournons ? suggéra Émile.

— Je meurs d'impatience de retrouver ces jeunes gens. Je serai très heureux de vous recevoir tous les deux à souper.

« Pour moi, ce sera une première », songea l'ancien religieux.

Tout l'après-midi, Maurice s'activa devant sa cuisinière, avec le livre de la Congrégation Notre-Dame ouvert sur la table. Sa fille lui offrait la meilleure assistance possible, sans le rassurer tout à fait sur le résultat final.

Le bruit de la sonnette attira leur attention un peu avant six heures.

— Déjà ? fit l'homme.

— Va ouvrir, lui dit sa fille. Je vais essayer de compléter tout ça.

De la main, elle indiquait le dessus de la table, encore encombré d'instruments de cuisine. Ils devraient disparaître avant qu'elle puisse mettre le couvert. Après une hésitation, Maurice se dirigea vers l'entrée. Quand il ouvrit la porte, ses amis lui tournaient le dos. Puis Émile lui fit face, souriant :

— Voilà un bel endroit où vivre. Je me demande si un jour, nous arriverons à posséder la même chose.

Maurice fut sur le point de rétorquer «Ce n'est rien», puis se retint à temps. Il lui avait fallu vingt ans pour régler l'hypothèque. Si son collègue achetait un logement maintenant, il aurait soixante-cinq ans au moment d'en devenir le vrai propriétaire.

— Je te le souhaite. Bienvenue chez moi.

Son ami lui serra la main. Jeanne se retourna à ce moment, adressa son meilleur sourire à son hôte.

— Bonjour, fit ce dernier en lui tendant la main.

La femme l'accepta, mais en même temps, elle se leva sur le bout des pieds pour lui embrasser la joue.

— Entrez, les invita Maurice, un peu embarrassé.

Il aida la visiteuse à se débarrasser de son manteau, puis fit la même chose avec son ami.

— Venez vous asseoir dans le salon. Puis-je vous offrir à boire ?

Les deux hommes prirent un cognac, la femme s'abstint. Maurice eut l'impression que son ventre s'était encore arrondi depuis la dernière fois. En trois semaines, cela se pouvait bien. Ensuite, il prononça à haute voix :

— Marie-Andrée, peux-tu venir rencontrer nos amis ?

La jeune fille mit un moment avant d'arriver dans la pièce.

— Je m'excuse, j'avais les doigts dans la farine.

Elle essuyait nerveusement ses paumes sur son tablier. Sa timidité ne lui laissait aucun répit. «Décidément, pensa son père, cette gaucherie devra lui passer bientôt, sinon sa vie sera gâchée.» À haute voix, il dit :

— Jeanne, je vous présente ma fille.

La visiteuse quitta son siège pour lui tendre la main.

— Ravissante… Tu es une jeune femme ravissante.

Le «Merci madame» vint dans un murmure, le rose à ses joues s'accrut un peu. L'appréciation était méritée. Elle portait une jupe grise s'arrêtant juste au-dessus de sa rotule et un chemisier blanc. Ses cheveux châtains tombaient sur ses épaules, une barrette du côté gauche du front rappelait la petite fille qu'elle avait été si peu de temps auparavant.

Quand Émile lui offrit sa main à son tour, il renchérit :

— Ma femme a raison. Tu sais, je n'ai pas bien connu ta mère, mais je pense que tu lui ressembles beaucoup.

Le père ne put s'empêcher d'ajouter :

— C'est vrai. Voyez sur cette photo.

Sur le mur, il avait accroché un portrait de sa femme décédée.

— La coiffure est différente, mais les traits sont bien les mêmes.

« Voilà qui ajoute à la complexité de la relation entre ces deux-là », songea Jeanne. Elle reprit son siège en même temps que son mari.

Les allusions à sa mère, à sa ressemblance avec elle rendaient toujours Marie-Andrée perplexe.

— Si vous voulez bien m'excuser, dit l'adolescente, je vais aller mettre la table. Tout sera prêt dans cinq minutes.

— Je vais aller t'aider, dit le père.

— Non, reste avec tes invités. Ce ne sera pas long.

La visiteuse se leva en disant :

— Je t'accompagne.

Comme Marie-Andrée faisait mine de protester, elle ajouta :

— Solidarité entre femmes. Et puis, ça laisse aux hommes la chance de parler de nous.

De nouveau, le merci se perdit dans un souffle. Dans la cuisine, la nouvelle venue remarqua le désordre sur le comptoir, le livre de cuisine placé un peu à l'écart.

— Notre visite t'a retenue dans la cuisine tout l'après-midi, sans doute.

— Papa a presque tout fait.

— Voilà un talent rare, il lui faudrait le faire connaître! Pas une femme ne peut résister à un bon cuisinier.

La remarque tira un sourire à Marie-Andrée, qui ne put se retenir de mentionner:

— Il m'a parlé d'une certaine Ginette. Celle-là saurait retenir un homme par le ventre, je suppose.

— La pauvre n'a pas eu l'occasion de l'impressionner avec des petits plats. Au risque de détruire tes illusions, les talents de cuisinière ne sont pas si importants dans la séduction. De toute façon, selon les journaux, nous en serons tous à manger de la nourriture en tube d'ici quelques années, comme les astronautes américains.

— Ou en comprimés.

Ni l'une ni l'autre ne semblaient espérer un tel dénouement. Le brillant avenir qu'évoquaient dans de gros livres certains futurologues – un nouveau mot pour désigner des gens chargés de deviner à quoi ressemblerait demain – ne comptait pas que des bons côtés.

— Nous utiliserons cette nappe-là?

Jeanne désignait celle qui se trouvait ostensiblement placée sur une chaise.

— Oui. Je n'ai pas eu le temps…

À deux, cela prit un court instant. Les assiettes s'entassaient sur un petit buffet. Elles se partagèrent la tâche de mettre le couvert.

— Ton père t'a donc parlé de cette rencontre.

— Pas en détail, bien sûr, mais j'ai compris qu'ils n'avaient rien en commun.

— Que penses-tu de ça? Je veux dire, que ton père cherche à avoir une nouvelle femme dans sa vie.

Marie-Andrée ouvrit un tiroir, tendit quatre fourchettes à la visiteuse, prit quatre couteaux.

— Depuis quatre ans, il essaie de remplir le rôle du père et de la mère avec moi. S'il se contente du premier, jouer l'amoureux avec quelqu'un le rendra sans doute plus heureux.

La jeune fille s'interrompit le temps de sortir des cuillères.

— Puis cela me donnerait plus de liberté. À mon âge, je devrais pouvoir me passer d'être couvée.

Jeanne se planta devant elle pour la regarder terminer de dresser la table. Quand Marie-Andrée leva des yeux interrogateurs, elle dit :

— Tu as une sagesse de grande personne.

— Perdre ma mère à treize ans m'a forcée à apprendre quelques petites choses en accéléré.

Elle préféra se pencher sur un chaudron posé sur la cuisinière, au lieu de montrer l'ombre qui passait dans son regard.

— Veux-tu que je t'aide à servir la soupe ?

— J'y arriverai. Dans trois minutes, je vais vous inviter à passer à table.

Décidément, Marie-Andrée tenait à montrer son aptitude à se débrouiller seule.

❖

Lorsque les deux femmes s'étaient dirigées vers la cuisine, les hommes les avaient suivies des yeux.

— Marie-Andrée me fait vraiment penser à Ann, soutint Émile. Je regrette de ne pas l'avoir mieux connue.

— Ma femme ou ma fille ?

— Ta femme. Quant à Marie-Andrée, j'espère la revoir assez souvent pour apprécier qui elle est.

L'ancien religieux venait de signifier son désir d'être invité régulièrement chez son seul ami, au point de devenir aussi un familier de sa fille.

— C'est vrai qu'elle lui ressemble. Un tempérament tout en douceur.

— Je ne doute pas que quelqu'un voudra l'employer à l'Expo. Sa seule présence dans un commerce suffira à attirer la clientèle.

L'évocation de ce départ mit le père mal à l'aise, au point de l'inciter à changer de sujet.

— Tu as vu les dernières hypothèses au sujet de la création des collèges d'enseignement général et professionnel ?

Cependant, il ne s'agissait pas seulement de changer le cours de la conversation. La question de la création de tels établissements et la façon dont la main-d'œuvre en éducation serait affectée préoccupaient vraiment ces enseignants, assez pour les engager dans une discussion.

Après quelques minutes, Jeanne revint dans la pièce avec un demi-sourire.

— Je pense que je viens d'être congédiée, murmura-t-elle.

Le père fit mine de se lever, elle l'arrêta d'un geste de la main.

— Parfois, trop de cuisiniers gâchent la sauce.

Bientôt, Marie-Andrée leur annonça que tout était prêt.

❖

Les invités avaient tout d'abord commenté le délicieux goût de la soupe, puis la cuisson parfaite du rôti. Maurice recevait ces compliments comme l'expression de leur gentillesse. En même temps, il se sentait satisfait. Sa cuisine ne serait jamais la raison de la venue de visiteurs, mais elle ne les rebuterait pas non plus.

— Vous avez écouté l'émission spéciale sur l'inauguration de l'Expo hier ? demanda-t-il.

— Pour ne pas l'entendre, il aurait fallu éteindre la télévision et la radio, car on ne parlait que de ça sur toutes les chaînes, remarqua Émile.

— Et dans ce cas, nous aurions entendu les voisins d'en bas en discuter, ajouta Jeanne. Alors, nous avons fait comme des centaines de millions de personnes dans le monde.

Les estimations de l'importance de l'auditoire paraissaient tenir du délire, mais comme on discutait d'une diffusion en direct sur tous les continents, peut-être en arrivait-on vraiment à une époque où partout dans le monde, les gens regarderaient la même émission au même moment. Imaginer que ce pourrait être *Cré Basile* donnait le vertige.

— Je ne sais pas si les journalistes se laissent emporter par leur enthousiasme, mais ce qu'ils en disent paraît à peine croyable.

Le professeur affichait son scepticisme devant l'avalanche de superlatifs.

— Nous serons fixés d'ici quelques jours, dit Émile. Ils se réuniront tous sur le terrain de l'exposition la semaine prochaine, à l'affût d'une nouvelle. Dans ce domaine, les mauvaises attirent plus d'attention que les bonnes.

— Moi, pour ce que j'en ai vu, ça me paraît merveilleux, risqua Marie-Andrée.

Chacune de ses interventions venait avec une gêne accrue, tant elle se faisait l'impression d'être une enfant interrompant la conversation d'adultes.

— Par exemple le pavillon des États-Unis, en forme de sphère, ou alors le minirail.

— Si c'est à la hauteur des promesses, tu passeras un bel été à l'Expo, dit son père.

Cet acquiescement à ses projets lui fit plaisir. L'idée fini-
rait par s'imprimer dans son esprit. Décidément, Maurice
se montrait déterminé à la soutenir, malgré ses craintes. Il
prit la bouteille de vin sur la table, remplit le verre d'Émile
et demanda du regard à Jeanne si elle en voulait.

— Comme je sens mon bébé bouger, je ne peux pas
prendre de risque.

— Il bouge ? s'étonna Marie-Andrée.

— Donne ta main.

À cette table, petite pour quatre convives, chacun des
hommes avait une femme en face de lui. La visiteuse prit
la main gauche de sa voisine pour la poser sur son ventre
et la maintint là.

— Tu le sens ?

— … C'est douloureux ?

— Non. Juste un peu étrange comme sensation, même
si c'est la seconde fois que je suis enceinte.

Marie-Andrée, bien qu'intimidée par l'intimité du
geste, demeura un moment dans cette position. Quand
elle recommença à manger, son père lui dit en lui montrant
la bouteille :

— Tu en veux ?

— Juste un peu.

Cela aussi faisait partie de ses nouveaux apprentissages. À
en juger par sa petite grimace en avalant une gorgée de vin,
cela ne deviendrait pas tout de suite un péché d'habitude.

❖

— Je m'excuse de vous fausser compagnie ainsi, mais
j'avais pris cet engagement avant de savoir…

Marie-Andrée se tenait dans l'entrée du salon. Son père
regardait les bottes à gogo blanches à ses pieds. Il ne leur

trouvait rien d'élégant, mais l'argument «toutes les autres en ont à l'école» avait emporté la décision.

— Nous comprenons très bien, approuva Émile. Et puis, nos sujets de conversation ne doivent pas être très passionnants pour toi.

La jeune fille ne le contredit pas. Elle se pencha vers son père pour lui tendre la joue, le remercia pour son «Bonne soirée». En se relevant, elle dit encore :

— Je suis heureuse de vous avoir rencontrée, Jeanne.

Il lui avait fallu un bon moment avant de renoncer au «madame» pour utiliser le prénom à la place.

— J'en suis très heureuse aussi.

— Alors, à une autre fois peut-être.

— À une prochaine fois, certainement.

L'adolescente s'éclipsa. Les adultes attendirent d'entendre la porte se refermer avant de reprendre la conversation.

— Vraiment, tu as une fille charmante, commenta Émile. Je comprends que tu lui sois si attaché.

— Même si Ann est partie trop tôt, elle a eu le temps de lui donner un très bon départ.

— Pourquoi lui accorder tout le mérite? Tu es largement responsable de son éducation. D'ailleurs, il est très facile de voir ton influence sur elle.

Un instant, Maurice eut envie de lui demander de se faire plus explicite. Il reconnaissait chez sa fille sa propre timidité, mais voilà un héritage dont il ne se sentait pas particulièrement fier. Toutefois, la posture de son invitée lui fit perdre un moment le fil de la conversation. Comme trois semaines plus tôt, elle avait enlevé ses chaussures pour ramener les jambes sous elle sur le canapé. Cette femme devait être plutôt frileuse des pieds. L'intimité de la posture l'excitait.

Émile le ramena bien vite à la conversation.

— Elle fréquente un garçon ?

— Comme elle le voit depuis près d'un mois, je suppose qu'elle le fréquente.

Le terme donnait un caractère officiel à la relation. Il en éprouvait un certain malaise.

— Jeannot Léveillé, ça te dit quelque chose ?

— Le Jeannot Léveillé du collège ?

De la tête, son hôte acquiesça. Comme Jeanne les interrogeait du regard, son époux expliqua :

— Il était dans ma classe l'an dernier, le voilà dans celle de Maurice. Un gentil garçon. Bien sûr, il porte les lunettes de John Lennon et les cheveux de Paul McCartney, mais c'est un gentil garçon… dans le vent.

L'ancien religieux semblait présenter ces caractéristiques comme incompatibles l'une avec l'autre.

— Je suis du même avis, renchérit Maurice, et ma fille aussi. Quand je lui demande ce qu'elle lui trouve, elle répond : "C'est vraiment un très gentil garçon."

Le commentaire tira un sourire à Jeanne.

— Si Marie-Andrée ne peut énumérer d'autres qualités, cette relation ne la conduira pas très loin…

Comme les deux hommes la regardaient avec l'air de ne pas comprendre, elle continua :

— La gentillesse vous semble enthousiasmante, vraiment enthousiasmante ?

— En tout cas, moi ça me rassure, confia le père.

L'idée que quelqu'un traite rudement la prunelle de ses yeux lui était insupportable.

— On dit aussi cela d'un chien qui ne présente aucun danger.

Pour mieux illustrer son point de vue, elle tapa sur le coussin du canapé en disant : « Viens ici, mon gentil toutou. »

— Évidemment, mentionner toutes ses qualités à son père serait peut-être déplacé.

Maurice fronça les sourcils, inquiet tout à coup des autres qualités masculines susceptibles d'intéresser sa fille.

❈

À cause de la présence d'invités dans la maison, Marie-Andrée s'était engagée à rejoindre Jeannot chez lui, plutôt que le contraire. L'obligation de le présenter à tout le monde et d'essuyer un barrage de questions ne lui disait rien, pas plus qu'à son ami. En conséquence, ce serait à elle de rougir et de bafouiller des « Enchantée ». Ses premiers coups sur la porte furent si faibles que personne n'entendit. À la seconde tentative, le garçon vint ouvrir lui-même.

— Hello ! salua-t-il, tout en avançant pour lui faire la bise.

Dans le salon retentit : « M'man, la blonde de Jeannot. » La remarque interrompit son geste.

— Ça, c'est ma petite sœur, expliqua-t-il, un peu excédé. Entre.

Les Léveillé vivaient dans une grande maison blanche, avec une galerie devant et des lucarnes. On aurait dit une demeure de cultivateurs transportée en ville. En réalité, la ville s'était développée tout autour. La porte d'entrée donnait directement dans le salon.

— Voilà Claudette, continua Jeannot en indiquant une gamine de douze ou treize ans. Elle est très curieuse de savoir ce qui se passe dans ma vie.

— Bonsoir, Marie-Andrée, fit-elle.

Donc, la « blonde » avait été évoquée en famille, puisqu'elle connaissait son nom.

— La plus grande se nomme Michèle. Elle paraît plus sage, mais il ne faut pas s'y fier.

De deux ans plus âgée, elle lança un «Bonsoir» à son tour. Mise au courant de son arrivée, la mère, une grosse femme avec un tablier attaché à la taille, arriva bientôt. En lui serrant la main, la visiteuse réalisa qu'un instant auparavant, la ménagère lavait la vaisselle.

— Bienvenue, Marie-Andrée, lança-t-elle avec bonne humeur. Comme tu vois, nous avions tous hâte de te connaître.

— Bonsoir, madame.

Madame Léveillé avait donné à son fils son visage un peu rond et son air débonnaire.

— Attends un peu.

La bonne femme s'approcha du pied de l'escalier et cria :

— Eugène, descends juste une minute.

En revenant vers la jeune fille, elle demanda :

— Comme ça, tu es la petite Berger. Ton père enseigne à Jeannot, non ?

— Oui, madame.

— Dis-lui que je lui permets de lui frotter les oreilles s'il ne travaille pas bien.

Pour une fois, Marie-Andrée apprécia de voir son ami considérablement plus gêné qu'elle.

— D'après ce que j'ai cru comprendre, ses notes s'améliorent depuis quelque temps.

— Bon, faut que ça continue.

La visiteuse vit d'abord des jambes dans l'escalier, puis le corps d'un homme un peu enveloppé. Décidément, avec un tel héritage, le garçon avait peu de chances de demeurer mince toute sa vie. Le père s'approcha, la main tendue.

— Tu vois, ma p'tite, avec toutes les taxes inventées depuis 1960, je travaille à ma comptabilité le samedi soir.

— Bonsoir, monsieur Léveillé.

— Bon, on va y aller, proposa Jeannot, agacé par le défilé familial.

La jeune fille s'en réjouit, lasse d'être le centre de l'attention.

— Alors, veillez pas trop tard. Pis toi, Jeannot, tu la reconduis à sa porte. On laisse pas des jeunes filles dans les rues toutes seules le soir.

En écoutant ces recommandations, Jeannot endossa son manteau.

— Jamais je ne l'abandonnerai dans les rues de notre grande ville pleine de dangers. Alors, bonsoir tout le monde.

Les échanges de salutations produisirent une petite cacophonie, puis le couple sortit.

❈

Une fois la porte refermée, le garçon poussa un peu son amie en mettant un doigt sur ses lèvres. Des voix vinrent de l'intérieur.

— M'man, j'veux des bottes comme elle.

« Claudette », murmura Jeannot.

— Ça, on verra. T'as vu sa robe ? A montre pas toutes ses cuisses, pis est belle pareille.

— En tout cas, elle est bien plus belle que lui, fit une autre voix.

« Merci, Michèle, très gentil. » Le grand frère paraissait tout de même prendre la remarque en riant.

— Il reste encore papa, murmura-t-il.

— C'est vrai qu'est *cute*, apprécia le bonhomme. À sa place, j'y ferais attention.

Le garçon prit son amie par le bras pour l'entraîner sur le trottoir. Il commenta bientôt :

— Tu as passé haut la main l'examen de la tribu Léveillé. Quand tu reviendras, tu feras l'objet d'un bel accueil.

Quand il avait fallu décider de le rejoindre chez lui, Marie-Andrée s'était montrée réticente. Après son malaise pendant tout le trajet vers Montréal en compagnie de Maurice, Jeannot savourait sa petite revanche.

— Bon, les grosses familles sont parfois casse-pieds, admit-il après une pause.

— En avoir une toute petite n'est vraiment pas mieux, je t'assure. Toutes ces personnes t'aiment. Je te souhaite de n'en perdre aucune.

Le garçon passa un bras autour de sa taille pour la rapprocher de lui.

— Tu as raison, je le sais bien. Il y a tout de même des moments embarrassants.

Bientôt, Jeannot la laissa s'écarter. La salle Pelletier ne se situait pas bien loin. Il s'agissait d'un ancien cinéma un peu délabré, construit avec des tôles ondulées de forme arrondie. Cela donnait à la bâtisse l'aspect d'un demi-cylindre posé sur le sol. L'armée utilisait des abris de ce genre pour loger ses hommes, et les cultivateurs pour ranger les instruments aratoires. Quand le propriétaire s'était trouvé dans l'obligation de changer l'équipement de projection et trois sièges sur quatre, il avait fait le pari de tout vider pour donner une nouvelle vocation à l'endroit.

Celle-ci s'affichait en lettres de néon hautes d'un pied chacune : SALLE DE DANSE. Une douzaine d'adolescents, des garçons pour la plupart, s'appuyaient au mur de part et d'autre de la porte afin de soumettre les nouveaux venus à un examen.

— Léveillé, tu t'es fait une blonde ! commenta quelqu'un.

— T'as eu de la chance de ne pas être tombé sur la Vincent.

Ces mots provoquèrent l'hilarité des autres.

— Bin non, celle-là est la fille d'un professeur du collège.

— Pas d'un curé, j'espère.

À cette suggestion, les rires redoublèrent. À ce moment, Marie-Andrée apprécia le bras posé autour d'elle, comme si ces garçons présentaient une menace.

— Salut les gars. Vous autres, vous avez trouvé personne, alors vous niaisez devant la porte.

Très vraie, la remarque les conduisit à porter leur attention sur d'autres nouveaux venus.

Chapitre 18

Devant la salle, à l'ancien guichet du cinéma, Jeannot régla le prix de l'entrée pour deux. L'employée leur estampilla un petit cercle bleu sur la main. Devant les sourcils froncés de sa compagne, Jeannot expliqua :

— Si tu sors, tu pourras entrer de nouveau sans avoir à payer encore.

— Pourquoi voudrais-je sortir ?

— Tu vas voir, les gars entrent et sortent sans cesse. Il est défendu de vendre de l'alcool ici. Alors, ceux qui sont venus avec l'auto de leurs parents entassent la bière pour eux et leurs amis dans le coffre.

La salle de danse faisait peut-être trente pieds de large, pour une soixantaine de profondeur. Comme cinéma, l'endroit ne payait pas de mine. Il ne paraissait pas mieux dans sa nouvelle vocation. De vieux sièges alignés des deux côtés permettaient de s'asseoir. Sur une toute petite scène à l'autre extrémité, de très mauvais groupes musicaux se produisaient. Enfin, un minuscule comptoir vendait des boissons gazeuses, des chips et d'autres friandises.

Dans ces lieux exigus régnait une semi-pénombre. Au plafond, des guirlandes de petites ampoules multicolores rappelaient Noël. Entre quatre-vingts et cent jeunes se rassemblaient là les vendredis et samedis soir, et deux jours supplémentaires par semaine pendant les grandes vacances.

— Tout à l'heure, les gars parlaient d'une fille nommée Vincent. Il s'agit de ton ancienne amie?

À cet endroit, bien peu devaient avoir une expérience des amours adolescentes plus limitée que la sienne. Malgré tout, ne pas avoir été la première pour Jeannot la peinait.

— Tu dois la connaître. Ça ne te dit rien?

Elle haussa les épaules, elle ignorait tout de cette fille.

— La pauvre a reçu un coup de pelle en travers du visage. Elle a une cicatrice comme ça.

Du doigt, Jeannot traça une ligne du côté droit du front jusque sur la gauche du menton, traversant une arcade sourcilière et le nez.

— C'est devenu une blague entre les gars. Dire à quelqu'un qu'il sort ou veut sortir avec la Vincent, c'est lui dire qu'il est laid à faire peur.

— Comment peut-on dire des choses aussi cruelles?

— Je ne le fais jamais.

En tout cas, Marie-Andrée souhaitait le croire. Maintenant qu'il la lui avait décrite, elle se rappelait une petite fille aperçue à l'église.

Peu après, Denise Marois s'avança vers eux. En regardant la robe très courte de son amie, la châtaine se considéra comme extrêmement pudique, trop sans doute. Pas très grande et un peu rondelette, l'autre offrait la plus grande partie de ses cuisses aux regards. À cause de la taille de ses fesses, l'ourlet du vêtement remontait dans le dos au moins deux pouces plus haut que devant. Au moindre mouvement un peu vif, elle montrait le fond de sa culotte. Si elle se penchait pour ramasser quelque chose sur le sol, c'était une pleine lune.

— Elle te l'a dit? lança Denise à Jeannot, sans autre préambule.

Le fait que Paul l'ait larguée pour se dénicher une cavalière à la poitrine tout plate continuait de détériorer les relations entre les deux anciennes meilleures amies. La blonde souhaitait que Jeannot se fasse accompagner d'un autre garçon ce soir afin que ce dernier lui serve de cavalier. La châtaine avait refusé de promettre à sa place.

— Viens avec moi, dit Jeannot.

Du côté gauche de la salle, le garçon avait reconnu quelques-uns de ses camarades de classe, et d'autres âgés d'un an de plus ou de moins. Il dit en s'approchant, assez fort pour attirer l'attention d'une demi-douzaine d'entre eux :

— Je vous présente une connaissance, Denise Marois.

Puis, avec une certaine impatience, il les nomma un à un. La jeune fille tendait la main, disait à l'un quelle école elle fréquentait, à l'autre en quelle année, au troisième le métier de son père. Comme à ce moment aucun orchestre ne jouait sur la scène, elle se trémoussait au son de la musique venue de haut-parleurs fixés au mur. Le propriétaire utilisait la solution la plus simple : il les branchait à un appareil radio.

— Moi, je suis venue seule, précisa la blonde.

Cette façon de faire la réclame gênait un peu Marie-Andrée. Évidemment, elle eut tout de suite la preuve qu'elle-même n'en avait pas vraiment besoin.

— Léveillé, comment ça se fait que tu nous présentes pas l'autre ? T'as peur de te la faire voler ?

Denise jeta un regard sombre sur sa compétitrice. Comme un boutonneux lorgnait ses cuisses, elle lui donna ensuite toute son attention. Jeannot revint vers sa compagne pour lui proposer :

— Viens, je vais nous trouver de quoi boire.

Il l'entraîna vers le comptoir, acheta deux Coke, avec une paille pour celui de son amie. D'anciens fauteuils de cinéma demeuraient libres dans un coin, il l'y entraîna. Une fois assise, Marie-Andrée remarqua :

— Il s'agit d'une salle de danse, mais personne ne danse.

— Personne ne boit ni ne mange de chips en s'agitant sur la piste. Le propriétaire augmente l'éclairage et baisse le son le temps que nous fassions des provisions.

— C'est drôle de voir les gars assis d'un côté, les filles de l'autre.

Dans la salle, une minorité des jeunes étaient accompagnés d'une blonde ou d'un *chum*. Ces endroits servaient de lieu de rencontre, justement. Aussi, les gars s'alignaient le long du mur de droite, les filles à gauche.

— Là, tu me vexes un peu. Quand je venais seul, je faisais comme eux. Ça prend du courage pour agir comme lui, à la vue de tous.

Au même moment, un jeune homme traversait la salle pour aller aborder une adolescente assez jolie.

— Avec moins de lumière et la musique à tue-tête, je trouverais l'audace. Dans ce cas, pas besoin de chercher les mots, elle ne comprendrait rien dans le vacarme.

Les filles, de leur côté, pouvaient demeurer assises et attendre. Plusieurs choisissaient de danser entre elles, afin de se démarquer des autres et d'attirer l'attention. Mais jamais elles ne faisaient les premiers pas vers un garçon de peur de passer pour des filles faciles. Même Denise n'avait pas osé prendre l'initiative, se fiant plutôt aux bons services de Jeannot.

Le garçon raconta encore :

— Dans cette salle, un soir, j'ai vu un gars quitter son siège alors que commençait la chanson *C'est fou, mais c'est tout*. Il a invité huit filles d'affilée pour se faire envoyer promener chaque fois. La neuvième a accepté, mais la chanson tirait à sa fin.

Un moment, Marie-Andrée se demanda s'il n'évoquait pas une expérience personnelle. Elle convenait que dans ce jeu, un garçon timide risquait de passer sa vie assis dans son coin. Un garçon ayant le même tempérament qu'elle, par exemple. Pour ceux-là, il restait la possibilité de se faire présenter quelqu'un – comme Jeannot venait de le faire avec Denise –, ou alors l'agence de rencontres du *Nos Vedettes*.

«Non, ça non plus, je n'oserais pas», songea-t-elle. Une petite commotion parcourut l'assemblée. Quatre jeunes hommes vêtus d'un chandail noir et de jeans de la même couleur, très serrés, se dirigeaient vers la scène. Leur visage était barbouillé de noir. Trois d'entre eux portaient un instrument de musique, la batterie du dernier étant déjà en place sur la scène.

— Ce sont les Daredevils, précisa Jeannot. Des gars de Saint-Eugène qui aiment la pêche, sans doute.

Devant les sourcils en accent circonflexe de sa compagne, il précisa :

— Le mot désigne aussi un leurre pour les poissons.

Peut-être ces artistes s'affublaient-ils de ce nom en pensant justement leurrer leur auditoire. Le chanteur annonça *The House of the Rising Sun*, mais Marie-Andrée ne reconnut ni les mots ni l'air.

— Voilà une danse pour moi, annonça son compagnon. On ne bouge presque pas les pieds.

Quelqu'un baissa l'éclairage jusqu'à ce qu'il ne reste que les veilleuses au plafond, et une trentaine de couples vinrent s'enlacer sur la piste. Après un malaise initial, Marie-Andrée se détendit, laissa sa tête reposer sur la poitrine de Jeannot. Contre son ventre, elle sentait très bien la chaleur d'une érection. Dans son dos, des mains caressantes.

❖

Afin d'éviter des va-et-vient, Maurice avait finalement posé la bouteille de porto sur la table basse du salon. Lorsqu'il entreprit de chercher de la musique à la radio, une station diffusant de la musique classique le réconcilia un peu avec ce médium.

— Je devrais faire une marque sur le bouton avec un feutre, histoire de le retrouver, commenta-t-il en reprenant son siège. Un poste qui ne diffuse pas de gogo, de yé-yé ou de rock'n'roll' devient une denrée rare.

— Personne de moins de quarante ans ne doit écouter, affirma Émile.

— Merci de révéler ainsi mon âge ! intervint sa femme.

— Je n'ai pas dit le chiffre après le quatre...

Sa remarque amusée lui valut un coup de coude dans les côtes. Leur hôte la savait dans la quarantaine. Spontanément, il aurait parié pour quarante-deux ans. Ses jambes continuaient de capter son regard, l'arrondi du ventre lui donnait une allure étonnamment juvénile. Les femmes portaient des enfants dans la vingtaine, pas à quelques années de la ménopause.

— Marie-Andrée écoute-t-elle ce genre de musique ? voulut-elle savoir.

— Matin, midi et soir, il me semble, mais en réalité sans doute moins souvent que je ne le pense. Heureusement, elle rit de bon cœur devant les artistes les plus ridicules, et elle sait identifier une série de fausses notes. Je la pense récupérable.

— Récupérable ? insista Jeanne.

— Jacques Brel a réussi à lui tirer une larme. Elle peut donc apprécier des textes un peu plus complexes que ceux des Excentriques.

La conversation porta un moment sur l'étrange décision du chanteur belge de se retirer si jeune, et sur quelques-uns de ses compétiteurs. Un certain Adamo commençait à faire parler de lui. Quand la conversation se languit, la visiteuse en vint au sujet qui lui trottait dans la tête depuis son arrivée :

— Je sais que mon mari l'a déjà fait, mais je voulais exprimer mes regrets pour la rencontre d'il y a deux semaines. Dans ce *blind date*, c'est surtout moi qui ai été aveugle.

Maurice remarqua qu'il ne s'agissait pas tout à fait d'excuses. De toute façon, ce petit impair n'en exigeait pas vraiment.

— Comme disent nos voisins de langue anglaise, il n'y a pas d'offense. J'espère juste que cette Ginette n'a pas trop souffert de mon désintérêt.

L'homme jugeait que cette inconnue n'était pas assez bien pour lui, tout comme celle rencontrée Place Versailles. Il se souciait toutefois que l'une ou l'autre ait subi durement son rejet. Son interlocutrice allait le détromper à ce sujet.

— Pour ce que j'en sais, il n'y a pas eu de long deuil ni de blessure à panser. Selon la dame, tu serais terriblement ennuyeux et un brin prétentieux.

Maurice accusa le coup. Jeanne jugea utile de faire son éducation.

— Le désintérêt est réciproque, d'habitude. Heureusement d'ailleurs, car dans une vie, on croise infiniment plus de personnes indifférentes que de personnes désireuses de s'engager dans une relation intime.

L'homme se priva de formuler son impression à haute voix : son interlocutrice devait avoir croisé beaucoup de volontaires sur son chemin. La question des affinités électives occupa la conversation pendant un moment, puis Jeanne en vint à sa préoccupation première :

— Toujours selon Émile, malgré mon premier échec, tu me ferais confiance pour un nouvel essai.

— Seulement si je peux avoir quelques informations préalables sur l'élue.

Son ton railleur tira un sourire à Jeanne.

— Ce désir d'en savoir un peu plus sera certainement réciproque. Qu'aimerais-tu trouver chez une femme ?

Comme son regard se tourna machinalement vers la photo sur le mur, elle précisa :

— Ne dis pas : une nouvelle Ann. Personne ne sera jamais à la hauteur du souvenir que tu en as. Surtout que ce souvenir doit être embelli par la magie de vos vingt ans de vie commune.

Comme il baissait les yeux, gêné de se voir percé aussi facilement, elle ajouta encore :

— À ta place, je préférerais d'ailleurs un tempérament assez différent de celui de ta première femme, pour éviter les comparaisons. Ce fut ma décision, et j'en suis heureuse. Impossible d'être en compétition avec une morte, on perd toujours.

Elle échangea un regard de connivence avec Émile. Que voyait-elle de si remarquable dans un professeur d'école secondaire ayant passé plus de la moitié de sa vie dans une défroque noire ?

— J'aimerais qu'elle ait un certain intérêt pour les livres. Je passe une part de mon temps le nez dedans, et le reste à convaincre les élèves de s'y plonger aussi.

— En passant, j'aime bien *L'avalée des avalés*, même si j'ai été totalement déconcertée au début.

— Voilà un bon exemple de ce que j'aime : quelqu'un qui soit capable d'accepter ce qui est nouveau, d'aborder les choses avec un esprit ouvert.

— Bon, je te rappelle que tu parles à ma femme, intervint Émile.

Pour la première fois, l'ancien religieux réagissait à l'intérêt perceptible de son ami pour son épouse. De son côté, Maurice cédait à la surprise devant ses propres mots. Depuis des mois, il pestait contre la musique, les vêtements et la façon désinvolte de la jeune génération de tout remettre en cause. Visiblement, la seule nouveauté qui lui plaisait concernait les styles littéraires.

— J'aimerais une personne plus gaie, plus sociable que moi. Sinon, je risquerais de me replier encore plus sur moi-même et de m'enfermer dans ma petite maison. Même la présence de ma fille n'arrive pas à me tirer de ma morosité, parfois.

— Si je devais mettre tout ça sous la forme d'une annonce, le résultat donnerait à peu près ceci : "Cherche une femme intéressée par les choses de l'esprit, sociable et aimant la vie", résuma Jeanne. Et en ce qui concerne l'apparence physique ?

L'esprit de Maurice vagabondait maintenant dans les pages de l'agence de rencontres de *Nos Vedettes*. Son message aurait ressemblé à ça.

— Pour le physique, il cherchera ta jumelle, dit encore Émile sur un ton un peu grinçant.

Décidément, l'hôte devrait apprendre à rendre son admiration pour la femme de son collègue un peu plus discrète.

Par la suite, ils évoquèrent les charmes de quelques connaissances communes. Un peu après dix heures, les visiteurs se tenaient dans l'entrée, en train de mettre leur manteau. L'ancien religieux fut le premier à tendre la main.

— Merci de l'invitation. J'aimerais que nous fassions une habitude de ces rencontres.

— J'aimerais aussi. Qui sait, un jour prochain, nous serons peut-être quatre à table, et là, je ne parle pas de ma fille.

Émile s'amusa de la répartie. Dans cette éventualité, Maurice partagerait son attention entre deux femmes. Jeanne ne fit pas l'économie de ses bises, tout en formulant un « Au revoir » sincère.

❖

Après une danse appelée, au choix, un slow ou un *plain*, les Daredevils avaient enchaîné des reprises très personnelles des derniers succès au palmarès, en français ou en anglais. Dans ce dernier cas, la prononciation très approximative du chanteur tirait des sourires à Marie-Andrée. Le bilinguisme n'était pas l'apanage des jeunes gens élevés à Saint-Eugène. Quant à la musique, ces garçons l'apprenaient « à l'oreille », et visiblement, aucun d'eux n'était doté d'une oreille absolue. Comme ils se partageraient dix dollars à la fin de la soirée, en plus du « Coke à volonté », autant se montrer satisfaits de la prestation.

Durant les danses où les pieds ne bougeaient à peu près pas, dans les bras d'un ami, la jeune fille pouvait se montrer compétente. Les autres, où il s'agissait d'agiter tous les membres et le corps en accord avec la musique, l'intimidaient plus. Toutefois, l'incapacité totale de Jeannot à s'adapter au rythme, malgré son plaisir évident, lui permettait de se sentir plus à son aise.

Marie-Andrée en arrivait tout juste à ce degré de confort quand un autre garçon l'invita pour une pièce des Beatles. Comme Jeannot semblait trouver l'initiative tout à fait naturelle, elle finit par accepter. Pendant trois minutes, elle eut l'impression que tous les yeux se fixaient sur elle et que tous les rires soulignaient sa maladresse.

Alors que l'heure de la fermeture approchait, l'orchestre enchaîna les slows les plus langoureux et quelqu'un baissa l'intensité des lumières au point que seul le mot «sortie» demeura discernable au-dessus des portes. Un inconnu s'approcha de Marie-Andrée pour lui demander :

— Tu veux danser avec moi ?

En même temps, une main se glissa sous son bras, à la hauteur du sein.

— Non, fit-elle en se dégageant.

— Fais pas ta *stuck up*.

L'obscurité ne lui permettait pas de voir de qui il s'agissait, et de toute façon il se pouvait bien que ce garçon ne se soit jamais trouvé sur son chemin auparavant.

— Je suis venue avec quelqu'un, ce soir.

À ses yeux, cela donnait à son ami une certaine exclusivité. Surtout, elle n'entendait pas se lover contre le premier venu.

— Bin sèche, si t'es déjà mariée.

Au moins, elle sentit cette présence s'éloigner. Bientôt, une main légère se posa sur sa taille, la faisant sursauter.

— C'est moi.

La voix de Jeannot la rassura, elle se laissa entraîner sur la piste de danse. Comme s'il sentait sa gêne, il évitait de la serrer de trop près.

— Ah ! Aussi tard, on tombe toujours sur des trous du cul. Déjà à jeun, ils sont pénibles, mais là, un sur deux doit être saoul.

Qu'il sente aussi bien son malaise lui fit plaisir. Comme elle ne percevait aucune odeur de bière dans son haleine, la jeune fille leva les bras pour les mettre autour de son cou. Plus petite que lui, ainsi elle pressait ses seins contre sa poitrine. Alors, les mains du garçon partirent de sa taille pour lui caresser les flancs dans un mouvement de bas en haut. Il devinait la ligne du soutien-gorge sous ses paumes, à chaque passage, et ses pouces faisaient connaissance avec les renflements jumeaux.

La caresse la rendait languide. La musique se termina sur *When A Man Loves A Woman*, le succès de Perry Sledge. Comme les Daredevils jouaient la chanson un peu plus lentement que l'original, le contact entre les corps en fut facilité. Une fois le silence revenu dans la salle, l'éclairage augmenta graduellement d'intensité, de façon à donner à chacun et chacune le temps de remettre de l'ordre dans ses vêtements.

Quand on pouvait la voir ainsi, la salle avait triste allure. Des bouteilles vides traînaient par terre, tout comme des sacs de chips et des emballages de friandises.

— Nous rentrons ? proposa Jeannot.

Après ces petits moments d'intimité, Marie-Andrée se sentait mal à l'aise. Elle donna son assentiment d'un signe de la tête. Les manteaux étaient entassés sur le dossier d'un siège ; à peine les eurent-ils endossés que Denise Marois s'approcha, flanquée d'un condisciple de Jeannot nommé Jacques Tremblay.

— Je suis dans la classe de ton père, jugea-t-il à propos de préciser.

Plus pratique, la blonde indiqua :

— Comme nous allons dans la même direction, nous marcherons avec vous.

Cela ne méritait aucune réponse. En sortant, Marie-Andrée entendit des gémissements rauques, ceux des gars appuyés contre le mur de la salle de danse pour vomir. Visiblement, certains avaient rempli de bière le coffre de leur voiture, très probablement pour les vendre avec profit à des mineurs.

Comme d'habitude, les deux couples parcoururent le trajet à quelques dizaines de verges de distance l'un de l'autre. En prenant l'allée conduisant à sa porte, Denise lança un «Bonne nuit» plein d'un entrain un peu factice.

Son cavalier de ce soir la serrait de près, mais ça ne suffisait pas à lui rendre totalement sa bonne humeur.

Arrivée chez elle, Marie-Andrée fit face à son compagnon.

— Je te remercie pour cette soirée. Tu sais, j'allais dans une salle de danse pour la première fois.

C'était une façon de s'excuser si jamais son comportement avait tranché sur celui des autres.

— Tu as vu, il ne s'y passe rien de captivant, mais cela offre la chance de rencontrer quelqu'un. Puisque je te connais déjà, l'exercice perd de son intérêt.

Comme toujours, le moment de se quitter, comme celui de se retrouver, contenait sa dose de malaise. Dans le salon de la demeure, les lumières étaient allumées. Le père se tenait là, tout proche.

— Alors, bonne nuit, chuchota l'adolescent.

— Bonne nuit. On se parle demain.

Le baiser devenait naturel, mais sous le porche, chacun gardait ses mains pour soi.

❈

Après le départ de ses invités, Maurice s'était occupé tout de suite de la vaisselle. Imposer cela à sa fille lui semblait incorrect. De toute façon, il en eut pour moins d'une demi-heure. Le son de la radio, dans le salon, et aussi ses souvenirs de la conversation de la soirée lui tenaient compagnie.

« Au physique, ta jumelle », avait ironisé Émile Trottier. Depuis, Maurice s'était fustigé bien des fois de son indélicatesse. Cette habitude de détailler les femmes placées dans son environnement devait cesser, sinon sa réputation deviendrait peu enviable. Pourtant, il s'agissait bien de chercher un sosie de Jeanne. Pas nécessairement une brunette, pas nécessairement les cheveux courts, mais un ensemble de caractéristiques plaisantes à l'œil. Et puis encore ? Intéressée par les activités

313

intellectuelles et artistiques – il se passait tellement de choses à Montréal, dont il ne tirait pas parti –, et sociable. Surtout, il souhaitait entendre des fous rires. Il riait parfois avec sa fille. Mais un vrai rire, incontrôlable, bruyant, lui manquait terriblement.

Tout en rangeant ses chaudrons, il prit sa décision : cette fois, il mettrait une annonce dans *Nos Vedettes*. Il aurait aimé que ce ne soit pas dans un hebdomadaire à potins, mais *Le Devoir* ne publiait pas une telle rubrique. Quant à se présenter à une agence de rencontres ayant pignon sur rue, le courage lui manquait. Il s'imaginait raconter sa condition à une personne inconnue, et un vague sentiment de honte montait en lui.

— Je ferai ça demain, murmura-t-il.

Il penserait à arriver dorénavant un peu plus tôt du travail, afin d'être le premier à prendre le courrier dans la boîte aux lettres.

Le père en était là de ses réflexions quand le bruit du pêne dans la serrure se fit entendre. Dès qu'il sut qu'elle était entrée, il dit à voix haute :

— As-tu passé une bonne soirée, Marie-Andrée ?

— Pas mal.

La jeune fille attendit d'avoir rangé ses bottes et son manteau avant de continuer :

— Tout de même, si Jeannot se limite à des invitations au cinéma ou à des spectacles, je ne me plaindrai pas.

Elle vint le rejoindre sans ses chaussures, seul son collant la protégeait du plancher un peu froid. Le petit trou à la hauteur du gros orteil le toucha. Un petit bout d'enfant dans cette jolie femme.

— Veux-tu que nous fassions la vaisselle ensemble ?

— Pauvre de toi, je ne t'ai pas attendue pour partager cette belle activité.

Elle lui adressa un sourire complice, puis alla s'asseoir sur le canapé, les jambes repliées sous elle. Une autre frileuse.

— Toi, tu t'es amusé?

— Peut-être pas autant que toi, mais oui, j'aime leur compagnie. Je n'ai pas trop d'amis, tu sais.

Elle hocha la tête. Tous les deux partageaient le même isolement.

— Tu as fait une forte impression sur eux.

— Voyons, je n'ai rien pour impressionner.

— Donc, nous sommes tous dans l'erreur, et toi tu connais la vérité. De ton côté, qu'as-tu pensé d'eux?

Marie-Andrée se donna le temps de réfléchir, puis dit avec un sourire:

— C'est une charmante femme. Elle a quelque chose de pétillant. Et cette façon de mettre son ventre en évidence me plaît. C'est comme si elle disait à tout le monde: "Je suis fière d'être une femme, une amoureuse et une mère."

— Tu dis là quelque chose de très vrai, et d'une belle manière. Je te souhaite de te sentir comme ça, un jour.

— Aujourd'hui, ce serait un peu tôt, mais je te promets d'y travailler.

Il s'agissait d'un moment de complicité parfaite entre eux. Maurice se surprenait de l'exactitude de la description. Transposée au masculin, ce serait une annonce parfaite pour *Nos Vedettes* au moment d'exprimer ses attentes, mais jamais il n'oserait. Après tout, il avait été élevé par une femme pour qui il fallait soigneusement dissimuler une grossesse, car c'était un signe visible de turpitudes sexuelles… que ce soit dans les liens du mariage ou non.

— Bon, je vais aller me coucher, l'informa l'adolescente en quittant son siège.

Maurice se leva aussi pour l'embrasser, tout en murmurant: «Je ferai la même chose dans quelques minutes.»

❈

Comme auparavant avec Paul, Jeannot se retrouva à faire route commune avec Jacques Tremblay. Celui-ci se sentait particulièrement heureux de sa soirée.

— Tu la connais, toi, cette fille ?

— Denise ? Je l'ai croisée un certain nombre de fois au restaurant ou à la salle de danse.

— En tout cas, est cochonne en hostie.

Comment la jeune fille aurait-elle apprécié cette évaluation de sa personne ? Léveillé n'irait certainement pas lui demander son avis.

— Dans les slows, elle embrasse comme une sangsue. Pis sa robe au ras des fesses. J'me suis retrouvé avec les mains dans ses culottes, en arrière pis en avant.

Dans ce genre de récit, il convenait de faire la part de la fanfaronnade. Les jeunes séducteurs étaient comme des pêcheurs, exagérant les prises quant au nombre et à la taille.

— Pour une blonde, est poilue.

Jeannot se troubla un peu. Ce détail ajoutait une once de véracité à l'histoire. Il se demanda s'il aimerait vraiment que Marie-Andrée se montre aussi permissive.

— La petite Berger, ça doit être scrupuleux en maudit.

Le garçon n'entendait pas du tout s'engager dans ces confidences. Il préféra demeurer silencieux. Bon prince, l'autre continua :

— D'un autre côté, on peut comprendre, avec un père comme le sien. Berger a l'air de s'être rentré une brosse à tableau dans le cul.

Cette fois, Jeannot ne put retenir un sourire à l'image lui traversant l'esprit. En même temps, il se doutait bien qu'après une soirée frustrante – ou torride – avec l'une de ses sœurs, ce Tremblay tiendrait un discours tout aussi irrévérencieux.

— Une brosse dans le cul, tu dis ? Moi, je le trouve plutôt drôle. Il va certainement bien s'amuser quand je lui répéterai ça à table, demain.

— Comment ça, à table ?

— Quoi, les parents de tes conquêtes ne t'invitent pas à manger ?

Ensuite, Jacques Tremblay se désintéressa totalement du degré de libération sexuelle de la petite Berger. Ils se quittèrent au coin de la rue sur un salut abrupt.

« Pourvu qu'il ne m'invite pas », songeait Jeannot au même moment. Malgré la boutade, il n'avait aucune envie d'un repas avec Maurice comme hôte.

Chapitre 19

Tout de suite après le *Ite missa est*, Perpétue Berger abandonna son époux dans le banc familial pour s'engager dans l'allée de gauche. Au bout, une porte donnait sur la sacristie. Là, elle se planta devant une immense armoire de chêne, celle où on rangeait les vêtements sacerdotaux, pour attendre son curé. Quand celui-ci arriva près d'elle, elle se lança :

— Vous n'étiez pas sérieux, tout à l'heure.

L'ecclésiastique laissa échapper un long soupir, visiblement déçu de l'avoir devant lui.

— Que voulez-vous dire, madame Berger ?

— Cette histoire de messe à gogo ! C'est dégrader la cérémonie.

— Dégrader, vraiment ?

Que cet homme n'appuie pas spontanément ses dires lui sembla incompréhensible. Un peu surprise, Perpétue insista :

— La messe, ce n'est pas cette émission du samedi soir, avec des filles la robe aux fesses qui dansent sur un bloc.

— Vous avez déjà vu ça dans une église ?

La paroissienne de choc préféra ignorer la question.

— Puis je suppose qu'il y aura de la guitare, des garçons avec des cheveux longs dans le chœur.

— Voyez-vous cette image, là-haut ?

Le curé montrait le mur à la droite de la sacristie.

— C'est le Christ, dit-elle.

— Justement. S'il se présentait dans le chœur, vous le trouveriez sans doute trop pouilleux à votre goût. Voilà deux mille ans qu'on le représente avec des cheveux longs.

— Voyons, ce n'est pas la même chose.

Le prêtre se souvint juste à temps qu'il devait se montrer comme l'incarnation de la charité chrétienne.

— Chère madame, je veux bien vous abandonner la responsabilité de mettre des fleurs sur l'autel, mais d'ici à ce que vous soyez ordonnée prêtre, laissez-moi m'occuper de l'organisation des cérémonies religieuses. Maintenant, vous m'excuserez, je dois me déshabiller.

Perpétue ouvrit très grand les yeux alors que le prêtre lui tournait ostensiblement le dos pour enlever sa chasuble. Celui-là semblait résolu à ne plus lui donner son attention. Après quelques secondes, elle déclara forfait et quitta le temple. Dehors, la voiture de son époux était tout près, puisqu'ils arrivaient toujours parmi les premiers.

— Je me demande bien pour qui il se prend, ce curé.

— Pour le curé, je suppose.

— Dis donc pas de niaiseries.

Quarante-cinq ans de mariage, et Ernest ne savait pas encore que le silence était d'or.

— Il se prend pour un curé dans le vent. Je pense que je vais écrire à l'archevêché.

Le mari démarra, se gardant bien de donner son opinion sur le sujet. Cette lettre ne serait ni la première, ni la dernière, et comme les autres, elle n'aurait aucune suite. Là-bas, on ne se donnait même plus la peine d'envoyer un accusé de réception.

Une fois à la maison, Ernest reprit ses journaux dans le salon, Perpétue gagna sa cuisine.

Midi passa, puis midi quinze, midi trente. Ernest n'y tint plus. Il alla dans la salle à dîner pour trouver Perpétue assise à sa place, devant les quatre couverts. De la vapeur venait de la soupière posée au milieu de la table.

— On mange pas aujourd'hui ?

— Ils ne sont pas encore arrivés.

L'homme, étonné, regarda son épouse.

— La dernière fois, la fille n'était pas là, et Maurice a laissé entendre qu'on ne le reverrait pas de sitôt.

— … C'étaient des enfantillages. Cette fille est gâtée pourrie, il laisse passer tous ses caprices.

La mégère passait un très mauvais dimanche, le monde entier semblait la contredire. Le silence pesa un moment dans la pièce, puis Ernest déclara :

— C'est pas une raison pour se laisser mourir de faim. Bientôt, tout sera froid.

— Je vais lui téléphoner, ragea son épouse.

Perpétue regagna la cuisine où le téléphone mural était fixé. De sa place, l'homme l'entendit commencer :

— As-tu eu des nouvelles de Maurice, depuis deux semaines ?

Donc, son appel était destiné au plus jeune de ses fils, Adrien, pas à l'aîné. Ernest n'entendit pas la réponse.

— Non, il n'est pas encore arrivé. Il doit se passer quelque chose.

La mère préférait prétendre l'ignorance plutôt que de raconter des événements où elle n'avait pas le beau rôle.

— Tu devrais aller voir chez eux.

Le poids d'une soutane lui donnerait gain de cause. Elle reprit après la réplique de son interlocuteur :

— Rater un dîner, ce n'est pas son genre, insista-t-elle. Il est venu ici toutes les deux semaines depuis son mariage.

Adrien ne devait pas s'enthousiasmer pour la mission qu'elle lui confiait, car elle répéta exactement les mêmes mots à deux reprises. Il céda devant son insistance.

— Tu me téléphoneras pour me dire ce qui se passe.

Après avoir mis son fils préféré à la tâche pour recoudre le tissu familial, la mère put enfin servir la soupe. Elle laissa le couvert aux deux places inoccupées, comme si les absents devaient arriver bientôt.

❖

Quand le téléphone sonna dans la demeure de la rue Couillard, Marie-Andrée fut la première à se lever. Elle était certaine que Jeannot se trouvait au bout du fil.

— Oh! Bonjour, mon oncle Adrien.

Pendant un instant, tous les deux se dirent réciproquement qu'ils allaient bien. Puis la jeune fille tendit le combiné à son père.

— Maurice, commença le prêtre, je viens de recevoir un appel de maman. Elle m'a paru vraiment inquiète de ne pas t'avoir vu à midi.

— Alors, tu pourras la rassurer. Je me sens plutôt bien depuis que j'ai pris congé d'elle.

Le petit ricanement était si peu dans l'ordre habituel des choses que son interlocuteur demanda :

— Je peux te rendre une petite visite ?

— Tu es toujours le bienvenu, tu le sais bien.

Quand il raccrocha, Marie-Andrée demanda :

— Il se passe quelque chose ?

— Devant mon absence à midi, ma mère s'est répandue en larmes et elle a demandé à mon cadet de me ramener à de meilleurs sentiments.

Il s'arrêta, puis rectifia avec un demi-sourire :

— Pour les larmes, je ne suis pas certain. Adrien va venir me voir, il pourra me le confirmer.

— Tu m'excuseras, mais je dois partir d'ici une quinzaine de minutes.

— Bien sûr. Tu seras sans doute heureuse d'échapper à ça. Je me fais l'impression d'avoir dix-huit ans et d'attendre mon petit frère de seize ans qui s'en vient m'expliquer comment me comporter.

Pareille situation s'était produite déjà. Dans ces cas, Adrien s'était toujours exécuté à titre d'émissaire de sa mère.

L'adolescente acquiesça d'un signe de la tête. Lorsqu'elle partit, son père lui rappela leur rendez-vous pour une leçon de conduite en début de soirée. Avec un certain optimisme, il évoquait un passage devant un examinateur avant le début des grandes vacances.

Adrien arriva tout de suite après le départ de Marie-Andrée.

— Tu peux abandonner tes ouailles comme ça en plein dimanche après-midi ? s'étonna Maurice avec un sourire narquois en lui ouvrant la porte.

L'ecclésiastique entra dans la maison avant de répondre, agacé :

— Ne te moque pas. Dès que je quitte le presbytère plus de vingt minutes, je dois avertir un collègue pour lui demander de prendre la relève. Imagine que quelqu'un se trouve au seuil de la mort, il faut un prêtre pour lui donner les derniers sacrements.

Maurice prit le manteau de son cadet, l'accrocha dans la penderie.

— À la fin, tu me rassures sur mon choix professionnel. Aucun de mes étudiants ne ressent le besoin de me voir de toute urgence les jours de congé. Viens t'asseoir.

Une fois le visiteur sur le canapé du salon, Maurice alla chercher une bière pour chacun d'eux. Quand il reprit son fauteuil habituel, il attendit. Son frère ne prononça pas un mot.

— Bon, s'impatienta l'aîné, me racontes-tu cette histoire avec maman ? Tu es venu pour ça, non ?

— Au téléphone, elle était bouleversée à cause de ton absence. Un dimanche sur deux, depuis que tu as quitté la maison, tu lui rends visite. Je pensais trouver l'un de vous malade, toi ou ta fille. Enfin, je te pensais retenu par une urgence quelconque.

— C'est vrai, excepté quelques cas de force majeure, je me suis présenté chez elle de façon systématique. Puis, voilà que je suis enfin capable de sortir de sa poigne. À quarante-trois ans, ça ne fait pas de moi un garçon précoce. Un optimiste dirait : mieux vaut tard que jamais.

— Peux-tu me traduire ça en termes plus clairs ?

Le compte rendu de son dernier repas dominical chez les Berger dura à peine quelques instants.

— Juste ça ? Un différend sur ta façon d'élever ta fille ?

— Je sais d'expérience que Perpétue n'a aucune leçon à donner à ce sujet.

Dans les circonstances, utiliser le mot « maman » lui aurait écorché les lèvres.

— Je te concède qu'elle se situe un cran au-dessus de la belle-mère d'Aurore l'enfant martyre, dit encore Maurice. Juste un cran, pas plus.

Le film racontant la vie d'Aurore Gagnon repassait régulièrement sur les écrans québécois depuis sa sortie, des années plus tôt. Le public ne se lassait pas de ces horreurs.

— Cette grève des dîners dominicaux durera longtemps ?

— J'y retournerai le jour où je penserai y prendre plaisir.

— Ça peut prendre longtemps.

— Comme elle a déjà indiqué que tout l'héritage des Berger ira à ta paroisse, je suis disposé à profiter de mes dimanches pour un très long moment. Je n'ai aucun intérêt à me comporter autrement.

La jalousie pointait sous ces mots, un ressentiment cultivé au cours des quarante dernières années. Le prêtre se déplaça sur son siège, mal à l'aise.

— Ce n'est pas une réponse, ça.

— Des fois, je me dis que ce n'est pas une mère, ça.

La gêne monta encore. Finalement, Maurice lâcha :

— Ne t'en fais pas pour elle. Avoir un mauvais fils et l'endurer chrétiennement la rapproche du paradis.

Comme son cadet ne répondait toujours rien, il ajouta :

— Elle sait très bien où j'habite, et elle connaît mon numéro de téléphone. Si elle veut s'excuser, rien ne l'en empêche.

Voilà une éventualité qui ne surviendrait jamais, ils le savaient tous les deux.

— Sa vie n'est pas si facile, tu sais.

— Moins que la mienne ou la tienne ?

— Comment veux-tu que je réponde à ça ?

Le prêtre parut un moment songeur, porta la bouteille de bière à ses lèvres. Des spécialistes de la question affirmaient que la forme de celle-ci rappelait le sein de la mère. À ce moment précis, l'homme d'Église n'aurait pas apprécié qu'on le souligne.

— Papa la trompe avec l'une de mes paroissiennes. Cela dure depuis des années.

L'information mit un moment à prendre tout son sens, puis Maurice protesta :

— Comment peux-tu savoir une chose pareille ?

L'ecclésiastique demeura impassible, mais bientôt son frère comprit. Cette paroissienne se confessait de ses fautes. Venait-il de trahir le secret nécessaire entre une fidèle et son pasteur ? Dans ce cas, la faute serait impardonnable. Mais c'était là une belle illustration de l'impossibilité, pour les habitants de cette province, de jouir d'un certain anonymat. Quoi que l'on fasse, du moment où une seconde personne était impliquée, rien ne demeurait secret.

— L'histoire dure depuis des décennies. Cela a commencé avant ma naissance, et peut-être même avant la tienne.

— Toujours avec la même ?

Ainsi, un homme pouvait tromper sa femme et se montrer par ailleurs très fidèle. Cela ressemblait à deux ménages parallèles.

— Il s'agit d'une aventure de quarante ans. Toutefois, rien ne dit qu'elle était seule à profiter de ses faveurs.

— Perpétue ne le sait pas, je suppose.

De nouveau, le professeur préféra utiliser le prénom.

— Je ne le lui demanderai pas, mais je présume qu'elle sait. Tu connais les absences de papa tous les dimanches après-midi et tous les mercredis soir.

— Les Chevaliers de Colomb…

Voilà qui expliquait que le marchand bien en vue ne jouissait jamais de promotion dans l'organisation, malgré une apparente assiduité exemplaire.

— As-tu déjà cru à ces réunions convoquées le 25 décembre ou le premier de l'An ?

— Oui, admit l'aîné. Je pensais à un homme fatigué de se faire crier après, heureux de retrouver des confrères le plus souvent possible.

— Pareille situation explique sans doute le tempérament de maman.

Le prêtre n'abandonnait pas le titre, jamais il ne s'éloignerait de sa génitrice. Même si cette histoire était vraie, une frustration conjugale ne devait pas se répercuter sur le bonheur des enfants, selon Maurice. Cela ne réduisait en rien sa conviction d'avoir été abandonné.

❖

Les moyens financiers de deux élèves du secondaire, à moins que leurs parents ne roulent sur l'or, s'avéraient rarement très grands. Ce dimanche après-midi, Marie-Andrée et Jeannot avaient convenu de se retrouver au parc, une activité gratuite. La température était douce, les bancs inoccupés nombreux.

En plein air, sous les regards des badauds, les bises se révélèrent très chastes. Une fois assis, le garçon posa son bras sur le dossier pour mettre la main sur l'épaule de son amie. Ce geste amenait l'adolescente à incliner un peu son corps, pour s'appuyer contre lui.

Pendant un moment, Jeannot fredonna quelque chose à voix basse. Marie-Andrée mit un moment à reconnaître la chanson de Georges Brassens, puis elle chanta sur le même air :

Les amoureux qui se bécotent
Sur les bancs publics, bancs publics

Le garçon lui embrassa la joue une fois, deux fois, trois fois… jusqu'à ce qu'elle lui abandonne ses lèvres.

— Nous devrions former un duo, comme les Carpenters, aux États-Unis.

— Tu es fou.

Ce mots ne devaient pas être pris au pied de la lettre, mais tout de même, Jeannot aurait aimé savoir s'ils signifiaient

«Je t'aime bien», ou simplement «Je t'aime». Lui-même ne savait pas trop comment il présenterait leur relation.

— Puis il s'agit du frère et de la sœur, je crois, intervint-elle.

— Alors, oublie le projet de duo. Mes pensées ne conviendraient pas à une relation fraternelle.

La jeune fille eut un sourire contraint. Donc il pensait à «ça»… Le garçon changea totalement de sujet.

— Savais-tu que Denise a tenu un party chez elle, hier?

L'allusion provoqua un petit pincement au cœur de Marie-Andrée.

— Tu me l'apprends.

— Moi, c'est Tremblay qui me l'a dit ce matin sur le perron de l'église.

Le récit de son camarade de classe témoignait de son excellent souvenir de cette rencontre sociale. «Esti, ses parents étaient pas là. Les lumières du sous-sol sont restées éteintes une bonne quarantaine de minutes, à la fin. J'comprends comment les aveugles peuvent retrouver leur chemin : avec les mains ! Si les Marois étaient pas revenus, on s'rait encore là. » La réception avait réuni une douzaine de garçons et de filles.

— On ne se voit pratiquement plus, elle et moi, expliqua Marie-Andrée, sauf en classe et à la cafétéria.

Même le trajet entre l'école et la maison ne s'effectuait plus ensemble. La blonde devait toujours partir très vite, ou un peu plus tard. Mal à l'aise devant cette attitude, Marie-Andrée s'était faite discrète. De toute façon, elle espérait habiter Montréal deux mois plus tard, s'accrocher à sa vieille amie ne lui donnerait rien.

Les allusions aux galipettes du vieil Ernest ne retinrent pas très longtemps la conversation. Maurice s'interdisait de demander des détails. De toute façon, celui des deux qui les connaissait était tenu au secret de la confession. Adrien avait accepté une seconde bière, les bouteilles traînaient sur la table basse. Bientôt, il devrait partir.

— Au sujet de maman, tu ne feras pas un geste ? s'enquit-il.

— Je me demande pourquoi tu as accepté de te mêler de cette question. Tu me fais l'effet d'un conciliateur devant éviter un conflit de travail.

Cette fois, Adrien prit sur lui de se lever pour aller chercher une autre bière pour son frère et lui, puis avala une bonne lampée de la sienne, soucieux de bien peser ses mots avant de dire quoi que ce soit.

— J'aimerais que tu remplisses le même rôle pour moi. Que tu prennes soin d'elle. Je risque de la faire souffrir beaucoup, elle aura besoin de ton soutien.

Cette fois, Maurice s'installa bien droit dans son fauteuil, la mine terriblement sérieuse. Cette entrée en matière conduisait sur un terrain très prévisible.

— Comme ça, toi aussi, remarqua-t-il simplement.

— Rien n'est décidé, mais je remets tout ça en question.

Le « tout ça », c'était la prêtrise.

L'enseignant trouvait la situation étrange. Un homme pouvait « remettre en question » une occupation professionnelle, lui-même réfléchissait à sa place au collège ces dernières semaines. Toutefois, on avait la vocation sacerdotale ou on ne l'avait pas. Il s'agissait d'un appel de Dieu. Impossible de Lui répondre : « Peut-être, si je ne trouve pas mieux. »

Adrien saisit bien le jugement non formulé, car tout de suite il se mit sur la défensive :

— Je ne sais rien faire d'autre pour gagner ma vie. Des contingents de défroqués traînent du côté des bureaux d'assurance-chômage, de nos jours.

— Mais si tu ne crois plus en Dieu…

— Que dis-tu là ? Jamais je n'ai dit que j'avais perdu la foi.

La protestation venait avec trop de véhémence pour être tout à fait franche. Maurice continua sa phrase sans se soucier de l'interruption.

— … ou au travail pastoral, tu ne peux pas continuer.

Cette fois, le prêtre préféra rester silencieux plutôt que d'évoquer encore le chômage. Après une pause, il commenta :

— Dans une telle situation, c'est un dur coup pour les parents. Je ne saurais comment le leur annoncer.

— Là, tu parles de maman. Papa va simplement te répondre en te parlant de faucheuses ou d'une nouvelle presse à foin.

— Alors, je souhaitais que tu le leur dises à ma place… mais seulement si je me retire, bien sûr.

Il s'agissait d'une conversation étrange, où chacun semblait se livrer à un monologue.

— Je pense que ce serait moins dur pour elle si tu le lui disais.

L'enseignant s'imagina jouant ce rôle d'intermédiaire. Perpétue l'accuserait à coup sûr d'être responsable de cette calamité.

— Ne crois-tu pas que Justine conviendrait mieux ? Avec son costume d'hospitalière, maman n'osera pas lui tomber dessus avec trop de cruauté.

Le silence qui lui répondit parut tellement embarrassé que Maurice se demanda si sa sœur ne songeait pas elle aussi à jeter sa défroque. Il essaya de gommer l'acide dans son ton. Il avait entendu la même remarque pendant des années : « Tu aurais dû faire comme ton petit frère et devenir curé. Qu'est-ce qui te reste, maintenant ? Tu as perdu ton âme pour le plaisir de coucher une femme dans ton lit ! » Éprouver aujourd'hui la moindre compassion s'avérait difficile.

— Je ne lui dirai rien, cela t'appartient. Cependant, je peux te rassurer.

Avant que le prêtre ne proteste, il s'empressa d'ajouter :

— Elle va dire en mettant la main sur son cœur : "Tu vas me faire mourir." Je le sais, j'y ai eu droit quand je lui ai appris que je n'entrerais pas en religion. Mais elle ne mourra pas. Elle sera juste en colère parce que tu refuses la vie dont elle a décidé à ta place.

Dans ce genre de situation, les mères ne mouraient jamais.

Adrien donna son assentiment d'un signe de la tête, même si ces paroles lui paraissaient très dures. Il ne s'agissait pas d'une surprise. Jamais il n'avait vraiment cru que son frère annoncerait la nouvelle à la mégère afin de lui épargner sa colère. Toutefois, pour la toute première fois, il venait d'exprimer à haute voix ses doutes sur son avenir. Un pas était franchi dans son éventuel divorce d'avec l'Église.

Il termina sa bière, puis remarqua, cette fois en souriant :

— Marie-Andrée m'a paru bien en forme, tout à l'heure au téléphone. Comment se porte-t-elle ?

— Elle trouve le courage de sortir de sa coquille, et moi celui de laisser la vie suivre son cours.

— Du côté des garçons ? Il y a un mois, nous parlions du livre du docteur Gendron.

— De la théorie, elle est passée à la pratique.

Maurice espérait la voir demeurer prudente, et son instinct l'incitait à lui faire confiance. Prudente sans être peureuse : un équilibre délicat à maintenir.

— Amoureuse?

— Je ne sais pas. Elle sort avec l'un de mes élèves, un gentil garçon. Elle pourrait tomber infiniment plus mal, alors si ça devient sérieux, je serai heureux pour elle.

— Mais ton désespoir sera de courte durée si cette histoire demeure un engouement d'adolescente.

Le père hocha la tête. Cela décrivait assez bien la situation. Le choix ne serait pas le sien. Seul lui importait qu'elle échappe aux pires coups de l'existence. Avoir perdu sa mère à treize ans suffisait comme épreuve, dans une vie.

— De ton côté?

Le professeur mesura combien le malaise pouvait passer rapidement de l'un à l'autre.

— Je travaille là-dessus. Si tu as une paroissienne avec un peu de charme, présente-la-moi. Pas la flamme de mon père, toutefois.

Curieusement, il n'avait pas évoqué celui-là par son prénom. Il se corrigea tout de suite:

— Tiens, nous pourrions sortir à six: toi et ta… ménagère, Ernest et sa dulcinée, moi et une charmante inconnue.

Après une pause, Maurice formula à haute voix la pensée qui lui était venue spontanément à l'esprit:

— Ta remise en question professionnelle tient-elle à une rencontre?

— Oh! Non!

Cette réaction était si chargée de conviction qu'elle devait être véridique. Adrien ressemblait trop à sa mère pour payer si cher le plaisir d'une relation amoureuse. Ça ne valait pas d'abandonner un emploi aussi avantageux.

Le soleil se couchait un peu plus tard. Cela permettait de retarder les leçons de conduite. Se sentant plus confiante, Marie-Andrée s'engageait maintenant dans des rues relativement passantes. Maurice proposa de se rendre chez ses parents, « un environnement que tu connais très bien ». La suggestion étonna l'adolescente, mais elle voulut bien accepter.

Son père conduisit jusqu'à une centaine de verges de la maison du couple Berger, puis lui abandonna le volant, lui proposant d'effectuer un court trajet à plusieurs reprises. La troisième fois, il vit une grosse voiture sortir dans la rue.

— Voilà ton grand-père. Penses-tu que tu pourrais le suivre ?

La jeune fille lui jeta un regard intrigué.

— Il roulera beaucoup plus vite que moi, puis il a une transmission automatique.

Comme elle s'exerçait sur la pédale d'embrayage depuis peu, cette technologie lui paraissait un luxe inouï.

— Je pense que tu y arriveras. Si ce n'est pas le cas, je te suggérerai un exercice mieux adapté.

Pendant les premières minutes, ce fut facile. Ernest Berger allait lentement sur une route sans obstacle. Dans la ville, il y avait plus d'arrêts obligatoires, Marie-Andrée cala quelques fois. Quand elle croisait un véhicule, elle ralentissait à dix milles à l'heure. Lorsqu'un véhicule la dépassa, l'adolescente s'immobilisa en laissant échapper un « Maudit ! » entre ses dents. Dans la bouche d'une jeune fille sage, cela représentait un vrai gros mot.

— Mets-toi au neutre, je vais prendre ta place.

Une minute plus tard, Marie-Andrée se poussait vers la droite sur la banquette.

— Si je t'ai demandé quelque chose de trop difficile, je m'en excuse.

— Je ne suis pas très douée.

— Peut-être n'as-tu pas un bon moniteur.

Maurice lui adressa un sourire crispé. Son frère avait dit vrai : en ce dimanche, Ernest se dirigeait bien vers la paroisse Saint-Jacques, celle d'Adrien.

Chapitre 20

Au moment du lunch, comme ils en avaient l'habitude les beaux jours où aucun d'entre eux n'exerçait de surveillance dans la cour d'école, les deux collègues allaient manger dans le parc voisin. Pour la première fois depuis plus de vingt ans, Émile Trottier proposa :

— Ça te tente de venir prendre un verre, ce soir ?

Comme son ami l'interrogeait des yeux, il précisa :

— Jeanne est allée rendre visite à quelqu'un de sa famille.

Rentrer à la maison pour la trouver vide ne disait rien à cet ancien religieux. Auparavant, il ne devait avoir été seul dans un logis que très rarement.

— Si tu me laisses quelques minutes à la fin des cours, le temps que je dépose une note à l'intention de Marie-Andrée, d'accord.

— Évidemment. Comment va cette belle enfant ?

— Comme je la vois sourire plus souvent, très bien, je suppose.

— Tu n'es pas certain ?

Le ton était chargé d'ironie.

— Du temps de nos parents, tout était simple : ils envoyaient des enfants de son âge en usine, ou alors dans un collège ou un couvent. Comme les miens ne m'ont rien appris, maintenant je me tape un gros livre sur la psychologie des douze-vingt ans. Je me fie à son sourire et à son ton enjoué pour évaluer ma performance en tant que père.

Émile lui mit la main sur l'épaule, la serra un peu. «Voilà qui est curieux. Nous avons échangé plus de confidences depuis Noël qu'au cours des deux dernières décennies», songea Maurice.

— Je lis des ouvrages du même genre depuis que Jeanne est enceinte. On dirait que la science des fusées n'est rien à côté des soins à donner à un bébé.

Le constat mit fin à leur conversation. Ils regagnèrent leur classe, pleine de jeunes gens plus mystérieux que la face cachée de la Lune. Ils en venaient à considérer les missions de Saturn V comme une promenade du dimanche.

Les deux hommes poursuivirent leur conversation à la taverne en fin d'après-midi, chacun devant une grosse bière. À un moment, Maurice demanda :

— Jeanne continue-t-elle à fouiller dans son carnet d'adresses pour me trouver une cavalière, ou juge-t-elle mon cas désespéré ?

— Jamais elle ne déclarera forfait. C'est juste qu'à ses yeux, celles qui n'ont pas trouvé preneur au cours des dernières années ne sont pas dignes de ton intérêt, et heureusement, les décès des hommes de notre âge ne sont pas si nombreux.

— Je suppose qu'il y avait une seule veuve accorte dans tout Saint-Hyacinthe, et tu l'as rencontrée avant moi.

Le ton contenait une dose suffisante d'ambiguïté pour qu'Émile ne sache quelle attitude adopter. Il préféra en rire :

— Je me sens souvent comme le gagnant du *sweepstake* irlandais.

— De mon côté, je n'ai jamais même gagné une tombola paroissiale.

Ils se séparèrent sur une poignée de main.

Dans sa Volkswagen, Maurice se reprocha sa morosité. Ses sous-entendus risquaient d'éloigner son seul ami. Bien pire, ses mots constituaient un véritable affront à son épouse défunte. Il frappa des deux mains sur son volant, laissant échapper un juron.

❖

Sur le marché des amours, finalement tout le monde trouvait satisfaction, sauf Maurice. Même Ernest, l'homme muet, effacé dans son propre foyer, maintenait une relation illicite durable, un second ménage en quelque sorte. Le professeur se faisait l'impression de se tenir dans un magasin de jouets où tout lui était inaccessible. Sa frustration lui inspirait des comportements douteux.

En rentrant à la maison le lendemain soir, le professeur se sentait de bien mauvaise humeur. Il lui faudrait trouver une raison de sourire, sinon Marie-Andrée s'inquiéterait de ses états d'âme.

Une enveloppe de papier kraft soulevait le couvercle de la boîte aux lettres. Sur le coin supérieur gauche, aucune indication d'expéditeur. Ces envois discrets permettaient d'habitude d'obtenir des livres – ou des films – osés. Comme Maurice n'avait rien commandé de tel, il devina tout de suite que cette enveloppe devait provenir de *Nos Vedettes*.

Deux semaines plus tôt, il avait reconnu sa lettre un peu raccourcie dans la page de l'agence de rencontres. Sa lecture avait avivé davantage son malaise, celui de ne pouvoir dénicher une compagne par des moyens plus orthodoxes. Dans la maison, il alla poser son sac dans son bureau. Un coupe-papier lui permit d'ouvrir l'enveloppe. Quatre enveloppes plus petites portaient son pseudonyme et l'adresse du journal. Sa missive à Fleur Sauvage avait parcouru le chemin inverse.

337

Il consulta la montre à son poignet. Sa fille ne serait pas là avant une vingtaine de minutes. Assis derrière son pupitre, il fit disparaître trois enveloppes dans un tiroir, déchira le rabat de la dernière. La feuille de papier portait quelques lignes d'une écriture irrégulière, celle d'une personne ne tenant pas souvent la plume.

Cher monsieur,
En réponse à votre annonce, je suis une femme propre,
honnaite…

Que tant de femmes, dans la page de *Nos Vedettes*, mentionnent la propreté en disait long sur les habitudes d'hygiène de ses congénères.

Vous, vous faites l'école, bin moé, chus pas aller longtemps. J'ai
des belles valeurs pareil. J'aime le beau…

Ces mots revenaient régulièrement dans les annonces du journal. Chacune reprenait des phrases faciles, tant cette façon d'entrer en relation était peu naturelle. Suivaient des mensurations un peu trop généreuses pour être harmonieuses et, en guise de promesse :

Chus pas bien instruite, mé j'sé comment prendre soin d'un
homme.

En voilà une qui ne risquait pas de devenir la nouvelle madame Berger. Maurice prit la précaution de déchirer la missive en tout petits morceaux. Il ne soupçonnait pas sa fille de lire sa correspondance, mais la pensée qu'elle sache ce qu'il faisait le rendait particulièrement mal à l'aise.

Le professeur allait ouvrir une autre enveloppe quand le bruit de la porte d'entrée lui parvint.

— Bonsoir papa !

— Je suis dans le bureau, répondit-il. Je te rejoins tout de suite.

— Si tu as du travail, je peux m'occuper du souper.

— Non, non.

L'instant d'après, il lui faisait la bise, s'informait de sa journée à l'école. Pendant la préparation du repas, et toute la soirée ensuite, la conversation ne démarra pas vraiment, son esprit revenant sans cesse aux trois autres correspondantes. Toujours par souci de discrétion, l'homme attendit que sa fille se retire pour la nuit avant de réintégrer sa pièce de travail.

La seconde missive dont il prit connaissance venait d'une Carmen, elle aussi visiblement en chicane avec l'orthographe et la syntaxe. Une phrase en particulier lui valut le même sort qu'à la première :

Professeur, cé ti une job stédée, ça ?

Pourtant la question demeurait tout à fait légitime. Chacun savait que dans le mariage, l'homme devenait le pourvoyeur de la famille, et la femme dispensait ses bons soins en échange. Avant d'aller plus loin dans une relation en vue de bâtir une union semblable, quoi de plus naturel que de vouloir savoir quels bénéfices en attendre ?

Tout de même, Maurice préférait le respect de certains usages, dont la prétention d'un intérêt totalement gratuit, chacun ne devant chercher chez l'autre que les qualités de cœur. Sans se leurrer sur le reste, toutefois.

Les deux lettres suivantes témoignaient de liens plus suivis avec la grammaire Grevisse. La première lui fit un peu peur :

*Femme dans le vent, je sais comment donner satisfaction à
mon homme…*

Le professeur ne se sentait pas du tout dans le vent, alors
cette dame serait sans doute bien déçue avec lui. Dans un
monde où l'amour devenait le lieu de bien des performances,
comment serait-il à la hauteur ? Homme d'une seule femme,
il s'était senti rassuré devant une vierge timide ne prenant
jamais les devants, totalement inexpérimentée. À l'époque,
ces caractéristiques lui étaient apparues comme la preuve
de sa vertu. Ce ne serait jamais le cas avec les clientes de ces
agences de rencontres, à moins de jeter son dévolu sur les
plus jeunes. Et encore ! Il lui semblait que même celles-ci le
laissaient loin derrière elles quant à l'expérience amoureuse.

En allant se coucher, il avait la conviction que cette
démarche ne donnerait rien. On ne se procurait pas des
femmes dans les petites annonces, comme on le faisait pour
un appartement ou une automobile usagée. Une femme lui
plaisait dans cette ville, et elle ne portait pas d'alliance au
doigt.

❖

Le lendemain, il stationnait sa voiture tout près du café
de la gare routière pour retrouver l'habituelle combinaison
de voyageurs, de chauffeurs de taxi et de camionneurs. Il
n'y avait pas de place au comptoir, aussi il se planta devant
le présentoir de journaux et s'absorba dans la lecture du
Courrier. À un moment donné, la serveuse lui montra une
table libre ; il fit semblant de ne rien remarquer.

Heureusement, un chauffeur de la compagnie d'autocars
se rappela la vingtaine de personnes attendant qu'il les
conduise à Sherbrooke. Maurice occupa sa place, posa son

journal plié devant lui. Diane lui apporta tout de suite une tasse de café en disant :

— *Long time no see.*

— Un peu trop de travail, je suppose.

La serveuse leva les sourcils, incrédule, puis se moqua un peu :

— La même chose que la dernière fois, je suppose ?

L'homme dit oui d'un mouvement de la tête, sans trop se souvenir de sa dernière commande. La tarte aux pommes lui parvint dans la minute suivante. La femme allait se tourner vers un autre client quand il s'enquit :

— Comment vas-tu, Diane ?

Pour la première fois, l'homme la tutoyait, sans même lui en avoir au préalable demandé la permission. Cette fois, il obtint son attention, et même l'esquisse d'un sourire sincère.

— Bien, même si j'aimerais mieux être à la maison passé sept heures.

— Tu commences à six heures, non ?

— Je préférerais arriver ici à six heures le matin, pour être à la maison vers trois, même quatre heures.

Sur ces mots, la serveuse s'intéressa à ses autres clients. À ce moment de la journée, ceux-ci ne lui laissaient que de rares moments de répit. Maurice eut le temps de parcourir son journal soigneusement, les petites annonces comprises, pour apprendre que des soldes se tenaient au magasin de meubles Léveillé.

« Je suppose que la blonde de l'un des fils du proprio obtiendrait de meilleurs prix encore. » Ce privilège ne servirait à rien, ni lui ni elle n'achèteraient quoi que ce soit avant longtemps.

Après huit heures du soir, quand Diane s'approcha de nouveau, il réagit à la remarque précédente :

— Évidemment, si tu as de la famille au travail ou à l'école pendant la journée, tu ne la vois à peu près jamais.

La serveuse n'évoqua ni époux, ni enfant, ni parent dont elle se trouvait ainsi séparée, mais elle ne s'éloigna pas.

— Tu as certainement un jour de congé, remarqua-t-il encore.

— Enquêtes-tu pour le ministère du Travail ?

— Non, je voulais simplement t'inviter à faire quelque chose avec moi.

Il lui avait fallu des semaines pour se convaincre de dire ces mots à une femme lui plaisant beaucoup. À quelques pas, un client frappa le comptoir avec son briquet, un geste juste un cran au-dessus du claquement de doigts quant à l'indélicatesse. Diane s'éloigna après avoir articulé un « Je reviens » muet.

Pour Maurice, cela signifiait de longs instants à craindre sa réaction. Cette femme était jeune, jolie, très bien tournée. Les prétendants devaient se bousculer. Quand elle revint après avoir répondu à l'impatient à la caisse, elle lui dit :

— D'accord. Le dimanche est mon seul jour de congé. Tu as une idée, à part la messe ?

— Nous pourrions y réfléchir tous les deux. Je repasserai demain soir, nous déciderons ensemble.

— Pour une fois, je ne me dirai pas que tu viens seulement pour la tarte.

Le professeur paya, puis rentra peu après. Une nouvelle fois, il s'interrogea sur l'explication à donner à Marie-Andrée. Des deux, il demeurait le moins assuré, incapable d'assumer ses propres désirs.

❖

Jusqu'au samedi matin, Maurice s'empêtra dans ses histoires pour expliquer les motifs de ses absences en soirée. Il était retourné non pas une, mais deux fois au restaurant de la gare. Puis ce jour-là, au petit déjeuner, il estima plus simple de dire la vérité. Il commença en s'excusant, puis enchaîna :

— Hier soir, je suis retourné voir une femme. Comme elle travaille au café de la gare, depuis quelques semaines, je suis allé la reconduire à plusieurs reprises chez elle… Elle termine à minuit.

— Le jour où nous sommes allés à Montréal avec Jeannot, tu nous as laissés seuls…

— Pour aller la voir en cachette. Je sais, c'est ridicule.

Marie-Andrée ne savait quel sens donner au dernier mot de sa phrase. Ridicule de rencontrer cette femme, ou ridicule d'en avoir honte au point de le dissimuler ?

— Tu peux me parler d'elle ?

— Eh bien… Il y a peu à dire. C'est juste une serveuse.

Pour une rare fois, Maurice décevait sa fille.

— Si tu es allé la voir si souvent, ce n'est certainement pas juste une serveuse.

Le père ne savait comment expliquer que son intérêt s'alimentait à chacune des courbes de son corps, soulignées par un uniforme taillé trop serré dans du mauvais tissu synthétique. Devant sa fille, passer pour un goujat s'avérait mieux que de dévoiler ses rêves érotiques, il en était convaincu.

— Demain, elle et moi, nous irons passer une partie de la journée à Montréal.

— Vous savez ce que vous ferez ?

— Le cinéma ne lui disait rien, d'autant que la radio annonce une belle température. Alors, nous nous sommes décidés pour une journée à l'Expo.

Les yeux de l'adolescente s'arrondirent. Elle déclara, visiblement jalouse :

— À l'Expo ? Quelle chance elle a !

Soudain, Maurice se sentit coupable de ne pas avoir réservé cette primeur à sa fille. La pensée de l'emmener aussi lui vint à l'esprit, même si pour un premier rendez-vous ce serait tout gâcher. Si l'adolescente avait juste un peu insisté, il se serait décommandé auprès de Diane. Heureusement, sa fille s'avérait la plus raisonnable des deux.

— Jeannot a évoqué l'idée que nous prenions l'autobus tôt le matin pour y aller. Pas demain, je ne voudrais pas tomber sur vous, mais la semaine prochaine.

Dans les circonstances, le père ne pouvait s'y opposer. Tout au plus s'inquiéta-t-il de la faisabilité de l'expédition.

— Ne risquez-vous pas de perdre votre journée à vous arrêter dans chacun des villages, à l'aller comme au retour ?

— Il s'agit d'un service spécial, nous descendrons à la station de métro Longueuil.

Maurice hocha la tête pour donner son assentiment, puis lui demanda :

— Demain, trouveras-tu à t'occuper ?

— Je me le demande. Je me morfondrai peut-être à t'attendre. Une chance, il y a les vêpres en après-midi.

Cette fois, le professeur jugea à propos de ne pas se faire plus inquisiteur, sinon il entendrait : « Papa, j'ai dix-sept ans, bientôt dix-huit. » Le changement de chiffre ne surviendrait que tard l'automne suivant, mais elle l'avait déjà mentionné.

✥

La nervosité de Maurice dépassait, et de loin, celles de Marie-Andrée et de Jeannot additionnées lors de leur premier rendez-vous. À huit heures, il était stationné devant la porte de la jeune femme. Diane Lespérance devait surveiller sa venue, car elle apparut tout de suite en haut de l'escalier. Elle portait un pantalon d'un bleu électrique se terminant à mi-jambe, avec une chemise un peu plus pâle. Un petit sac blanc pendait à son épaule. Quand elle s'approcha de la Volkswagen, sa démarche avait quelque chose de sinueux.

L'homme se tenait debout, comme fasciné, oubliant de lui ouvrir la portière.

— Bonjour, fit-elle en s'arrêtant devant lui.

Le moment était parfait pour une bise sur la joue, peut-être sur les lèvres. Pourtant, il ne bougea pas. Quand il se manifesta enfin, la magie était passée.

— ... Bonjour. Je suis heureux de te revoir.

Il ouvrit la portière, la referma quand elle fut assise, reprit sa place.

— Sans ce maudit uniforme, tu es magnifique.

Le «Merci» se perdit dans le bruit du démarreur. Très vite, ils arrivèrent sur l'autoroute transcanadienne.

— Nous faisons une jalouse, ce matin. Ma fille me l'a répété encore au déjeuner tout à l'heure.

— Au point où tu as failli lui proposer de venir avec nous, commenta Diane, un peu moqueuse.

— Au point où dimanche prochain, elle fera la même chose avec son petit ami. Mais si tu regrettes son absence, je peux encore faire demi-tour.

— ... Ce ne sera pas nécessaire.

Tout de même, Diane s'amusait de la répartie. Elle se laissa glisser sur son siège et allongea les jambes autant que possible dans une si petite voiture. Maurice jetait des regards de biais à sa compagne, appréciant le corps ainsi offert à sa vue.

— Tu me rappelles son âge ?

— Dix-sept ans.

— Une bonne élève, je parie.

— Avec un père professeur, elle avait le choix entre être très mauvaise, pour me faire suer, ou très bonne pour me faire plaisir.

« Bien sûr, la petite fille parfaite a excellé pour faire plaisir à papa », songea la serveuse.

— Comme le mien travaillait en usine, je pouvais me permettre d'être moyenne. Très moyenne, en réalité.

— Ta vie s'en porte-t-elle mieux ou moins bien ? Au bout du compte, cela seul a de l'importance.

Un silence gêné suivit. Tous deux semblaient enclins à tester la température de l'eau. Quelle distance entre une mauvaise élève et un enseignant à l'air sévère !

— Rien de très bien, en tout cas, sinon je ne passerais pas six soirées par semaine dans ce café.

Cela signifiait sa reddition, en quelque sorte. Par la suite, chacun exprima sa satisfaction devant la belle journée ensoleillée et l'été de festivités à venir. Bientôt, Maurice se garait dans l'immense espace autour de la station de métro Longueuil. L'auto se retrouva pourtant tout au bout, dans l'une des dernières places disponibles. Quand Diane descendit du véhicule, son compagnon remarqua :

— J'espérais que nous aurions la chance d'éviter les foules, un dimanche pendant la messe. C'est raté.

— Les curés ne cessent de s'en plaindre, la religion s'en va chez l'diable.

La remarque ramena à la mémoire du professeur la confidence de son frère. Aucune onde de choc n'étant parvenue jusqu'à son domicile, sans doute le prêtre n'avait-il pas encore annoncé sa démission. L'attrait d'un bon emploi demeurait déterminant, probablement.

Maurice et Diane marchèrent vers l'édifice de béton nouvellement construit. Après l'achat des billets, le couple descendit jusqu'au quai.

— Je vais monter là-dedans pour la première fois.

— Moi aussi.

Le train s'arrêta bientôt devant eux, les portes de la voiture bleue et banche s'ouvrirent. Ils se laissèrent entraîner par le flot des passagers pour monter dans le wagon.

❖

La station de métro de l'île Sainte-Hélène, de béton elle aussi, déversait une véritable foule. Le toit de verre maintenait dans la station une température assez élevée, aussi tout le monde s'empressait de regagner l'air libre. Maurice fit un tour sur lui-même, désigna une sphère située non loin.

— Nous voilà dans une situation difficile. Je me demande si nous ne devrions pas commencer par là. Alors, si nous mourons dans un accident en rentrant à la maison, nous aurons au moins la satisfaction d'avoir vu l'un des deux plus beaux pavillons. D'un autre côté, si nous venons plusieurs fois, les autres paraîtront plus fades.

— Je n'ai pas prévu de mourir aujourd'hui. Cependant, comme je ne sais pas du tout si je pourrai revenir, autant aller vers le meilleur.

La grande sphère transparente se situait à quelques dizaines de verges.

Maurice et Diane formaient un couple un peu curieux. Avec sa veste de tweed et son pantalon sombre, Maurice s'affichait comme un professeur aussi clairement que s'il avait porté un écriteau. Diane, de son côté, montrait chacune des courbes dont la nature l'avait gratifiée. Son pas avait quelque chose de félin. On pouvait l'imaginer marchant vers la plage la plus proche.

Même peu de temps après neuf heures, une longue file de visiteurs se formait. Deux douzaines de drapeaux américains se dressaient sur la gauche. Comme le soleil ne tapait pas bien fort en ce mois de mai et qu'une brise fraîche venait du fleuve, personne ne s'énervait de l'attente.

— Tu es veuf depuis un long moment, je pense.

L'allusion au décès d'Ann mettait toujours Maurice mal à l'aise. D'un autre côté, le sujet ne pouvait être ignoré. Diane y revenait pour la seconde fois.

— Depuis quatre ans.

— Aucune femme n'est entrée dans ta vie depuis ?

Répondre « Oui, ma fille » aurait prêté à une affreuse méprise, même s'il s'agissait bien de la vérité. Il lui avait donné toute son attention, au point de se perdre de vue lui-même.

— Aucune.

Dans un monde où la sexualité s'affichait partout, où l'abstinence apportait son lot de soupçons sur l'orientation d'un individu ou sur sa santé mentale, cette réponse le rendait suspect. Le silence qui s'ensuivit témoignait d'ailleurs du malaise de Diane. Ils avancèrent d'une vingtaine de pas avant qu'elle n'ose demander :

— Ça ne te disait rien ?

L'homme eut un peu de mal à contrôler son mouvement d'humeur. Pourquoi était-ce si difficile de comprendre qu'un homme se consacre à son devoir de père ?

— Tu crois que j'étais indifférent ? Je te fais l'impression de l'être, aujourd'hui ?

Tous deux savaient qu'ils parlaient de sexualité, même si le mot ne serait pas prononcé. Le fait que les gens devant et derrière eux parlent anglais protégeait cette conversation intime, mais ce mot sonnait de la même façon dans les deux langues.

— Pas du tout. J'ai rarement connu quelqu'un avec des yeux aussi… gourmands que les tiens.

«Le mot "pervers" ou "obsédé" conviendrait sans doute mieux», pensa Maurice.

— Cependant, pas une parole, ou un geste pour exprimer ce désir. Je n'ai pas l'habitude de ce genre d'attitude. Une fille seule chaque soir dans un café en entend de belles. Pas un jour sans une invitation salace, et c'est sans compter ceux qui se montrent prêts à sauter par-dessus le comptoir. Comme c'est ma job d'être là, impossible de me sauver quand c'est trop pour moi.

Le professeur imaginait sans mal combien ses jeunes collègues, surtout Labonté, risquaient de se montrer insupportables dans pareille situation.

— On m'a appris à garder mes pensées et mes mains pour moi.

— Donc, la femme doit interpréter les silences... et les regards.

«Avec tous les risques d'incompréhension en prime», songea Maurice. Que devait-il faire maintenant? Lui retourner ses questions? Où se trouvait la frontière entre paraître indifférent et devenir indiscret?

— De ton côté, aucun conjoint décédé?

Diane s'intéressa aux arbustes entre lesquels passaient les visiteurs dans leur lente progression vers l'entrée.

— Tout de même, à ton âge et si jolie, tu as dû avoir quelqu'un dans ta vie.

— Certains sont passés, sans trop s'attarder. Aucun d'entre eux n'est mort. Du moins, je ne pense pas.

«Si le vide dans ma vie l'intrigue autant, se dit le professeur, c'est sans doute qu'on a défilé dans la sienne.» Cette pensée lui suscita une certaine confusion. La jalousie envers tous ces hommes moins pusillanimes que lui dans l'exercice de la séduction, quelque chose comme un sentiment d'indignation pour n'être pas dans le vent, pour s'effacer si souvent et laisser place aux autres dans le jeu amoureux. Et aussi son inquiétude, son malaise devant cette promiscuité sous-entendue. Sa mère, Perpétue, parlerait certainement de salope si elle connaissait un jour l'existence de Diane. À combien d'hommes cédait-elle, dans le défilé de ceux qui lui faisaient des avances ?

Chapitre 21

Cette fois, Diane Lespérance n'osa pas reprendre la parole avant d'entrer dans le pavillon des États-Unis, et Maurice non plus. Ils se retrouvèrent devant un gigantesque aigle américain constitué de disques dorés agités par les déplacements d'air. Un escalier automatique les conduisit ensuite à des objets incarnant la culture du pays voisin, une culture façonnée par le cinéma et par les autres médias de masse. Le professeur se pencha sur de grandes coiffures de plumes portées par les Indiens des prairies de l'Ouest, ainsi que d'autres parures. La conversation se limitait à « Regarde celle-ci », « Moi je ne porterais jamais ça », de simples mots pour se confirmer à soi-même que l'on n'est pas seul.

Une grande collection de poupées, dont certaines vieilles de cent cinquante ans, ramena Diane sur le chemin de l'échange de confidences.

— Moi, les catins, je les regardais dans le catalogue du magasin Dupuis. Je n'en avais même pas des vieilles de ce genre-là.

Ses yeux faisaient l'inventaire des poupées de chiffon. Des douzaines de celles-ci s'alignaient sur un rayon. Spontanément, elle leur prêtait une moins grande valeur qu'à celles offertes présentement dans le commerce, capables de marcher, de faire pipi ou de dire « Maman ! » quand on tirait sur une ficelle. Pourtant, il s'agissait de très belles pièces d'artisanat se comparant très avantageusement au *made in Japan*.

— Des vieilles, on en avait, données par des cousines ou des voisines, avec un membre manquant ou les cheveux à moitié arrachés.

Le ton contenait toute la tristesse d'une enfant pauvre. Maurice eut envie de poser sa main dans son dos, comme pour la consoler des dizaines d'années après la blessure, puis il réprima son geste.

La section suivante montrait un assortiment de chapeaux provenant de diverses régions des États-Unis et tout l'assortiment du cowboy : révolvers et étuis, fers à marquer le bétail, éperons. Un bâton de baseball trônait seul dans tout ce fatras.

— Tes jouets devaient ressembler à ça, remarqua Diane.

— Pas tout à fait. Aux yeux de ma mère, un chapelet et un missel suffisaient pour un enfant catholique. Remarque, à cinq ans, j'avais la tenue complète d'un prêtre et tout le nécessaire pour dire la messe. Ça venait de chez Dupuis.

Bien sûr, comme tout adulte ayant été un enfant malheureux, il noircissait son sort. « Elle voulait en faire un curé, jugea sa compagne. Ça explique son côté pogné. » Les souvenirs de campagnes électorales américaines passées et la guitare d'Elvis Presley ne reçurent qu'un regard rapide. Toutefois, une grande peinture d'Andy Warhol les retint un peu plus longtemps. Elle pendait au plafond et s'étendait sur quelques verges.

Les derniers *exhibits* se trouvaient en hauteur. Les trois parachutes accrochés au sommet de la sphère donnaient le ton : ils avaient permis à une capsule spatiale de revenir en douceur sur la Terre. Pour arriver à cet étage, il fallait emprunter le plus grand escalier mécanique du monde. Tout de même, on était dans le pavillon américain ; des choses plus grandes, plus grosses et plus chères que dans ceux des autres nations devaient impérativement s'y voir.

En progressant en hauteur, Maurice contemplait les petites voitures du monorail. L'étrange train traversait la sphère de part en part. Ses passagers regardaient partout afin de juger si la visite de ce pavillon valait les longues heures d'attente. La réponse devait être positive, car la queue, dehors, s'allongeait sans cesse.

— Quand nous sortirons, nous pourrions monter là-dedans pour avoir une vue d'ensemble de toute l'exposition.

— J'ai un enfant, un garçon de douze ans.

Les mots restèrent comme en suspens entre eux. Diane fit semblant de se passionner de nouveau pour le tableau de Warhol, toujours visible de ce point de vue, alors que son compagnon fixait sa nuque. Les cheveux bruns, assez courts, étaient ondulés, brillants après le shampoing du matin. Le cou découvert laissait une impression de vulnérabilité.

— Je suis désolée, j'aurais dû le dire dès le départ.

La raison de son silence, lors de leurs premières rencontres, ne faisait pas mystère. L'information devait faire fuir ses prétendants potentiels.

Ils arrivèrent au dernier étage sans qu'un mot de plus soit prononcé. À cet endroit s'étalait le matériel devant permettre aux Américains d'atteindre la Lune un peu plus de deux ans plus tard. Maurice et Diane levèrent les yeux pour regarder les capsules Apollo et Gemini pendues au plafond. Près d'eux, les visiteurs s'extasiaient sur la petitesse du *lunar excursion module* – les commentateurs du monde entier disaient LEM –, s'interrogeaient à haute voix sur la façon dont trois Américains costauds y logeraient. La fièvre entourant la conquête de l'espace s'emparait du monde. Juste pour voir ces objets, l'attente en valait la peine.

— Je n'ai jamais été mariée. Je suis une fille-mère. Une femme tombée, comme on disait autrefois.

Cette fois, l'émotion eut raison de la timidité de Maurice. Il plaça son bras autour de Diane pour la ramener contre lui, puis l'entraîna vers la balustrade surplombant le vide. Un instant plus tôt, il songeait à l'usage que faisait sa propre mère de ce mot.

— J'ai gardé ça secret pour ne pas te faire fuir.

Suivant le mouvement imposé par la main de Maurice, le visage de la jeune femme se colla contre sa poitrine. La posture rappela à l'homme les jours de grande tristesse de Marie-Andrée. Toutefois, la chair ferme et chaude sous sa paume suscitait des réactions qui n'avaient rien de paternel, au point que Diane ne douterait plus de son intérêt pour ses charmes. La main effectua le trajet de bas en haut à quelques reprises, du creux des reins jusqu'à l'omoplate.

Tout autour, les visiteurs leur jetaient des regards intrigués, curieux du motif d'un émoi semblable. Les hypothèses allaient d'une sensibilité exagérée devant les péripéties de la conquête de l'espace à la manifestation déplacée des appétits d'un vieux cochon.

— Je ne suis ni curé ni censeur. Cesse de dire des horreurs sur toi.

Les mots murmurés suscitèrent une petite ondée. Les jugements des badauds devant cet épanchement indiquaient toutefois clairement que le Québec ne manquait ni de curés sans soutane, ni de censeurs soucieux de préserver les bonnes mœurs.

Quel étrange instinct avait incité Maurice à glisser un mouchoir propre dans sa poche au moment de quitter la maison ce matin-là ? Il le lui présenta en disant :

— Prends-le pour essuyer tes larmes, sinon je passerai pour un tortionnaire.

Elle fit comme il le lui disait, se moucha en plus, puis glissa le morceau de tissu dans son sac en murmurant :

— Je le laverai avant de te le rendre.

Quand Diane eut repris une contenance à peu près convenable, son compagnon proposa :

— Descendons d'un étage, il y a une exposition de peinture.

Plus de vingt œuvres représentant le pop art, certaines de grande dimension, pendaient au mur, au plafond pour les plus ambitieuses. «Bin, si c'est de l'art, chus capable d'en faire des pareilles avec les crayons de cire du p'tit», répéterait-on pendant tout l'été. Personne ne présenterait cependant les résultats de son effort au public.

Pour la suite de la visite, Maurice et Diane se tinrent souvent épaule contre épaule, leurs mains s'effleurant sans jamais se tenir tout à fait. Diane vérifiait une affirmation souvent répétée par les prêtres : après une confession géné-rale, on se sentait vraiment plus léger. Elle récupérait son côté pétillant, sans cesser de tester le degré de tolérance de Maurice.

Oh! Il lui restait bien un petit poids sur l'âme. Un mensonge par omission. L'étendue de sa confiance – en elle, ou en lui – ne permettait pas encore à la jeune femme de se livrer tout à fait.

❖

Au gré de leur visite, chacun retrouvait lentement son naturel. Diane découvrait, sous un dehors plus emprunté que sévère, un homme plutôt drôle, à la fois attentif et maladroit. Dans l'une des petites voitures du monorail, elle l'observait à la dérobée. L'intérêt du professeur pour la grande exposition n'avait rien de feint. Ses yeux cherchaient les informations, il commentait les pavillons à l'architecture exotique. Il se découvrait des envies de voyage réprimées jusque-là.

De son côté, le poids de son quotidien l'empêchait de bien apprécier la visite. Sa semaine de travail de trente-six heures, en réalité trente-neuf ou quarante après avoir tout mis en ordre dans la cuisine, lui semblait parfois en peser le double. Tout de même, l'enthousiasme de son compagnon lui plaisait. Elle remarqua, quand ils traversèrent le parc d'attraction de La Ronde :

— J'aimerais revenir pour essayer tous ces manèges. Viendras-tu ?

Quelle façon indirecte de lui signifier qu'elle accepterait un nouveau rendez-vous ! Il lui répondit avec un demi-sourire :

— Depuis le sol, je te regarderai avec plaisir monter et descendre les montagnes russes, et je tenterai de dénicher un appareil photo pour que tu me montres ensuite à quoi cela ressemblait de là-haut.

— Inutile d'en chercher un, je possède un Polaroid.

L'imagination de son compagnon se mit aussitôt à gambader. Ces appareils à développement instantané suscitaient des conversations entre hommes, à voix basse, sur la difficulté de convaincre leurs modèles – les femmes de leur vie, en l'occurrence – de poser pour eux. Les sociétés spécialisées développaient sans doute les photos de nus, mais ne les remettaient pas aux émules de Hugh Hefner, le fondateur de *Playboy*. Pour garder un compte rendu illustré très fidèle d'un voyage de noces, le Polaroid s'imposait.

Jamais Maurice ne formulerait ces pensées à haute voix, ses fantasmes devant demeurer rigoureusement secrets. De toute façon, la présence sur la banquette opposée d'un couple venu de Trois-Rivières le réduisait à la discrétion.

Peu après, il proposa :

— Nous pourrions manger quand nous descendrons.

— Je me demandais si tu y penserais bientôt. J'ai déjeuné à sept heures, ce matin.

— Sur mon plan, on indique une dizaine de restaurants. Certains sont logés dans des pavillons assez populaires.

— Donc, il y aura une longue file d'attente.

Épaule contre épaule, ils contemplèrent la courte liste, sensibles à tous les articles et reportages télévisés dénonçant des prix scandaleux.

— Il y a bien un Saint-Hubert, remarqua-t-elle. Je ne connais pas les autres.

— Si cela te convient, ça me convient.

— Tu es certain ?

— Certain. Je connais la chanson des publicités par cœur... Je peux te la chanter, si tu veux.

Cela ne représentait pas une grande performance, compte tenu de la simplicité des paroles. Comme Diane ne manifestait pas le désir de recevoir une sérénade, il enchaîna :

— Je me suis acheté une coccinelle au cas où je perdrais mon emploi. Un peu de peinture jaune et je ferai les livraisons.

— C'est tout près de la gare de l'Expo Express, signala-t-elle sans prêter attention à son humour boiteux.

Ils descendirent près du terminal où le train déversait chaque jour sur le site le nombre le plus important de visiteurs. Le convoi faisait quatre arrêts le long de son trajet, transportant mille passagers toutes les quinze minutes. Un bref moment, Maurice contempla le pavillon de l'Allemagne tout près, une grande tente.

— Si tu veux, nous irons ensuite.

— Pour le moment...

Des yeux, elle désignait les pavillons thématiques, l'Homme et la santé et l'Homme à l'œuvre. Le restaurant Saint-Hubert se trouvait dans ce dernier. Un «service rapide», prétendait la publicité, c'est-à-dire sans service aux tables. Cela expliquait l'absence de queue à la porte.

— Tu nous déniches deux places pendant que je commande. Que prendras-tu?

— … Une poitrine, si cela te convient.

Il paierait, aussi elle se préoccupait de l'addition.

— Et à boire?

Elle opta pour un Coke.

❖

Maurice se rendit au comptoir pour passer sa commande, puis il attendit debout parmi les autres clients. Des jeunes filles dans un uniforme brun garnissaient les plateaux, recevaient le paiement. Quand il revint vers sa compagne, il remarqua:

— Je me demande pourquoi les employés des restaurants portent toujours ces costumes ridicules, faits dans de mauvais tissus.

— Je suis ridicule? Merci de ta gentillesse.

— Lorsque tu choisis tes vêtements, tu es bien plus belle que lorsque ton patron le fait. Regarde-toi aujourd'hui, tu en auras la preuve.

Son sourire reconnaissant pour le compliment lui mit de jolies rides au coin des yeux. Le poulet rôti avait l'avantage de ne réserver aucune surprise, bonne ou mauvaise, et puis on ne pouvait s'attarder longuement sur les chaises dures. Ces caractéristiques permettaient un flux continu de consommateurs. Tout de même, Maurice entendait supporter son inconfort relatif pour satisfaire sa curiosité.

— Comme tu travailles le soir, cela te laisse bien peu de temps avec ton fils.

— Les emplois ne courent pas les rues, dans notre petite ville.

— L'usine de textile embauche des femmes.

Son interlocutrice lui adressa un sourire, dépité cette fois.

— Ma mère y travaille. Tu ne savais pas qu'on jette des ouvrières à la rue, maintenant ? Dans le textile, le vêtement, la chaussure, c'est pareil. Les gens achètent du *made in Japan*, alors les usines ferment ici.

— … Oui, j'ai vu ça à la télévision.

— Le gouvernement met en place des programmes de recyclage pour les aider à se replacer, mais bien des gens ne peuvent pas en profiter. Prends ma mère, elle sait à peine lire. Alors, elle s'inquiète de subir le même sort.

À l'évidence, Diane préférait parler de la désindustrialisation du Québec plutôt que de son statut de mère célibataire. Pourtant, elle se résolut à le faire après une nouvelle hésitation.

— C'est compliqué. Le matin, je suis là pour le déjeuner, je passe mon samedi et mon dimanche avec lui…

— Là, je te prive de sa présence.

Le sourire désolé de la jeune femme pouvait exprimer plusieurs sentiments contradictoires. La peine de ne pas être avec cet enfant, la nécessité pour elle de ne pas s'enfermer tous les jours avec lui, d'avoir une vie personnelle.

— J'ai de la chance. Comme ma mère travaille très tôt, je m'occupe de lui le matin, elle le récupère à l'école le soir, le fait manger, le met au lit. Tu sais, j'occupe le logement en haut de chez elle.

Son garçon était sans père, et Diane n'évoquait pas le sien non plus. S'agissait-il d'une tradition dans cette famille ?

Le souvenir des larmes de tout à l'heure le convainquit de ne pas s'informer à ce sujet. Il remarqua plutôt :

— Puis à douze ans, il doit commencer à se débrouiller seul, non ? À se garder seul, disait ma mère.

Très nettement, celle-là avait attendu avec impatience non seulement que son aîné se garde seul, mais qu'il s'occupe également de son frère et de sa sœur. Cela lui laissait tout son temps pour les dévotions. Heureusement, le séjour au collège de Maurice lui avait permis de s'éloigner un peu de ce milieu malsain.

Diane préféra se faire laconique :

— Nous tenons à bien nous occuper de lui. Il n'est jamais seul.

Cette façon de présenter les choses lui rappelait sa propre relation avec Marie-Andrée. Beaucoup de bienveillance, tout comme beaucoup de froideur, laissait sans doute des traces permanentes. Positives dans le premier cas, comme il l'espérait pour sa fille. Il avait connu la seconde attitude, le résultat lui en pesait tous les jours.

D'un mouvement de la tête, il approuva sa compagne, puis, pour chasser le climat de morosité créé entre eux, il proposa :

— Une fois rassasiée, puis-je t'inviter à visiter le pavillon de l'Allemagne ?

— D'accord, mais il y a l'Homme et la santé à côté. Je veux voir si la médecine me permettra d'atteindre cent ans.

Au terme de l'heure passée dans ce pavillon, ils sortirent avec la certitude que toutes les maladies auraient été éradiquées en l'an 2000. Néanmoins, les documentaires tournés en couleur sur les opérations à cœur ouvert produisaient un drôle d'effet, immédiatement après un repas au Saint-Hubert.

La journée se déroula ensuite tout doucement. Ils privilégiaient les pavillons sans immenses files d'attente et ne s'en portèrent pas plus mal. La découverte de pays totalement inconnus valait le clinquant du pavillon des États-Unis. Il était sept heures passées quand ils retrouvèrent la Volkswagen. Le souper, sur le chemin du retour, s'accompagna de la dernière – était-ce bien le cas ? – confession.

— Mon fils est trisomique. Là où il va pendant la journée, ce n'est pas vraiment une école… et on ne peut pas le laisser faire le trajet seul, même à douze ans.

Toutes les pièces du casse-tête tombaient à leur place maintenant. La vie n'avait pas ménagé les coups durs à cette femme.

— Antoine est un mongol, ajouta-t-elle d'une voix tremblante.

— Je sais ce qu'est un trisomique, et je n'aime pas le mépris contenu dans ce second terme. J'entends des élèves se traiter l'un l'autre de mongol tous les jours, et ça me met de mauvaise humeur.

«Pas tout à fait de mauvaise humeur. Ça m'attriste», se dit-il. Maurice tendit la main pour la poser sur le bras de sa compagne. Elle respira un grand coup, soulagée par sa réaction.

— Si tu voyais comme il est attachant. Ces enfants sont tellement spontanés, affectueux.

Cela aussi, Maurice le savait, la précision ne servait à rien. Mais Diane avait besoin d'en parler à une autre personne que sa mère et quelques proches.

— Il ne vivra pas longtemps…

Ses paroles s'arrêtèrent sur un hoquet, elle se leva précipitamment en murmurant: «Pardon.» Les yeux des autres clients du restaurant la suivirent jusqu'aux toilettes, puis revinrent vers lui. Pour la seconde fois de la journée, ces gens se demandèrent pourquoi il faisait de la peine à une jolie femme. Diane reprit sa place les yeux un peu rouges, en s'excusant de nouveau. Sa première impression de cet homme mettait la gentillesse au premier rang de ses qualités. Son attitude lui confirmait sa perception. Il ne la blesserait jamais de façon délibérée.

❖

La fin du trajet se déroula en silence. Une fois la voiture stationnée devant la maison de Diane Lespérance, aucun des deux ne savait comment conclure. Dans ces circonstances, autant s'en tenir à un langage limpide.

Il lui revenait de s'approcher pour poser ses lèvres sur les siennes. Il s'exécuta maladroitement. Le contact se prolongea quelques secondes, puis Maurice se déplaça pour obtenir un meilleur accès à sa bouche. Sa fébrilité le rendait un peu brusque. Le premier contact avec sa langue l'électrisa. Il bandait à en ressentir une douleur vive. Les adolescents américains évoquaient les *blue balls*. Encore un peu, et il se répandrait dans son pantalon. Surtout quand le mouvement des langues simula un coït.

À deux dans la petite voiture, impossible de prendre ses aises. L'exercice rappelait la discipline des contorsionnistes. Sa main droite reposait sur le dossier de la banquette, la gauche glissa dans ses cheveux, les doigts caressèrent l'oreille, puis la peau juste en dessous. Elle glissa sur l'épaule, sur le flanc, remonta un peu, se figea.

— Tu peux toucher, tu sais, dit-elle dans sa bouche. Je ne te disputerai pas.

Le murmure étouffé prit lentement son sens. Elle devinait clairement sa tentation, sa crainte de passer à l'action, et le raillait un peu. Son introversion lui fit honte. Les autres osaient. Il remonta sa paume sur le sein, exerça une pression. La chair lui parut ferme, tiède. Malgré le tissu du soutien-gorge et du chemisier, le mamelon caressa sa main et il fit en sorte que le bout de ses doigts le prennent, tirent un peu dessus.

Diane laissa échapper une plainte sourde, exerça un va-et-vient de sa langue dans la bouche de Maurice. Cela suffit pour déclencher son éjaculation, de longs jets dans son sous-vêtement. Sa plainte à lui accompagna un mouvement de recul.

Quel séducteur il faisait ! Quatre ans de privation, des mois d'un désir qui lui faisait détailler le corps de toutes les femmes, pour en arriver à une conclusion si pitoyable. Sa compagne s'accrocha à son cou de ses deux mains pour continuer le baiser, moins fougueux mais toujours empressé, très doux. Puis une main se détacha, disparut de son champ de vision. Quand elle se posa sur son sexe toujours tendu, elle serra un peu.

« Je dois être tout gluant », songeait-il. En pleine lumière, Diane aurait vu le profond malaise sur son visage. Elle prononça avec une ironie à peine voilée :

— J'ai aussi passé une bonne journée. Je serai très heureuse de recommencer. Tu es très gentil.

Voilà qu'elle le mettait dans le même groupe que Jeannot. La raillerie de Jeanne, un peu méchante, résonna dans son esprit. Il revit précisément le geste avec lequel elle l'avait appuyée, comme pour inciter un petit chien à la rejoindre sur le canapé. Une femme, semblait-elle dire, une vraie femme ne se contenterait pas de cela.

Son silence amena sa compagne à ajouter, sur un ton déçu cette fois :

— Si tu ne me donnes plus de nouvelles, j'aurai de la peine.

— Oui, certainement.

Certainement quoi? Il disait cela comme un lâche, préférant mentir au lieu de voir la jeune femme insister. Puis il se reprit, juste un peu plus affirmatif:

— Je viendrai te voir au café.

— Entendu.

Pourtant, la chaleur avait disparu aussi de sa voix. Elle s'était redressée. Leurs corps ne se touchaient plus du tout. Pas même les mains.

— Bonsoir, Maurice.

Il esquissa le mouvement de sortir pour venir lui ouvrir la portière, un vestige de son apprentissage de la bienséance.

— Non, ce n'est pas la peine.

Déjà, elle actionnait la poignée, sortait du véhicule.

— Alors, bonne nuit.

Diane se baissa pour le voir à la lumière sous le toit du véhicule et répéta:

— Bonne nuit.

Dans la fraîcheur du soir, elle croisait les bras, comme pour se donner une étreinte à elle-même. Ses hanches ne dansaient plus à chacun de ses pas, ses talons frappaient le sol.

❖

En se garant dans l'allée de sa maison, Maurice vit que la lumière du salon demeurait allumée. Comme il aurait préféré se faire discret! Quand il entra, ce fut pour lancer d'une voix incertaine:

— Tu as passé une bonne journée?

— Certainement moins bonne que la tienne.

« Comment peut-elle deviner? » Spontanément, il l'imaginait au courant de ses activités des dernières minutes. Même la suite ne le détrompa pas tout à fait à ce sujet.

— Quel est ton verdict?

Le père se pencha pour regarder son pantalon. Sur le tissu noir, la tache ne paraissait pas trop. L'odeur était-elle perceptible? Il enleva son veston pour le poser sur son bras, en s'assurant de bien cacher sa braguette.

— Magnifique, dit-il en pénétrant dans le salon. Toi et Jeannot ne vous ennuierez pas, je t'assure.

L'adolescente tendit la joue pour recevoir une bise. En donnant ce baiser très chaste, Maurice se rappela trop nettement l'autre, brûlant. Il craignit un instant de voir revenir son érection.

— Je vais me mettre comme toi, et je reviens.

Il voulait dire revêtir son pyjama et son peignoir.

— J'y retournerai certainement, commenta-t-il en s'éloignant.

— Avec cette femme?

La voix lui sembla taquine, sa question ne reçut pas de réponse. Dans la salle de bain, Maurice fit une toilette sommaire, puis se changea. En revenant, il prit une bière dans le frigo, puis demanda à haute voix:

— Veux-tu quelque chose?

— Non, je me coucherai dans un instant… quand tu m'auras raconté.

L'homme s'installa dans son fauteuil, avala une longue gorgée.

— Je ne sais pas quoi te raconter. Le pavillon des États-Unis est très impressionnant et décevant à la fois. Si Jeannot aime la conquête spatiale, il risque d'y passer des heures.

— Papa, cesse de me faire languir.

«Que veux-tu entendre? Que je décharge dans mon pantalon en embrassant une femme?» La pensée que sa fille partage une histoire de ce genre avec son petit ami l'inquiéta. Il deviendrait la risée de tout le collège.

— Je ne te taquine pas, je ne sais trop quoi penser de ma compagne de la journée.

— Diane.

Marie-Andrée n'aimait pas que l'on parle de quelqu'un en escamotant son prénom. Cela lui semblait indélicat.

— Oui, Diane. Elle est plus jeune que moi d'environ dix ans, et puis elle n'a pas beaucoup d'instruction.

L'information rendit l'adolescente songeuse.

— Penses-tu vraiment que son incapacité de faire des versions latines la rende indigne de toi ?

La jeune fille posait la question crûment, comme on pouvait le faire lorsque la foi en un amour fou, gratuit, demeurait encore intacte.

— Elle a un enfant, il a douze ans. Hors mariage.

Cette fois, son interlocutrice accusa le coup. Il se retint de dire : « Vois-tu comme tu dois demeurer prudente ? Pour un instant de faiblesse, tu gâcherais ta vie. » L'adolescente comprit très bien le message resté muet.

— Son garçon est trisomique.

Cela ressemblait à l'évocation d'une punition divine. Sa fille ne le prit pas du tout ainsi.

— Et elle l'a gardé avec elle, même si cela lui impose sans doute une vie de misère, dit-elle plutôt. Elle a beaucoup de courage.

Pour retenir spontanément cet aspect des choses, il fal-lait être une personne très généreuse. La suite le lui confirma :

— Elle a certainement un grand cœur. J'ai lu quelque part une belle âme.

Cette fois, Maurice sentit une larme lui monter aux yeux.

— Parfois, j'ai l'impression que de nous deux, tu es la vraie grande personne.

— Mais d'autres fois, tu penses le contraire.

Ses yeux riaient. L'homme ressentit une douce vague de mélancolie à l'idée qu'elle partirait bientôt.

— Toi, comment s'est passée ta journée ?

Pendant un moment, Marie-Andrée parla du film présenté au Cinéma de Paris, une comédie américaine avec Jerry Lewis, et du souper composé de deux hot-dogs et d'une portion de frites au restaurant du coin. Un vrai dimanche d'adolescente.

Arrivée la première de l'école, Marie-Andrée commença à préparer le souper, comme elle le faisait toujours dans ce cas-là. Ce serait une omelette, l'un des cinq plats dont elle maîtrisait l'exécution. Une demi-heure plus tard, Maurice entra dans la maison, la mine soucieuse. La suite à donner à la journée de la veille l'avait préoccupé depuis le matin, au point où Jeannot Léveillé était venu lui demander à l'heure du dîner : « Allez-vous bien, monsieur Berger ? » Afin de ne pas s'emmêler dans son enseignement, il avait proposé divers exercices à sa classe pendant l'après-midi.

Sa fille s'aperçut de la mélancolie de son visage, et le questionna à son tour :

— Ça va ?

— Pourquoi cela n'irait pas ?

Tout de suite, il regretta son ton abrasif. En lui embrassant la joue, il expliqua :

— Désolé, mais je n'ai pas cessé de penser à cette histoire.

Elle comprit sans avoir à lui demander davantage de précisions.

Ils en étaient au milieu du repas quand elle reprit la parole :

— Denise avait un ami, un *chum*. Du jour au lendemain, il s'est montré avec une autre. J'ai trouvé son attitude cruelle.

Il y avait là une recommandation morale, l'homme le comprit très bien.

— … Je ne sais pas ce que je ferai, mais je n'irai pas parader devant elle avec une autre.

La formulation indiquait clairement son désir de ne plus la revoir.

— Je ne parle pas de parader. Paul aurait dû lui dire son intention de vive voix. Il s'agit d'une marque de respect élémentaire.

«Voilà que je me fais expliquer les règles du savoir-vivre», songea le professeur sans se sentir agacé le moins du monde. Il acquiesça d'un signe de la tête, puis précisa :

— Je passerai au café ce soir, assez tard pour qu'il ne reste plus de clients.

Les occupations de la serveuse et du professeur, et surtout leurs horaires différents, rendaient difficile une véritable conversation en tête-à-tête, à moins de la remettre au dimanche suivant. Ce serait imposer une trop longue attente à cette jeune femme.

Secrètement, l'adolescente souhaitait que son père choisisse de la voir encore. Finalement, l'idée qu'il avait quelqu'un dans sa vie la rassurait.

❖

Diane Lespérance devait s'occuper du café jusqu'à minuit, mais après dix heures, surtout un lundi soir, il ne se présentait plus personne ou presque. Le propriétaire s'entêtait toutefois à garder son établissement ouvert, car son employée lui coûtait une misère et elle lui épargnait le prix d'une femme de ménage.

Un moment, Maurice se tint dehors devant la vitrine, assez loin pour qu'elle ne puisse le distinguer. De son côté, à cause des tubes fluorescents, il profitait d'un éclairage comparable à celui d'une salle d'opération pour pouvoir l'espionner. La jeune femme lui sembla avoir perdu son petit côté effervescent, elle montrait des yeux enflés et rouges. Un seul client était présent dans la salle, assis à une petite table, la tête penchée sur son journal.

Chapitre 22

Quand Maurice entra dans le café de la gare routière, Diane Lespérance le regarda s'approcher jusqu'au comptoir. Son regard s'avérait incrédule.

— Bonsoir, commença-t-il. Tu vas bien?

Elle eut une hésitation.

— Euh… Oui, je vais bien, acquiesça-t-elle. De ton côté?

— Une journée à réfléchir. Mes étudiants ont dû s'ennuyer beaucoup avec un professeur ayant la tête ailleurs.

Inutile de préciser le sujet de ses réflexions. La femme allait prononcer «Alors?» quand le seul client toujours présent attira son attention. Le temps de lui remettre l'addition et de recevoir le paiement permit à Maurice de l'examiner à la dérobée. Le même corps charmant dans une vilaine robe. Le souvenir de sa main sur son sein ramena tout de suite son érection et sa honte pour la pitoyable conclusion de l'affaire. Il ne pouvait en rester là.

— Je ne pensais pas te voir de nouveau, remarqua-t-elle en revenant vers lui. En me quittant hier, tu ressemblais à un gars ayant reçu une douche froide.

Plutôt à quelqu'un dont l'amour-propre avait été écorché.

— Pourtant, je suis là.

Depuis le matin, il avait oscillé entre la formulation d'adieux rapides et le désir de donner une chance à cette relation. Devant la jolie femme, la seconde option prenait plus de poids. Son érection lui donnait envie de reprendre là où il s'était arrêté si piteusement la veille.

— Je ne corresponds certainement pas à l'image que tu te faisais d'une nouvelle blonde.

Maintenant, l'absence de témoins lui permettait de se montrer explicite. Cruelle plutôt.

— Une fille-mère avec un fils mongol.

— Trisomique. Il mérite au moins ce respect-là.

La réponse la déconcerta. Il continua.

— Déjà, les gens ne doivent pas se montrer tendres, ni pour lui, ni pour toi. Pourquoi en rajoutes-tu ?

— Une femme punie de Dieu. La preuve : mon enfant infirme.

Diane connaissait les perceptions de ses contemporains. Les nouveau-nés faisaient l'objet d'un examen soigné, et toutes les difformités étaient attribuées à la colère de Dieu. Une tache de vin, des cheveux plus abondants que d'ordinaire, une peau entre les orteils permettaient de supputer des fautes gravissimes.

— Je connais ces histoires de bonne femme. Je dois être trop dans le vent pour y croire.

L'affirmation vint avec un ricanement d'autodérision. Diane se montra touchée au point de porter ses doigts sous ses paupières afin d'effacer des larmes. Ils formaient un curieux couple, l'un assis sur un tabouret, l'autre derrière le comptoir. L'entrée d'un client désireux de s'acheter des cigarettes les força à retrouver une attitude plus neutre. Si l'intrus trouva la serveuse curieusement émue, il n'en laissa rien paraître. Quand elle revint vers lui, Maurice murmura :

— Si tu le désires, j'aimerais te revoir. Je sais bien que ce ne sera pas simple, compte tenu de ton horaire et du mien.

Machinalement, Diane lui versa un café. Sans doute voulait-elle donner le change si quelqu'un mentionnait devant son patron un étrange client ne consommant rien. Cet endroit n'était pas un salon où faire la conversation.

— J'y ai pensé aussi. Lors des grandes vacances, tu seras libre toute la journée.

Pendant ces heures toutefois, la jeune femme devrait aussi assurer la garde de son fils.

— Dans deux mois, dit-il.

— Pas tout à fait.

Son sourire moqueur lui rappela son éjaculation infiniment précoce. Oui, il ressentait un grand empressement, nourri par des années de frustration. L'évocation d'activités si lointaines ne pouvait les occuper bien longtemps.

— Dimanche prochain?

— Ma mère acceptera encore de s'occuper d'Antoine… mais à long terme, cela posera un problème.

Maurice hocha la tête. Même en juillet et août, Diane ne serait pas si accessible. Déjà, le jeune garçon devenait un obstacle à leur relation.

Quand il fut onze heures, Diane proposa:

— Je dois mettre de l'ordre de l'autre côté. Veux-tu venir me tenir compagnie? Mais tu ne dois pas te faire voir.

Le professeur acquiesca d'un mouvement de la tête, regarda la rue à travers la vitrine avant de passer la porte battante donnant accès à l'autre pièce. Dans la cuisine, ils purent s'enlacer pour la première fois de la soirée. Maurice se penchait sur sa compagne à cause de la différence de taille. Elle s'accrochait à son cou, se laissait serrer dans ses bras. Les bouches s'ouvrirent bien vite, ils semblaient vouloir se dévorer.

Bientôt, elle le repoussa pour reprendre son souffle.

— Je dois mettre de l'ordre ici avant de m'en aller.

— Je vais te donner un coup de main.

— Voyons, c'est inutile.

Déjà, Maurice cherchait un balai dans un coin. Visible, son érection lui donnait l'air d'un concierge pervers. « Non, se dit la serveuse. D'un professeur. Même comme ça, il demeure un professeur. » Il ne s'agissait pas nécessairement d'un avantage à ses yeux : son expérience des bancs d'école n'avait pas été des meilleures.

Sa fébrilité n'en faisait pas la crème des employés d'entretien. De son côté, Diane grattait la plaque de cuisson. Quand elle eut lavé les derniers couverts, il s'occupa de les essuyer. Cette tâche qui lui demandait généralement une heure, souvent interrompue par l'arrivée de clients, fut exécutée en la moitié. Les consommateurs se faisaient complices en restant chez eux.

Tout en lançant une serpillère dans un seau, elle précisa :

— Je dois pourtant rester ici jusqu'à l'heure habituelle de la fermeture.

— Tant pis.

Les mots s'accompagnaient d'un large sourire. En un pas, il fut sur elle pour l'enlacer, l'embrasser goulûment. Elle se frottait contre son corps, risquant de provoquer une éjaculation tout aussi prématurée que la veille. Maurice n'entendait pas répéter ce scénario de bonne grâce. Sa main gauche descendit jusqu'aux fesses pour les caresser. Une plainte fut étouffée par sa bouche, les jambes de sa compagne se dérobèrent un peu.

Une telle réaction témoignait d'une excitation partagée ; Maurice en tira un certain sentiment de compétence. Sa seconde main trouva sans trop de mal le chemin de ses seins.

— La lumière, fit-elle en le repoussant un peu.

Des tubes de néon jetaient un éclairage trop vif dans la cuisine. Quand elle se déplaça vers l'interrupteur pour l'abaisser, pas un moment il ne relâcha son étreinte, comme s'il craignait de la laisser s'échapper. Bientôt, la seule lumière provint de l'autre pièce, à cause de la fenêtre circulaire découpée dans la porte battante.

La pénombre donna une certaine assurance à Maurice. Ses lèvres glissèrent sur l'oreille pour embrasser le cou. Diane étouffa une plainte, le visage maintenant posé sur le revers de la veste. Son odeur, un mélange de parfum bon marché, de sueur et des effluves de grillades, donnait à la situation un côté sordide. Ou plutôt délicieusement délinquant.

La langueur de sa compagne enhardit le professeur. Sa main quitta les fesses pour passer devant, descendre jusqu'à ce que les doigts trouvent l'ourlet. La robe un peu courte facilitait l'opération. Puis les doigts remontèrent entre les cuisses, rencontrant la texture râpeuse des bas de nylon, puis la chaleur moite de la peau. La serveuse préférait s'encombrer d'une ceinture à jarretelles pour les tenir bien haut, à la place de bas-culotte.

Quand il empauma le sexe, sa compagne se ramassa sur elle en laissant échapper un petit gémissement. Celui-ci redonna à Maurice un peu de la dignité perdue la veille. Sa propre excitation et la réponse énamourée le rendaient audacieux. Ses doigts cherchèrent les côtés de la culotte, s'y insinuèrent pour trouver la chaleur humide. Le majeur provoqua une plainte, le va-et-vient la fit monter d'un ton.

Maintenant, elle ployait les genoux, il devait la soutenir. Leur posture nuisait à la caresse. L'éclairage venant de l'autre pièce jetait un cercle de clarté blafarde sur le mur du fond, permettant d'y distinguer une chaise. Maurice attira la jeune femme dans cette direction afin de s'y asseoir, en contradiction avec toutes les règles de bienséance. L'angle nouveau lui permit de la pénétrer plus à fond de deux doigts, mais le tissu s'avérait une nuisance.

— Attends un peu, dit-elle.

Diane releva sa jupe jusqu'à dévoiler la culotte maintenant de travers, en prit l'élastique et la descendit. Il l'abaissa
jusque sous les genoux pour la laisser glisser sur le sol. Ces
gestes lui venaient pour la première fois. La vue de son
sexe faillit entraîner chez lui une autre jouissance précoce.
Son orgueil exigeait qu'il la mène au plaisir la première. Ce
serait sa petite revanche. À la fin, elle poussa une longue
plainte, puis ses genoux plièrent au point où il dut soutenir
en partie son poids.

Pendant qu'elle reprenait son souffle, Maurice posa des
baisers presque chastes sur sa joue, ses lèvres. Diane fit
bientôt mine de se relever, le bruit d'une porte ouverte et
refermée précipita son geste. L'intrus quitterait peut-être
les lieux en l'absence de tout personnel… Peine perdue.

— Il y a quelqu'un ? Sur la porte c'est écrit : ouvert
jusqu'à minuit.

— Jésus-Christ, souffla la serveuse.

Très vite, elle rabaissa sa robe, s'assura d'un regard que
son corsage demeurait boutonné, puis se dirigea vers la
salle du café.

— Évidemment, il y a quelqu'un. Je dois tout nettoyer
dans la cuisine.

— Je me disais aussi, avec les lumières allumées. Un
paquet de Player's.

— Vous avez quitté la maison pour ça ?

Dans la cuisine, Maurice ramassa la culotte. Avoir amené
cette femme à l'orgasme lui donnait un curieux sentiment de
satisfaction, comme une victoire sur son inertie, sa timidité.

— Je roule vers Montréal, ça m'aidera à rester éveillé.

Le professeur se réjouit qu'il s'agisse d'un chauffeur de
camion, peu susceptible de reconnaître sa voiture dans le
stationnement.

— Dans le journal ce matin, on disait que cette habitude présentait des dangers pour la santé. Ça irrite la gorge, empoisonne les poumons…

Diane se gardait une réserve de sujets de conversation destinés à ses échanges avec des clients. Elle s'amusait à effrayer ce gêneur.

— Des niaiseries de gars désespérés de faire parler d'eux dans le journal, objecta celui-ci. Rien de mieux que quelques *puffs* pour soulager la gorge.

Le bonhomme appuya son propos en plaçant une cigarette entre ses lèvres, puis l'alluma.

— Et puis voir si les compagnies vendraient quelque chose de dangereux. Je vous le dis, ne croyez pas tout ce qui se dit dans les gazettes.

Sur cette sage recommandation, l'étranger quitta les lieux. Dès qu'il eut passé la porte, les lumières s'éteignirent complètement dans le commerce. Maurice s'inquiéta que Diane soit partie. Puis il entendit un coup contre la porte battante.

— Tu parles d'un idiot. Nous interrompre ainsi. Ne bouge pas, je vais te trouver, crois-moi.

Dans la cuisine sans fenêtre, l'œil de bœuf ressemblait maintenant à un disque gris clair.

— La lumière…

— La boutique est fermée. De toute façon, il est moins dix.

L'ombre fut bientôt sur lui, la bouche atterrit d'abord sur son nez, puis la langue trouva la sienne pour un long baiser. En s'éloignant, elle dit :

— Toi, tu gagnes à être connu. Ne bouge pas, je m'occupe de toi maintenant.

La femme s'assit sur ses talons, une main atterrit sur la braguette, puis une seconde. Maurice se sentit un peu effaré en entendant le bruit de la fermeture éclair. Des doigts cherchèrent l'ouverture du sous-vêtement, sortirent le sexe. Puis vint une impression de chaleur humide, une langue caressante.

L'homme posa les mains sur les joues, glissa ses doigts pour trouver les lèvres. Oui, c'était bien ça, elle le suçait. Brutalement, en gémissant, il se vida à longs jets. Après une seconde ou deux, la bouche s'écarta. Maurice vit l'ombre se lever.

— Je n'ai pas pu tout prendre. Tu en as un peu sur le devant. Ne te présente pas à l'école comme ça, demain.

«Prendre, comme dans avaler?» Cette simple idée lui donna envie de recommencer tout de suite, pour cette fois en profiter plus longuement. Sans attendre, elle posa sa bouche sur la sienne, la fouilla avec sa langue. Le geste et le goût le prirent un peu par surprise.

— Ne nous attardons pas, proposa bientôt Diane. Si l'idée venait au patron de vérifier ses réserves de gomme Dentyne au milieu de la nuit, nous aurions l'air fin.

Comme elle s'éloignait, il remonta sa braguette, puis lui emboîta le pas. Sans un mot, ils montèrent dans la voiture, Maurice roula vers son appartement. Son malaise allait croissant, celui d'un pécheur après sa faute ou d'un homme incapable de maîtriser ses sens. Puis il sentit une main sur sa cuisse, caressante.

— Comme ça, à la sauvette, je n'aime pas trop, dit-elle. La prochaine fois, j'aimerais que nous prenions notre temps.

Il y aurait donc une prochaine fois. Cette pensée ne lui procura pas une satisfaction sans réserve. Cette femme tenait à son plaisir, le recherchait sans appréhension. Son audace ajoutait à son malaise.

Dans ses souvenirs, Ann demeurait une femme pudique, réservée, secrète sur ses envies. Jamais elle ne lui avait fait ce genre de caresse, et jamais il n'aurait osé la réclamer. Avait-elle seulement joui pendant leurs ébats? La question lui venait souvent ces derniers mois. Sa main se crispait parfois sur sa nuque, son corps frissonnait bien un peu. Cependant, pas de râle rauque, pas de genoux se dérobant sous elle. De toute manière, elle était toujours couchée sur le dos, jamais ou très rarement tout à fait nue. C'était la compagne parfaite pour un homme ayant échappé de peu au Grand Séminaire.

Diane se chauffait d'un autre bois. L'idée de poursuivre cette histoire le laissait à la fois transi de désir et un peu terrifié. Scrait-il à la hauteur? Était-ce… mal? Curieusement, ses doutes sur l'existence de Dieu ne le libéraient pas de la crainte du péché.

Le trajet ne durait que quelques minutes. Quand Maurice s'arrêta devant la porte de la modeste demeure, il se tourna vers elle:

— Diane…

Tout de suite, sa bouche fut sur la sienne. Le goût de son sperme lui donnait une sensation étrange, mélangée d'un peu de dégoût et d'une grande hâte qu'elle prenne encore pareille initiative.

— Je suis contente que tu sois là, avoua-t-elle en s'éloignant un peu. Ça fait si longtemps…

«Plus de quatre ans?» se demanda Maurice. Déjà, il ressentait une petite jalousie à rebours.

— Je passerai te voir au café, promit-il, et nous planifierons quelque chose.

De nouveau, elle fut sur sa bouche. Au moment où elle amorçait le geste de descendre de la voiture, il fouilla dans sa poche, sortit la culotte blanche et la lui tendit.

— Oh! Merci. Tu imagines si le patron l'avait trouvée demain.

Diane s'arrêta, lui montra toutes ses dents dans un sourire moqueur.

— Il y a un mouchoir à toi que je dois laver, alors occupe-toi de ça. Nous ferons l'échange à notre prochaine rencontre. N'oublie pas, car si je n'en ai pas d'autre, je passerai la semaine les fesses à l'air.

La femme descendit en riant. Une fois sur le trottoir, elle se pencha pour passer la tête dans la portière.

— Bonne nuit, Maurice. Vraiment, tu gagnes à être connu, répéta-t-elle.

Il fut incertain du sens à donner à cette phrase. Connaître sexuellement ?

— Bonne nuit, Diane.

Il tendit la main pour toucher légèrement la sienne, puis la regarda monter l'escalier, terriblement conscient de l'absence de sous-vêtement. Quand il se gara dans l'allée de sa maison, il ressentit une curieuse sensation : celle de revenir enfin dans le monde des vivants, parmi les hommes dans le vent.

❖

Maurice n'avait pas revu Diane Lespérance depuis trois jours. Pour excuser sa négligence, il pouvait plaider que leurs horaires de travail étaient incompatibles. En réalité, ses sentiments demeuraient trop ambigus. Sa propre audace l'étonnait encore. Il alternait entre la fierté d'avoir fait l'amour – cette expression lui semblait ridicule, employée dans ce contexte ! – avec une femme jeune et jolie, et un sentiment de culpabilité, héritage venu de l'enseignement subi depuis sa plus tendre enfance. Même si cela lui paraissait absurde, à ses yeux, la sexualité demeurait sale et son expression le reflet de la perversité, d'une faiblesse de l'âme.

En l'absence de Diane, il se répétait que cette rencontre ne mènerait nulle part. Après tout, la différence d'âge et la distance entre leurs univers respectifs les séparaient. Une discussion sur *L'avalée des avalées* demeurait possible avec Jeanne, la femme d'Émile Trottier. Avec Diane, les conversations ne s'élèveraient jamais au-dessus de *Nos Vedettes* ou de *Photo-Journal*. Il s'agissait d'une fille-mère inculte, se tirant à peine d'affaire au niveau financier, encombrée d'un enfant handicapé.

En même temps, l'envie de poser encore ses mains sur elle devenait une obsession. Le souvenir de sa peau lui ramenait des érections dans les contextes les plus inopportuns, au volant, en classe, devant la télévision en regardant les nouvelles. Dans son lit, le sommeil ne venait pas avant d'avoir sacrifié au péché d'Onan, et ensuite, la honte de ne pas mieux se contrôler l'accablait.

Son malaise s'accroissait devant Marie-Andrée. Elle paraissait vivre sa première relation amoureuse sans grands mouvements d'humeur, la paix dans l'âme. Dans cette aventure, la jeune fille se montrait la plus sage, consciente de son inexpérience et soucieuse d'apprendre tout en demeurant prudente. Le jeudi soir, lassée de voir sa mine morose, elle lui dit :

— Pourquoi ne vas-tu pas la voir ?

Ainsi, Marie-Andrée devinait sans mal ses interrogations.

— Il s'agit d'une simple serveuse.

Un pli barra le front de la jeune fille.

— Nous sommes toutes le simple quelque chose de quelqu'un, n'est-ce pas ? Nous pouvons aussi être la personne spéciale de quelqu'un, au-delà de notre façon de gagner notre vie.

Quelle curieuse situation : un père se faisait expliquer la vie par sa propre fille. Son point de vue s'inspirait du plus beau romantisme, comme il convenait à dix-sept ans. Pourtant, il ferait comme elle le lui disait.

À la fin de la journée le vendredi, les écoliers se montraient particulièrement bruyants. Les Gendron, Gagné, Gagnon et tous les autres s'interpellaient l'un l'autre en criant, désireux de conclure des conversations commencées à la pause du midi, d'en commencer d'autres ou alors de se donner des rendez-vous pour la fin de semaine.

Maurice se tenait devant l'entrée principale du collège Saint-Joseph pour s'assurer qu'aucun de ces échanges ne tourne au vinaigre. Les professeurs assumaient ce rôle en alternance, car dans cet univers d'adolescents débordant de testostérone, faute d'avoir le dessus avec les mots, certains mettaient leurs poings à contribution. Puis il fallait compter avec les bousculades sans autre but que de tester sa force.

Une demi-douzaine d'autobus jaunes de marque Blue Bird venaient cueillir les garçons des paroisses avoisinantes. Conduire les jeunes au secondaire exigeait de les déplacer parfois sur de longues distances.

Bientôt, Émile Trottier vint se planter près de lui.

— En voilà une autre de terminée. Je fais comme mes élèves : tous les soirs, je dessine une croix sur mon calendrier pour marquer le jour écoulé. Je ne te dirai pas combien il en reste, tu serais trop déprimé.

Le mois de mai amenait le beau temps avec lui, sans compter que le soleil se couchait un peu plus tard. Maintenant, au moins on pouvait croire à l'approche des grandes vacances.

— Visiblement, commenta Maurice, la présente année te pèse autant qu'à moi.

— L'incertitude me pèse surtout. Tout le réseau d'éducation se trouve cul par-dessus tête, on ne sait plus quel contenu enseigner, quel manuel utiliser. À les entendre, tout ce que nous faisons est dépassé, mais personne ne nous dit ce que nous devrions faire à la place.

Dans les circonstances, le «les» désignait ces spécialistes, réels ou supposés, capables de parler pendant des heures de la réforme de l'éducation sans donner pour autant la moindre information concrète.

— Pour ça, je suis d'accord. Je suis fatigué d'entendre les élèves me demander : "Ça va me servir à quoi, m'sieur, pour gagner ma vie ?"

— Quand ils ne nous servent pas le refrain sur l'ère des loisirs.

Toujours selon les mêmes spécialistes, à l'avenir, les êtres humains travailleraient de moins en moins, quelques heures par semaine tout au plus. En conséquence, l'école devait apprendre aux enfants à occuper leurs interminables congés. Comment diable se préparait-on à ne rien faire ? Émile laissa échapper un long soupir, puis il reprit, sur un ton un peu plus enthousiaste :

— As-tu des projets pour la fin de semaine ?

Le souvenir de Diane Lespérance envahit Maurice, plus précisément les ébats dans la cuisine du café, avec une pénombre complice. S'il n'en tenait qu'à lui, la meilleure façon d'occuper son congé serait de reprendre là où il avait laissé son flirt avec la serveuse.

— Rien de très précis encore. Dimanche, Marie-Andrée projette d'aller visiter l'Expo avec le gentil Jeannot.

— Donc, tu seras seul. Que dirais-tu de te joindre à nous ?

Spontanément, l'enseignant songea à une activité pour quatre personnes. Tout de suite, Émile le détrompa :

— Non, Jeanne n'a aucune dulcinée à te présenter, même si elle n'a pas renoncé à te dénicher une âme sœur.

— Dans ce cas, je ne tiens pas à être la troisième roue de la bicyclette, si tu me passes l'expression. Et j'ai bon espoir de trouver une compagne pour une partie de la journée.

— … Tu as rencontré quelqu'un ?

Maurice ressentait le désir de lancer un grand « Oui », histoire d'impressionner son collègue. Sa gêne le retint.

— Personne d'important, une connaissance. Toutefois, si je renoue avec l'habitude de fréquenter une femme, je me sentirai moins empoté quand Jeanne aura déniché la perle rare.

Diane Lespérance ne servait-elle qu'à cela dans sa vie ? Une occasion de parfaire son apprentissage, de s'entraîner un peu avant de croiser une vraie compagne ?

— Dans ce cas, pourquoi ne pas nous voir tous les quatre ?

— Non…

La réponse venue très vite amena Émile à froncer les sourcils.

— Nous nous sentirions mal à l'aise tous les deux. D'abord, nous nous connaissons à peine.

« J'ai honte de me montrer avec elle », songea Maurice. Curieusement, son malaise à cet égard ne concernait que Jeanne. Que penserait-elle de lui, sachant qu'il fréquentait une simple serveuse ? D'emblée, il donnait à cette femme le droit de juger de la qualité des personnes susceptibles de lui convenir. Après Perpétue, il abandonnait à une autre la gouverne de sa vie affective.

« Non, ça ne se compare pas ! De toute façon, Diane serait terriblement intimidée en leur compagnie. » Maurice projetait sur son amie son propre malaise devant le jugement des autres.

— Dès que je connaîtrai une… partenaire convenable, je serai heureux de vous la présenter et de m'engager dans des activités communes.

Émile demeurait toujours perplexe devant l'hésitation de son collègue, mais il hocha la tête pour exprimer son accord.

— Dans ce cas, essaie d'en trouver une qui aime s'exhiber un peu. La dernière idée de Jeanne est de nous inscrire à des cours de danse. À son avis, je bouge très mal.

«Je ne vaux certainement pas mieux», pensa l'enseignant. D'un autre côté, ce serait certainement une façon de se « dégêner » un peu. Sous leurs yeux, une dernière cinquantaine de garçons montaient dans un autobus scolaire. Maurice se tourna vers son ami, la main tendue.

— Une fois encore, ma présence nous a sauvés d'une émeute menée par de grands adolescents. Bonne fin de semaine, nous nous reverrons lundi.

— Bonne fin de semaine avec cette mystérieuse inconnue.

L'ancien religieux se dirigea vers la rue pour rejoindre son véhicule. De son côté, Maurice revint dans l'école afin de s'assurer qu'aucun élève n'y traîne encore. Pendant toutes ces minutes, il songea à sa réticence à parler ouvertement de Diane, à se montrer avec elle. Comme s'il la jugeait indigne de lui.

Lorsqu'il entra dans le café de la gare routière, Maurice demeura un moment les yeux posés sur la serveuse. Tout de suite, un souvenir très net des moments torrides dans la cuisine lui revint, au point de provoquer une érection. Il espéra qu'aucun client, parmi la demi-douzaine présents, ne remarque son état.

Diane Lespérance se tenait le dos tourné, occupée à refaire du café. Ses yeux la détaillèrent encore une fois, s'attardèrent sur la courbe des hanches, sur les fesses, sur les mollets et sur les plis derrière les genoux. L'homme prit un tabouret, ressentit un vrai malaise en attendant qu'elle se retourne. De nouveau, il l'avait laissée poireauter après une rencontre où la pauvre avait payé de sa personne.

Après un instant, elle fit demi-tour avec un sourire en coin, pas du tout surprise.

— Tiens, un revenant.

Le professeur comprit : la vitrine de verre lui avait renvoyé son image, lui donnant le temps de reprendre sa contenance.

— Encore une fois, je me demandais si nous nous reverrions.

— Si on met nos heures de travail quotidien bout à bout, cela en donne seize. Après, il ne reste que la nuit.

Comme elle le dévisageait, guère convaincue, il ajouta :

— Heureusement, cela changera avec le début des grandes vacances.

Ces mots remirent un sourire sur les lèvres de son interlocutrice. Elle posa une tasse sous ses yeux, lui versa du café.

— Bonsoir, Maurice.

Son propre bonsoir se perdit dans son dos quand elle se dirigea vers un autre client pour lui servir une boisson chaude. Aussi longtemps que la salle ne se viderait pas, il leur serait impossible de tenir une véritable conversation. Le professeur chercha un journal sur le présentoir. Le geste lui ramena en mémoire les quatre lettres des correspondantes du journal *Nos Vedettes* réduites en petits morceaux. Elles lui donnaient l'impression d'avoir été infidèle. La gêne lui mit un peu de rose aux joues.

Chapitre 23

Après onze heures, la salle se vida enfin de tous les clients. Cela permit à Diane de prendre une tasse de café pour elle. Toutefois, impossible de venir s'asseoir à ses côtés ou de s'installer à une table.

— Un peu plus tôt dans la soirée, dit-elle, j'ai eu envie de te téléphoner.

Maurice songea que dans ce cas, Marie-Andrée aurait répondu. Depuis des semaines, neuf fois sur dix, c'était Jeannot Léveillé qui appelait la jeune fille. Le père ne se donnait même plus la peine de décrocher.

— Je ne l'ai pas fait, car ici, je n'ai pas une minute à moi avant dix heures, comme tu as pu le constater.

— De mon côté, je ne peux pas venir tous les soirs. Ma fille…

— Je sais, ta fille retient toute ton attention. Finalement, c'est un peu comme si tu avais une épouse.

La remarque agit comme un coup de fouet, surtout à cause de sa justesse. La suite se révéla plus cinglante encore :

— Mon fils m'en demande moins, en fait.

Enfin, le professeur comprit le motif de la scène dont il était l'un des acteurs : la jalousie. Diane en voulait à celle qui lui apparaissait comme une rivale.

— Je n'ai pas ma mère pour la garder lors de mes absences.

La précision fit apparaître un demi-sourire sur les lèvres de la serveuse.

— Tout de même, à son âge elle peut prendre soin d'elle-même.

— Tu as raison, bientôt elle quittera la maison. Dans ce contexte, j'aime profiter de sa présence…

La serveuse posa les coudes sur le comptoir, dévoilant en partie ses seins pour lui. L'appât joua son rôle.

— Je tenterai de venir te voir plus souvent, et nous aurons les dimanches.

Diane se mordit la lèvre inférieure. Elle gardait cette seule journée de congé pour son fils.

— Puis, comme tu commences à six heures le samedi, cela nous donnera une autre option.

Une nouvelle fois, ils refaisaient l'horaire, cherchant à s'y tailler une place.

— Ce soir, pourras-tu rester un peu ?

La femme lui adressait toujours un petit sourire rieur. Depuis de longues secondes, les yeux de son interlocuteur ne se détachaient pas de sa poitrine.

— Oui. Je suis même disposé à te donner un coup de main… histoire de t'éviter de rester debout trop tard.

Il allait lui proposer de se mettre tout de suite à la tâche afin de passer plus vite à d'autres activités quand un chauffeur de taxi entra, résolu à manger un hamburger avant de reprendre son travail. Maurice eut le temps de parcourir un numéro entier de *Nos Vedettes* en attendant que le client quitte enfin les lieux.

Le scénario de la dernière fois se répéta dans tous les détails. Disposer des tâches les plus urgentes leur prit une bonne demi-heure, puis de nouveau Diane éteignit toutes les lumières. À cet endroit, impossible de prendre leurs aises, ni même de quitter tout à fait leurs vêtements. Tout de même, elle se retrouva avec l'uniforme déboutonné jusqu'à la taille, ses seins relevés au-dessus du soutien-gorge.

Quand Maurice fit mine de la pousser contre une table métallique avec l'intention évidente de l'y coucher sur le dos, un «J'veux pas tomber en famille» l'arrêta. Diane avait déjà cédé à ce genre d'invitation, il en avait résulté un enfant trisomique. Elle n'entendait pas prendre encore ce risque. Toutefois, elle répéta la caresse du lundi précédent avec la meilleure des grâces.

Vers minuit et demi, Maurice s'arrêta devant la demeure des Lespérance. Un baiser raviva son désir, un instant il fut sur le point de demander à la jeune femme la permission d'entrer. Peut-être que sans faire de bruit… Elle le prit de vitesse :

— Pourrons-nous nous revoir en fin de semaine ?

— Qu'est-ce qui te convient le mieux ? Samedi ou dimanche ?

En formulant sa proposition, le professeur s'inquiéta d'abandonner sa fille, puis se jugea ridicule.

— Dimanche, je n'aurai pas à me préoccuper de rentrer au restaurant à six heures. Que proposes-tu que nous fassions ?

Ce jour-là, Marie-Andrée devait se rendre à l'Expo avec Jeannot, une petite expédition en autobus qui leur prendrait toute la journée. Un bref instant, il songea à les inviter à se joindre à eux, à organiser une sortie à quatre, pour renoncer tout de suite. Pourtant, il formula machinalement :

— Nous pourrions retourner à Terre des hommes.

Le thème de l'exposition universelle était tiré du titre d'un roman d'Antoine de Saint-Exupéry. L'endroit devait présenter une image d'un monde idéalisé, consacré au progrès et à la fraternité.

— Bien… Nous pourrions nous rendre à Montréal, mais je ne suis pas certaine de vouloir faire la queue pendant des heures. Nous en discuterons quand nous nous rejoindrons. Ou alors je te téléphonerai.

Le professeur ne doutait pas qu'elle le fasse. Après un nouveau baiser et quelques jeux de mains, ils se quittèrent sur un dernier souhait de bonne nuit.

※

Depuis son retour de l'école, Maurice s'était empressé de répondre au téléphone dès la première sonnerie pour entendre une voix inattendue prononcer :

— Puis-je parler à Marie-Andrée, monsieur Berger ?

Il avait cru que c'était Diane qui souhaitait discuter de leurs projets du surlendemain.

— Bien sûr, monsieur Léveillé.

Ces deux-là avaient sans cesse quelque chose à se dire, en plus de se voir plusieurs fois par semaine. Au fond, le plaisir réciproque d'entendre la voix de l'autre leur suffisait. «Ils pourraient se lire l'annuaire téléphonique et y prendre plaisir», songea le père. Il ne se trompait pas de beaucoup. Avec chacun un journal différent, les jeunes gens repprenaient mot pour mot le contenu des critiques de cinéma afin de décider de ce qu'ils feraient le lendemain soir.

Quand, une heure plus tard, la sonnerie retentit, Maurice ne bougea pas d'un pouce. Après un «Allô» joyeux, la jeune fille enchaîna sur un ton plus solennel :

— Bonsoir, grand-papa.

Après un silence, elle dit encore :

— Oui, il est là. Je vous le passe.

Puis, avec la main sur le transmetteur, elle formula :

— C'est grand-papa.

Le vieil homme n'appelait pour ainsi dire jamais, aussi le sujet de la conversation serait certainement sérieux. Maurice accepta le combiné.

— Bonsoir, papa. Que me vaut cet honneur ?

Son interlocuteur ne se montra pas sensible à l'ironie.

— Maurice, je veux te parler. Je peux venir te voir ?

— À part quelques courses dans les magasins, demain je serai à la maison toute la journée.

— Demain, moi, je serai au magasin, et je suppose que je ne te verrai pas dimanche.

Il ne servait à rien de répondre, sa journée était déjà planifiée.

— Bon, alors, viens tout de suite.

Son père grommela un « Merci », puis raccrocha brutalement.

Bonne fille, Marie-Andrée suggéra de retarder le moment de se retirer dans sa chambre afin de saluer son grand-père, tout en n'affichant pas le plus grand enthousiasme.

— L'attention ne lui dira rien, aussi, si tu préfères aller au lit, libre à toi.

Elle accepta cette permission d'un sourire, puis disparut. Quelques minutes plus tard, Ernest Berger frappait lourdement à la porte. Son fils lui ouvrit avant le second coup et prononça, tout en lui tournant le dos :

— Viens t'asseoir, je vais me chercher une bière. En veux-tu une ?

— Oui, ce s'ra pas de refus.

Maurice revint avec deux Molson, sans les verres. L'obligation de laver la vaisselle le rendait économe à ce sujet.

— Désolé, je ne bois pas de Dow, je n'ai que celle-là.

— Tu sais pas c'que tu perds.

Sans le regard de sa femme posé sur lui, le vendeur de machines aratoires adoptait une tout autre posture. Sur le canapé, affalé plus qu'assis, il prenait ses aises.

— J'pense que t'as prouvé ton point. Maintenant, si tu reviens, elle sera moins casse-pieds.

Maurice mit un instant à comprendre. Son père parlait de sa femme.

— Que veux-tu dire? demanda-t-il pourtant.

— Ta mère. Viens faire un tour dimanche, je pense qu'elle a compris la leçon.

— Si elle avait compris, elle serait là, assise à ta place.

— Demande pas l'impossible. Mais au moins, pendant un temps, elle va garder son venin pour elle.

Jamais un témoin de cette conversation n'aurait deviné que l'un parlait de sa femme, l'autre de sa mère. Pourtant, ces gens-là avaient posé à l'église comme une famille idéale, unie dans la prière et le service de Dieu. L'amour était pris pour une quantité négligeable : le mariage et les naissances devaient servir de seul ciment entre eux. Comme Maurice demeurait silencieux, Ernest ajouta :

— D'abord, elle a demandé à Adrien de te convaincre, pis là, je suis venu le faire moi-même. A file pas bin. Si tu voyais ses joues, icitte…

Du doigt, le vieil homme touchait ses pommettes.

— Le docteur appelle ça d'la haute pression. Paraît que ça peut lui faire exploser la patate, à la longue.

Cet homme évoquait les risques de crise cardiaque de façon pittoresque. Comme l'argument ne semblait pas réduire la résolution de son fils, il y alla d'une façon plus personnelle :

— A m'lâche pu. Si tu l'entendais.

— À toi, dit-elle : "Tu vas me faire mourir"?

Le visiteur secoua la tête de droite à gauche, découragé par l'entêtement de son aîné. Il allait se lever quand ce dernier continua :

— Si jamais elle mourait vraiment, tu aurais la liberté de refaire ta vie avec la paroissienne d'Adrien.

Le vieil homme laissa retomber son corps contre le dossier du canapé.

— Là, j'voué pas c'que tu veux dire.

— Tes visites dans la paroisse Saint-Jacques n'échappent pas à tout le monde. Puis franchement, personne ne passe la moitié de sa vie chez les Chevaliers de Colomb.

— Si j'aime ça, moé, les Chevaliers ! Penses-tu que je m'amuse, à la maison ?

Pour ça, Maurice ne doutait pas un instant que ce n'était pas le cas. Le plaisir y paraissait rigoureusement interdit. Même enfant, il avait trouvé son père lâche. Sa soumission avait quelque chose de révoltant pour un fils. Passé quarante ans, son jugement demeurait toujours aussi sévère. Il s'agissait d'une condamnation de sa propre veulerie, de son incapacité de prendre sa place, de l'occuper toute, et d'envoyer vraiment au diable cette manipulatrice.

Le hasard avait placé Ann sur sa route, son seul moment d'audace avait été de glisser une invitation à l'endos d'une facture. Jamais il ne serait allé chercher une compagne à sa convenance dans une salle de danse ou un autre endroit public. Pas plus à ce moment qu'aujourd'hui, d'ailleurs. Ses atermoiements avec Diane en témoignaient.

— Tu fréquentes la même femme depuis des décennies, à ce qu'il paraît.

Cette fois, Ernest ne se défendit pas, mais sa colère contre Adrien augmenta. Si l'aîné savait, cela ne pouvait tenir qu'à la trahison du cadet. « J'lui disais aussi de pas se confesser à cet idiot », protestait-il intérieurement.

— Je t'ai vu y aller.

La précision ne devait servir qu'à détourner les soupçons dont le prêtre devenait l'objet. Mieux valait passer pour un espion qu'exposer son frère aux reproches paternels.

— Tu la vois depuis une éternité. Pourquoi n'as-tu pas quitté Perpétue pour faire ta vie avec elle ? Tu dois l'aimer.

— Asteure, y en a qui se séparent, mais dans mon temps, ça n'existait pas. Pis même aujourd'hui, si j'allais vivre avec une autre, je perdrais mon commerce. L'monde achèterait pas une charrue d'un divorcé.

Toujours la même lâcheté, la peur d'être privé de son confort.

— C'est pas les États, icitte. Quand t'es marié, tu crèves avec ta femme. On peut pas toutes bin tomber comme toé.

Pour la première fois, Ernest Berger rendait hommage à sa bru décédée. Toute en douceur, elle représentait l'opposé de Perpétue.

— L'autre, j'l'ai rencontrée pendant la grande crise, juste au début, pas longtemps après la naissance de ta sœur. Ta mère voulait pu d'enfants. Tu sais comment Perpétue empêche ça, la famille ?

L'Église catholique ne reconnaissait toujours qu'un seul moyen légitime : l'abstinence. Son père le lui confirma.

— A m'a dit : tu fais un nœud dedans. Dans c'temps-là, avec les Chevaliers de Colomb, j'visitais des pauvres. Si tu l'avais vue, juste la peau su' les os. Son père travaillait pu. J'ai donné une job à la fille, pis ensuite…

Le vieil homme fit un geste vague de la main, pour lui signifier d'imaginer le reste. Ça ne posait aucune difficulté : une fille de l'âge de Marie-Andrée sans doute, éperdument amoureuse de l'homme lui ayant sauvé la vie dans un temps de grande misère. Le travail de séduction avait dû être simple.

Le silence pesa un long moment dans la pièce, puis le vieil homme se leva, cette fois résolu à quitter les lieux. Maurice l'accompagna à la porte. Quand Ernest prit son chapeau, il demanda encore :

— Pis, tu viendras-tu, dimanche ?

— Ne penses-tu pas que le temps est venu que l'un de nous refuse de se plier à sa volonté ?

Son père secoua la tête, dépité. Cette petite révolte, lui seul en faisait quotidiennement les frais.

❈

Marie-Andrée ne cachait pas une certaine nervosité. Levée à six heures afin de se préparer à cette longue journée, à sept heures trente, elle remarquait tout en enfilant ses bottes « à gogo » :

— Ça me fait tout drôle de manquer la messe. Ce n'est jamais arrivé, je crois.

— Sauf lors de quelques gros rhumes. Si tu crois que le salut de ton âme immortelle se trouve compromis, tu pourras t'acquitter de tes devoirs religieux à l'Expo. Il y a un pavillon pour les jeunes catholiques. Je ne doute pas qu'on y célébrera la messe avec des guitares, une batterie et des danseuses en minijupe.

À la mine de sa fille, Maurice comprit qu'elle survivrait à sa faute. Tout de même, il ne lui était pas si facile de rompre avec certaines certitudes.

— Bon, tu as ton argent, tes bottes, ta veste, nous pouvons y aller.

— J'aurais pu m'y rendre à pied, tu sais.

— Et te lever trente minutes plus tôt ?

Cela seul avait suffi à la convaincre d'accepter de se faire conduire au dépôt des autobus. Maurice la laissa passer devant lui, puis il ouvrit la portière côté passager.

— Monte derrière.

— Jeannot préférerait...

— Justement.

Le mot vint avec un clin d'œil et un sourire taquin. Marie-Andrée prononça un «Papa!» un peu sévère, puis se plia pourtant à sa suggestion avec une mine amusée. Quelques minutes plus tard, Jeannot se troublait de devoir faire le trajet à côté de son professeur. Il le salua, un peu intimidé :

— Bonjour, monsieur Berger.

— Bonjour, monsieur Léveillé, répondit le conducteur en tendant la main. Le solde du printemps a remporté le succès espéré ?

Le magasin de meubles familial offrait encore cette fin de semaine des prix «imbattables».

— Hier, je n'ai pas arrêté une seconde.

Discrètement, le garçon jeta un regard un peu surpris à son amie derrière lui, pour la voir s'amuser de son embarras.

— Je vous remercie de nous conduire à la gare, monsieur Berger.

— Ce n'est rien. Dans quelques mois... quelques semaines peut-être, je pourrai prêter ma voiture à Marie-Andrée.

Derrière eux, la jeune fille afficha un air sceptique quant à un dénouement aussi rapide. Cependant, son assurance au volant allait en s'améliorant, au point que son père évoquait le moment où il conviendrait d'aller au Bureau des véhicules automobiles.

Peu après, Maurice stationna sa voiture tout près de la gare. Jeannot sortit après un dernier merci. Marie-Andrée s'avança pour tendre sa joue à son père.

— Profitez-en bien. Selon le journal, plus de vingt millions de personnes ont passé les tourniquets.

La jeune fille descendit en le remerciant à son tour. Déjà, on s'approchait du nombre de visiteurs estimé pour tout l'été. Les attentes les plus optimistes étaient largement dépassées. Les Québécois commençaient enfin à croire qu'ils avaient réalisé quelque chose d'exceptionnel.

Le père les regarda se placer au bout d'une queue déjà longue. Une petite minorité des visiteurs avaient plus de vingt ans. Jusqu'en octobre prochain, de telles excursions amèneraient tous les jours des gens à l'exposition. Avant de se remettre en route, Maurice regarda vers la vitrine du café, à la fois un peu effrayé et très excité par la journée à venir.

❖

Le professeur s'était aussi donné congé de la messe dominicale sans trop d'états d'âme. Sans l'obligation de donner le bon exemple à sa fille, il se sentait l'audace de faire une entorse à la tradition. Avec le vent de liberté soufflant sur la province, même la nécessité de servir de modèle de moralité à titre d'enseignant pesait un peu moins sur ses épaules.

Une autre initiative le tracassait beaucoup plus. Depuis quatre ans, un portrait d'Ann pendait au mur du salon. Le hasard avait voulu qu'elle s'arrête chez le photographe de Sears peu avant son décès. Il décrocha le cadre pour aller le ranger dans le tiroir du haut de sa commode.

— Je te remettrai à ta place avant le retour de Marie-Andrée, glissa-t-il entre ses dents.

Par la suite, assis dans le salon avec le *Dimanche-Matin*, il levait régulièrement les yeux pour regarder le rectangle plus pâle sur le mur. Il se faisait l'impression de trahir son épouse. Même en se répétant «Je ne fais rien de mal. Après tout, tu es morte depuis quatre ans», il ne recouvrait pas sa sérénité. L'idée ne lui venait pas qu'en l'invoquant, utiliser le «tu» et parler au présent laissait entendre que la défunte se tenait toujours à ses côtés, et que sa recherche d'une nouvelle compagne s'avérait du coup une infidélité pure et simple.

Après onze heures, Maurice mit tout en place dans la cuisine pour la préparation du repas, sans le commencer toutefois, tellement il craignait que son invitée lui fasse faux bond ou se fasse attendre. Le vendredi précédent, Diane et lui n'avaient pu s'entendre sur une activité, la serveuse plaidant la fatigue pour se dérober à une expédition vers Montréal. Finalement, il lui avait proposé de venir dîner à la maison, pour ensuite sortir si l'envie leur en venait. En l'invitant, il avait l'impression de la convier à un rendez-vous indécent, au point que son « oui » empressé l'avait embarrassé.

Trente minutes plus tard, il entendit les coups contre la porte. L'instant d'après, Diane entrait dans la maison.

— Bienvenue chez moi, dit Maurice en refermant très vite.

L'un ou l'autre de ses voisins remarquerait cette visite, pour l'ajouter à la somme de ses fautes. Déjà, son auto était restée près de la maison pendant la grand-messe, ce qui constituait un premier accroc à la morale. L'après-midi, les commères de la rue, peut-être de la paroisse entière, échangeraient à voix basse des ragots sur les turpitudes d'un enseignant d'un collège catholique pour garçons.

— Tu vis dans une belle rue, remarqua la jeune femme.

Maurice se pencha sur elle pour l'embrasser sur la bouche.

— Une modeste maison parmi de belles demeures.

Il regretta ses mots. Comparé à celui d'une ouvrière du textile ou d'une serveuse de restaurant, son logis offrait un grand confort et même une certaine élégance.

— Je te trouve très jolie, s'empressa-t-il d'ajouter pour changer de sujet.

Diane portait un chemisier d'un jaune assez vif et une jupe bleu foncé pas très longue. L'ensemble flattait sa silhouette. De nouveau, Maurice se pencha pour l'embrasser, plaçant sa main droite sur sa nuque. Cette fois, les lèvres se firent plus mobiles, sa langue effleura ses dents.

— Allons-nous passer le repas dans l'entrée ? interrogea-t-elle, un peu moqueuse.

— Pas du tout. Viens.

Il posa sa main sur ses reins pour la pousser vers le salon. La jeune femme fit le tour de la pièce d'un regard. Son compagnon crut que ses yeux s'arrêtaient sur le rectangle plus pâle sur le mur.

— Passons à la cuisine. Nous pourrons parler pendant que je préparerai le repas.

— Vraiment, tu es le meilleur parti en ville. Un homme capable de faire à manger à son invitée !

Jeanne lui avait dit exactement la même chose.

— Alors, il me reste juste à me montrer à la hauteur. Je m'y mets immédiatement ?

— Je préférerais attendre un peu. Maman a servi le déjeuner assez tard, ce matin. Elle aime profiter de sa seule journée de congé de la semaine.

— Dans ce cas, viens t'asseoir un instant.

Diane prit place sur le canapé, les yeux posés sur le téléviseur. Maurice n'entendait pas l'allumer, mais il proposa :

— Un peu de musique nous tiendra compagnie.

À cette heure, il pouvait dénicher une station diffusant de la musique classique. « Je devrais peut-être chercher du yé-yé », se dit-il. Que pouvait écouter une jeune femme lui ayant avoué être en rupture avec l'école ? Pendant quelques secondes, il la regarda. La jupe remontait assez haut sur des cuisses rondes. Elle gardait ses jambes collées l'une à l'autre, un peu inclinées. Rien de choquant dans sa posture. En réalité, elle se tenait mieux que Jeanne, encline à montrer plus de peau qu'il ne convenait en repliant ses jambes sous elle.

Cette présence dans la maison, alors qu'il était seul, l'embarrassait beaucoup, au point où il hésitait à la rejoindre sur le canapé.

— Voudrais-tu boire quelque chose ?

— Il est un peu tôt dans la journée, non ?

Ses yeux demeuraient toujours légèrement moqueurs… Ou peut-être cette impression tenait-elle seulement à son propre malaise.

— J'ai placé une bouteille de vin au frais tout à l'heure. Nous pourrions en prendre un verre, en guise d'apéritif.

D'un mouvement de la tête, elle fit signe que oui, puis se leva pour le suivre dans la cuisine. Visiblement, elle entendait faire le tour de la maison. Les pommes de terre trempaient déjà dans un chaudron avec de l'eau, et une poêle à frire était posée sur la cuisinière.

— Si tu veux bien, je vais tout de même allumer le rond. Comme ça, ce sera prêt quand nous voudrons manger.

Il parlait des pommes de terre. Maurice n'entendait pas trop retarder son repas. Quand ce fut fait, il chercha un tire-bouchon dans un tiroir afin d'ouvrir la bouteille de beaujolais, puis emplit deux verres. Pendant ce temps, Diane continuait son inventaire de la pièce. Les assiettes et les couverts étaient déjà à leur place.

— Nous retournons au salon ? demanda l'hôte en lui tendant sa boisson.

Il prit une gorgée de la sienne pour se donner une contenance, puis la suivit, les yeux fixés sur ses hanches, ses fesses. Cette fois, il s'assit sur le canapé aussi.

— Habites-tu ici depuis longtemps ?

— J'ai acheté la maison juste après la guerre, au moment de mon mariage. Le gouvernement fédéral facilitait la construction de petites demeures pour faire face à la rareté de logements. À ce moment-là, il y avait trois ou quatre maisons dans la rue. Depuis, elles ont poussé tout autour.

Chacun tenait son verre, assis un peu de travers sur le siège afin de voir le visage de son interlocuteur. Maurice pouvait replier sous lui sa jambe gauche pour lui faire face. Diane se tenait de biais, avec pour résultat de devoir écarter un peu les jambes. L'ourlet de la jupe était remonté de deux bons pouces à cause de sa posture. Elle portait encore des bas de nylon. Une petite maille filée devenait visible à l'intérieur de sa cuisse droite, qu'elle avait « arrêtée » avec un peu de vernis à ongles rouge, celui qu'elle portait à ce moment.

Ce détail résumait, aux yeux de l'enseignant, toute la précarité, toute la vulnérabilité de son invitée. Cela la lui rendit touchante et désirable.

— Ta fille est partie pour la journée ?

L'homme aurait préféré qu'elle la désigne par son prénom.

— Marie-Andrée est allée à l'exposition avec son ami, elle sera de retour en début de soirée.

Cela revenait à signifier à la visiteuse le moment de son départ. Maurice ne voulait pas qu'elles se croisent pour la première fois dans cette maison.

— Elle aimera, c'est sûr.

La voix de Diane avait baissé d'un ton. Son compagnon se pencha pour l'embrasser, cette fois les langues se retrouvèrent très vite. L'homme plaça son bras gauche sur le dossier du canapé, il tenait son verre de vin dans cette main. La droite se posa juste au bas de la cuisse, le nylon crissa un peu quand il la fit remonter à l'intérieur de celle-ci. Le bout des doigts atteignit le haut du bas, la peau tiède. Au lieu de protester contre l'intimité de la caresse, la visiteuse se déplaça légèrement pour lui donner un meilleur accès.

L'homme toucha la jonction des cuisses, reconnut la texture glissante du tissu de la culotte.

À ce moment, Diane retira sa langue, murmura dans sa bouche :

— Tu devrais me faire visiter une autre pièce de la maison. Il est temps que nous profitions d'un peu de confort pour faire ça.

Le « ça » rendit Maurice terriblement nerveux, même s'il savait depuis deux jours que cette visite se conclurait sans doute dans la chambre à coucher. La chambre conjugale, plus précisément. Juste à ce moment, il entendit le son de l'eau bouillante débordant sur le rond du poêle.

— Allons-y, dit-elle encore.

L'enseignant lui donna son verre en disant :

— La pièce du fond. Je te rejoins dans un instant.

En maître de maison soigneux, il alla éteindre la cuisinière électrique, puis déplaça le chaudron. Ensuite, il passa dans la salle de bain.

Chapitre 24

La porte de la chambre à coucher était restée entrouverte. En y entrant, Maurice aperçut Diane devant sa commode. Déjà, elle avait enlevé sa jupe pour la poser, pliée, sur le meuble. Le spectacle fit monter son excitation d'un cran. Sans ses souliers, toujours avec ses bas de nylon attachés aux jarretelles de sa ceinture, elle présentait une image hautement érotique.

Dans le miroir au-dessus du meuble, il la voyait défaire les boutons du chemisier un à un. Les yeux fixés sur elle, il enleva sa ceinture, baissa sa fermeture éclair. La femme se débarrassa de son chemisier, entreprit de détacher les jarretelles tenant ses bas, ôta sa ceinture. Puis, d'un geste vif, elle baissa sa culotte blanche, révélant son sexe dans le mouvement.

Maurice la buvait des yeux, littéralement, heureux que malgré le tourbillon d'émotions mêlant en lui un grand sentiment de culpabilité et la crainte de décevoir, son érection produisît une tente dans son sous-vêtement. Depuis des jours, il craignait que le fait de se retrouver dans cette pièce avec une autre femme qu'Ann le rende tout à fait impuissant. Au contraire, maintenant, voir les rondeurs généreuses de cette fille en pleine lumière lui faisait craindre une éjaculation très prématurée.

Comme prise d'une pudeur tardive, Diane se précipita vers le lit pour se glisser sous les couvertures. Puis elle posa quelque chose sur la table de chevet avant d'entreprendre d'enlever son soutien-gorge.

— C'est gênant en maudit pour une femme d'aller chercher ça dans une pharmacie, mais je me doutais que tu n'en aurais pas.

Des condoms. Non seulement Maurice n'en avait pas, mais il n'y avait pas du tout songé. Bien évidemment, cette femme avait déjà payé cher sa négligence de se procurer un moyen contraceptif, elle n'allait pas se faire avoir de nouveau. Il fut soulagé de savoir qu'elle ne prenait pas la pilule. Ainsi, elle ne collectionnait pas les amants.

Bien vite, vêtu de sa camisole et de BVD – la marque de caleçon en était venue à désigner l'objet, comme dans le cas de Frigidaire –, l'homme vint la rejoindre sous les couvertures. De la main, Diane s'assura de son état. Son sursaut fut tel qu'elle remarqua en riant:

— Autant en mettre deux, un par-dessus l'autre, sinon tu me laisseras loin derrière.

Sa main cherchait les préservatifs dans leur emballage de papier métallique. Où diable les avait-elle dissimulés pour les emporter? Ni la jupe ni le chemisier n'avaient de poche. Déjà, elle en récupérait un. Quand Maurice fut débarrassé de son sous-vêtement, sa compagne lui enfila le premier en laissant fuser un rire clair. La situation lui paraissait drôle. Sous ses mains, l'opération devenait une caresse. Puis elle mit le second. L'instant d'après, étendu sur elle, la langue dans sa bouche, Maurice agitait son bassin de façon frénétique, avec très peu de chances de trouver la fente de cette façon.

— Attends, dit Diane en se dégageant, tu n'y arriveras pas comme ça. Il te faudrait un pilote automatique. Je vais t'aider.

Tout cela lui paraissait naturel, la situation l'amusait au plus haut point. De son côté, son compagnon se sentit vexé de ses fous rires, au point où son excitation baissa d'un cran. Ce n'était certainement pas plus mal, car malgré la double épaisseur de latex, il risquait de ne pas faire long feu. Sa compagne glissa une main entre les corps pour saisir la verge et la placer au bon endroit. L'instinct fit le reste.

Le grand « Ahh » qu'elle poussa quand il s'enfonça lui fit plaisir. La jouissance ne serait pas à sens unique.

❖

L'enseignant naviguait dans des eaux totalement inconnues. D'abord, se retrouver nu avec une femme également sans vêtements, en pleine lumière du jour, constituait une expérience inédite. Puis elle se révélait capable de dire « continue » ou « arrête » pour être certaine de goûter son plaisir, peu désireuse d'être laissée pour compte. Maurice ne pouvait s'empêcher de faire la comparaison avec son épouse décédée. Son silence, son immobilité signifiaient-ils qu'elle n'arrivait pas à l'orgasme ?

Au lieu de vivre son présent, l'homme revisitait son passé, non pas pour entretenir sa nostalgie, mais pour raviver ses souvenirs d'un paradis disparu, pour s'assurer que son incompétence n'avait pas signifié une existence sans plaisir pour sa conjointe.

Après les premiers ébats, le couple revint dans la cuisine afin de manger. Les steaks trop cuits et les pommes de terre qui ne l'étaient pas assez ne feraient pas de ce repas une expérience culinaire inoubliable. Diane rassura Maurice, soutenant que l'ensemble se révélait tout à fait convenable.

Cette rencontre demeurerait un autre genre de fête des sens. Pour le temps du repas, Diane avait simplement remis son chemisier en le boutonnant très sommairement. Le soutien-gorge et la culotte resteraient à l'endroit où elle les avait laissé tomber. Après chaque bouchée, Maurice fixait les yeux sur la pointe des seins, facilement perceptible sous le mince tissu. Les ébats précédents et ceux auxquels il espérait encore se livrer le maintenaient dans un état d'excitation continue.

— As-tu des projets particuliers pour les grandes vacances ? demanda la jeune femme.

— Si j'étais sage, je m'inscrirais à des cours de l'Université de Montréal. Mais je n'ai encore fait aucune démarche.

— Tu ne te penses pas assez instruit ?

Elle estimait qu'il l'était déjà beaucoup trop, en comparaison d'elle-même.

— La grande conclusion de l'enquête sur l'éducation est sans appel : tout est mauvais dans la province, y compris les enseignants.

Il exagérait à peine. La formation des écoles normales était régulièrement l'objet de critiques sévères… et lui n'y était même pas passé, pas plus qu'à l'université.

— J'aimerais me recycler avant d'être forcé à le faire par mon employeur, pour avoir une petite longueur d'avance sur les autres.

On recyclait des tissus, du bois, du papier… et des travailleurs dans la province de Québec. Plus personne ne paraissait convenir à la société décrite par les futurologues. Maurice parcourait parfois la revue *Futuribles* sans cacher son incrédulité. Dans ce domaine, la boule de cristal lui semblait au moins aussi efficace.

— Tu ne risques pas de perdre ton travail, toujours ?

L'inquiétude sincère de Diane le déconcerta. S'agissait-il de compassion… ou d'une remarque intéressée ?

— Pas du tout. On n'a jamais eu autant d'enfants dans les écoles. Bons ou mauvais, il faut des professeurs pour s'occuper d'eux. J'aimerais compter dans le premier groupe.

À la fin du repas, Maurice mit les couverts et la vaisselle dans l'évier.

— Nous ne les lavons pas ? demanda sa compagne.

— J'aurai amplement le temps après ton départ. D'ici là, je préfère que nous profitions l'un de l'autre.

— Profiter l'un de l'autre, dit-elle après un éclat de rire. Quelle jolie façon de dire que tu souhaites retourner au lit.

Elle le prit par la ceinture de son pantalon pour l'attirer à elle et l'embrasser. Ses mains à lui retrouvèrent ses seins. L'homme ne voulait pas nécessairement se limiter à cela, et les activités à l'horizontale prendraient beaucoup de place dans leur après-midi.

Dans le couloir, Diane remarqua :

— Tu ne m'as pas montré les autres pièces de la maison.

— Parce qu'il n'y a pas grand-chose à voir.

— Tout de même, je peux ?

Elle posait la main sur la poignée de la porte de chambre de Marie-Andrée. Pendant une seconde, Maurice eut envie de le lui interdire. Cette curiosité lui semblait être une intrusion dans la vie de sa fille. Puis il donna son assentiment d'un signe de la tête.

Dans la petite pièce, la femme se tut, examinant le lit étroit soigneusement fait tôt ce matin-là, la petite table de travail avec sa lampe. Une demi-douzaine de livres formaient une pile bien nette. Il lui faudrait les remettre à la bibliothèque au cours de la semaine à venir.

— Vraiment, elle est beaucoup plus ordonnée que moi.

— Après la mort de sa mère, elle a commencé à s'inquiéter de trop peser dans ma vie, comme si elle craignait que je ne la « place » quelque part.

On voyait des pères seuls confier leurs enfants à des orphelinats. D'autres les mettaient tout simplement dans un pensionnat. Pour éviter ce sort, Marie-Andrée avait voulu non seulement se faire silencieuse comme une souris, mais se rendre aussi utile que possible dans la maison.

— Une hypothèse à laquelle tu n'as évidemment jamais pensé.

— Jamais.

Les yeux de la visiteuse se portèrent sur le cadre accroché au mur, un portrait d'Ann. Maurice avait pris la précaution de ranger celui du salon, mais pas celui-là. Diane restait muette, gardant pour elle son opinion sur les jolis traits de la morte. Dans le couloir, elle dit en regardant l'autre porte soigneusement fermée :

— Une chambre d'amis, comme on dit à la télé ?

— Mon bureau. Ça en dit long sur le nombre de mes amis.

Il préféra ouvrir la porte lui-même cette fois. Le bureau, acheté de seconde main comme la chaise et la vieille machine à écrire, ne mérita aucun commentaire. Il n'en alla pas de même de la photographie de la fille de la maison, posée sur le sous-main. Elle datait de deux semaines à peine, un service offert à l'école pour les élèves arrivant au terme de leurs études.

— Tu as bien raison d'en être fou, commenta Diane en la prenant dans ses mains. Sage et timide ! Tout le contraire de moi.

De nouveau, Maurice se sentit mal à l'aise, comme s'il regrettait de ne pouvoir mettre une cloison étanche entre sa fille et… sa maîtresse.

— Bon, et maintenant, si nous allions profiter ?

La femme reprenait son ton à demi moqueur.

❖

L'après-midi se passa à « profiter l'un de l'autre ». Heureusement, Diane n'avait pas ménagé le nombre de condoms, ce qui leur permit de récidiver aussi souvent que l'un et l'autre en eurent envie. À force, Maurice arriverait sans doute un jour à jouir du moment sans que son plaisir soit à moitié gâché par la honte de se montrer esclave de ses sens.

Si son désir lui permettait d'anesthésier son sentiment de culpabilité, une fois qu'il était assouvi, le malaise revenait en force. La jeune femme le percevait sans doute. Vers cinq heures, elle avait remis ses sous-vêtements, sa jupe tombait bien droit, son chemisier soigneusement reboutonné lui donnait presque un air pudique.

— Je peux vraiment te conduire chez toi, répétait son compagnon.

— Je préfère marcher. Nous ne sommes pas sortis de la journée, malgré le beau temps.

— Dans ce cas, allons-y à pied.

— N'as-tu pas la vaisselle à faire ?

Insister les aurait rendus encore plus mal à l'aise tous les deux. Le professeur se pencha pour l'embrasser sur la bouche.

— Merci d'être venue.

— Merci de m'avoir invitée.

Un instant plus tard, quand elle passa la porte, Maurice affirma :

— Je viendrai te voir cette semaine.

— Tu sais où me trouver tous les soirs.

Il la regarda marcher vers le trottoir, de son pas ondulant. La lumière du jour permettrait sans doute à deux ou trois voisines de la détailler. Dans une minute, l'une dirait à l'autre : « T'as vu la guidoune qui vient de sortir de chez le professeur ? Après ça on se demande pourquoi la jeunesse s'en va chez le diable. »

Maurice avait l'ivresse des sens un peu triste. Un état d'âme parfait pour se consacrer à la vaisselle.

✦

Les jeunes excursionnistes devaient revenir à huit heures trente par l'autobus de Longueuil. Maurice était assis dans sa voiture, garée tout près du terminus. Le couple descendit bientôt de l'autocar, s'approcha main dans la main. De nouveau, le père les trouva charmants. Cette fois, Jeannot s'installa sur la banquette arrière en disant :

— Bonsoir, monsieur Berger. Avez-vous passé une bonne journée ?

Un peu d'ironie pointait-elle dans sa voix ? Non, il ne pouvait savoir, Marie-Andrée était discrète.

— Très bonne. Et vous ?

— Extraordinaire !

Une guerre des superlatifs risquait de commencer entre eux. En prenant place sur le siège à côté de lui, l'adolescente renchérit :

— Tu m'as dit avoir aimé, nous avons adoré. Ce serait merveilleux de travailler là tout l'été.

Maurice démarra, songeur. Chemin faisant, il demanda encore :

— Quels pavillons avez-vous visités ?

— Celui de l'Union soviétique… Ensuite, nous étions lassés des files d'attente, alors, nous nous sommes consacrés à d'autres pays européens.

Pendant le trajet jusque chez les Léveillé, les deux jeunes gens énumérèrent ceux-ci. Quand le garçon descendit, le baiser s'étira un peu sur le trottoir. Le père ne put s'empêcher de songer à ses propres ébats. Selon toute probabilité, les appétits de Jeannot valaient les siens, et sa vigueur physique dépassait certainement celle d'un quadragénaire.

Quand sa fille reprit sa place, il demanda :

— Le projet de travailler à l'Expo continue de te séduire ?

— Tous les gens de mon âge semblent se rejoindre à Terre des hommes. Ce serait une belle occasion de sortir de ma coquille et de me faire de nouveaux amis.

« Un univers rempli de copains ! » songea l'enseignant. Une internationale des moins de vingt-cinq ans dont tous les autres seraient exclus.

— Je te le souhaite de tout mon cœur, si tu y tiens. Je comprends que c'est une occasion unique.

En disant ces mots, Maurice pensait que le départ de sa fille dès la fin juin lui permettrait de répéter les après-midi torrides. Pour chasser cette pensée, il s'empressa d'enchaîner :

— Mais dans tout ça, que deviendra Jeannot ? Il a déjà un emploi d'été dans le commerce de son père, non ?

La question laissa l'adolescente silencieuse jusqu'au moment d'entrer dans la maison. Ce fut en enlevant ses bottes qu'elle expliqua :

— Ce serait bien s'il travaillait là aussi, mais tu as raison, son père a besoin de lui. Nous pourrons toujours nous voir les jours de congé.

La voix manquait terriblement de conviction. Maurice préféra changer tout à fait de sujet.

— Veux-tu que je te prépare quelque chose à manger ?

— Nous avons soupé avant de monter dans l'autobus.

— De mon côté, je me prends une bière. Tu ne veux rien ?

— … Un *sundae* ?

Dans ces moments, Maurice retrouvait la gamine partageant sa vie quatre ou cinq ans plus tôt. La recette lui était familière : une boule de crème glacée à la vanille, du caramel et quelques noix. Il entendit la porte de la salle de bain se refermer. Il prit le temps de décapsuler sa bière, puis gagna le salon. À son retour, Marie-Andrée trouva son dessert. Allongée à demi, elle avala quelques cuillerées avant de glisser à mi-voix :

— De ton côté, comment vont les choses avec… ?

— Diane Lespérance.

Jamais il ne lui avait donné son nom entier. Depuis que la serveuse était partie de la maison, il se demandait s'il convenait de confier ses doutes à sa fille. Après une longue hésitation, il plongea :

— Je suis heureux de sa présence, très heureux.

L'image de la jeune femme avec juste son chemiser jaune sur le dos lui revint. Pendant une demi-heure, elle s'était déplacée dans la maison les fesses à l'air, tout comme son triangle de poils, alors que lui avait boutonné sa chemise jusqu'au cou et mis son pantalon.

— Cependant, dès que mon regard ne se pose pas sur elle, je me dis que cette histoire est impossible. Nous appartenons à des mondes tellement différents…

Si différents que le simple fait de la voir dans la chambre de sa fille l'avait agacé. Comme si elle pouvait y laisser des miasmes qui contamineraient l'adolescente, la rendant susceptible de se mettre dans une situation délicate ou de négliger ses études. Toutefois, il se refusait à préciser ce danger. Souhaitait-il voir Marie-Andrée arriver au mariage vierge, comme Ann et lui l'étaient ? Dans les médias, on ne parlait plus que d'amour libre. Un prêtre d'Ottawa avait évoqué l'institutionnalisation du mariage à l'essai. D'un autre côté, une frange importante de la société clamait la nécessité pour les filles de demeurer chastes. S'il croyait à ces règles morales, pourquoi ne pas les appliquer lui-même ?

Au fond, il en venait à penser, comme bien des parents, qu'il convenait de limiter ses attentes à la prévention des grossesses hors mariage, et d'approuver tout le reste. Pourtant, jamais il n'oserait dire à Marie-Andrée : « Je vais te donner des condoms, juste au cas où… » Comment le pourrait-il ? Déjà, il essayait de rassembler son courage afin d'aller en acheter pour lui-même, effrayé que le pharmacien n'en fasse le sujet de ses conversations sur le parvis de l'église le dimanche suivant.

Comme il arrivait souvent ces derniers temps, Marie-Andrée suivait très bien le cours de ses pensées.

— Je ne comprends pas cette histoire de monde différent. Ça ne veut rien dire. Qu'est-ce qui te dérange le plus ? Son manque d'instruction ? Son statut de fille-mère ? Le handicap de son fils ?

En quelques mots, elle venait de poser le problème dans toute sa simplicité. Comme le silence s'étira longuement, l'adolescente finit par murmurer :

— Je m'excuse, ce ne sont pas mes affaires.

— … Ne t'excuse pas, tu n'as rien dit de déplacé ou de faux. Mon silence tient au simple fait que je ne sais pas. J'aime sa compagnie, mais je ne voudrais pas que mes collègues ou les membres de ma famille me voient avec elle.

— Tu n'as pas à avoir l'approbation de qui que ce soit. Tu es une grande personne.

Les derniers mots s'accompagnaient d'un petit sourire narquois. Elle reprit tout son sérieux pour préciser :

— Je ne te jugerai pas, tu le sais. Je te respecte trop.

« Je devrai me souvenir de ça, se dit Maurice. Ne jamais la juger, respecter ses choix, ne pas la priver de mon estime même si elle fait des choses qui me semblent stupides ou mauvaises. » Une autre bonne résolution pour un père désireux de permettre à sa fille de grandir. Comme être dans le vent lui semblait compliqué !

— La seule opinion vraiment importante à mes yeux est la tienne, et je la pèserai soigneusement. Pour le moment, je ne sais trop quoi penser. Tu sais, je ne suis pas vraiment plus expérimenté que toi. Il s'agit de la seconde femme à entrer dans ma vie.

— Tout de même, c'est deux fois plus que moi.

Son petit rire égaya la pièce. Ce serait une autre de ces soirées tranquilles, où chacun trouverait quelque chose à lire, alors que le spectacle des *Beaux Dimanches* jouerait en sourdine à la télévision.

Le père et la fille se consacraient à la préparation du souper du mercredi soir quand le téléphone sonna dans le domicile de la rue Couillard.

— Je parie que l'un de mes étudiants est au bout du fil, mais ce n'est pas pour parler à son professeur.

— C'est peut-être pour toi, supposa Marie-Andrée.

Mais l'adolescente se dirigeait déjà vers le salon. Diane Lespérance avait appelé à la maison une fois. Quand Maurice avait pris le combiné, son amie avait dit : « Elle a une gentille voix. » Cette fois, le coup de fil venait d'un correspondant tout à fait inattendu.

— Bonsoir, grand-papa, fit la jeune fille dans la pièce voisine.

Un instant plus tard, elle disait :

— Papa, c'est pour toi.

« Il ne s'est même pas donné la peine de lui demander de ses nouvelles », pesta le professeur en prenant le combiné. Aussi, son ton fut plutôt abrupt quand il répondit :

— Oui, c'est moi.

— Bin là, est à l'hôpital. T'es content ?

— Qui est à l'hôpital ?

— Ta mère. A filait pas après-midi, j'l'ai amenée icitte, pis là y vont la garder.

Maurice prit une longue inspiration, expira longuement en songeant : « Après des années à dire "Tu vas me faire mourir", veut-elle mettre sa menace à exécution ? » Une chose surtout le mettait en colère : la nouvelle le faisait se sentir affreusement coupable, comme quand il avait dix ans.

— Qu'a-t-elle ?

— Je l'sais-tu, moé ? Chus pas docteur. Vas-tu v'nir la voir, au moins ?

Le « Non ! » tonitruant ne passa pas ses lèvres.

— Le curé ne l'a pas encore administrée ?

Comme dans « administrer les derniers sacrements », l'extrême-onction.

— Bin, non.

— Alors, je vais prendre le temps de souper.

Il raccrocha sans attendre la réplique. Dans la cuisine, sa fille le regarda dans les yeux, soucieuse.

— Ta grand-mère est à l'hôpital, mon père parle de tension artérielle élevée. J'irai la voir tout à l'heure.

Clairement, l'homme ne voulait pas s'attarder sur le sujet. Marie-Andrée se priva de demander d'autres explications.

◆

Quand, vers sept heures, Maurice remit sa veste pour se rendre à l'hôpital, sa fille fit la même chose. Dans l'entrée, il lui précisa :

— Tu sais, tu n'as pas à m'accompagner.

Le souci d'épargner à l'adolescente une rencontre au mieux désagréable l'amenait à l'avertir. Il continua :

— Moi, je n'ai pas le choix, c'est ma mère.

— Et moi, c'est ma grand-mère.

La réplique vint avec un demi-sourire. Elle mit ses bottes et sortit avec lui.

L'Hôtel-Dieu se dressait dans la rue du même nom, un édifice de brique de trois étages. Dans l'entrée s'affairait un personnel en majorité laïque. Dix ans plus tôt, les religieuses hospitalières suffisaient à faire marcher l'institution avec l'aide de trois médecins.

Le visiteur se présenta à un comptoir près de l'entrée et demanda à une très jeune fille, tout juste sortie de l'école :

— La chambre de madame Berger, je vous prie ?

Cela aussi caractérisait l'année 1967 : partout, le personnel était très jeune. Son interlocutrice chercha dans un registre avant de lui donner le numéro d'une chambre à l'étage. En se dirigeant vers l'ascenseur, Maurice remarqua à mi-voix :

— Je déteste cet endroit. Tu sens cette odeur de maladie ?

— De désinfectant, surtout.

À l'âge de Marie-Andrée, un tel lieu appartenait à un autre monde. Au sien, Maurice le trouvait trop près de lui. La présence de tant de jeunes lui rappelait combien il devenait vieux.

La chambre accueillait deux patientes au lieu de quatre, un privilège que la fortune des Berger rendait possible. Le lit le plus près de la fenêtre était occupé par Perpétue. Ernest se leva dès leur arrivée pour grommeler :

— Je vous laisse la place.

Il attendait visiblement avec impatience d'être relevé de son tour de garde. Maurice se planta près de la couchette, le regard fixé sur le visage de sa mère. Un éclair de satisfaction passa dans les yeux de la vieille. Le silence trop lourd poussa Marie-Andrée à prononcer d'une toute petite voix :

— Bonsoir, grand-maman.

Elle ne la regarda même pas, comme obnubilée par son aîné.

— Marie-Andrée vient de te dire bonsoir. Tu n'as pas entendu ?

— À la fin, tu es venu me voir !

La vieille femme savourait sa victoire, indifférente à tout le reste. Dans le regard de son père, la jeune fille put lire : « Tu vois, elle ne vaut même pas le déplacement. »

— Tu ne me demandes pas comment je vais ?

— Comment vas-tu, maman ?

— Mal. La méchanceté de mes enfants… non, de mon aîné, m'a conduite ici.

Cette fois, Maurice ne put retenir un rire tout à fait abrasif. Croyait-elle vraiment qu'il s'excuserait ? De longues secondes s'écoulèrent. Perpétue perdit un peu de son assurance. Dans un moment, elle jouerait sans doute de ses larmes. Puis soudainement, son regard s'éclaira, un sourire la rendit presque humaine. Elle lança, assez fort pour être entendue du couloir :

— Adrien, tu as pu abandonner tes paroissiens pour venir me voir !

Par ces mots, elle disait sa propre place dans ce monde : mère d'un saint homme. Elle tendit sa main gauche pour que le nouveau venu puisse la prendre dans les siennes.

— Comment vas-tu ? demanda le prêtre.

— Ah ! Pas très fort. Des problèmes de mère vieillissante.

Maurice échangea un regard avec sa fille, lui désigna la porte avec les yeux. Tout doucement, comme pour ne pas attirer l'attention sur leur retraite, ils quittèrent la pièce.

Chapitre 25

Navrée pour son père, Marie-Andrée cherchait les mots pour le consoler, comme si les rôles s'inversaient. Heureusement, l'ouverture des portes de l'ascenseur allégea un peu son malaise.

— Tante Justine ! dit-elle d'un ton enjoué.

Au milieu du couloir, elles échangèrent des bises hésitantes. L'habit religieux de sœur Saint-Gérard faisait ombrage à la tante affectueuse. Cette dernière embrassa ensuite son frère en demandant :

— Vous êtes venus voir la grande malade ?

— Une gentillesse tout à fait gaspillée. Là, elle est en extase devant saint Adrien.

Le ton trahissait son amertume liée à la compétition cruelle qu'il avait de tout temps livrée à son frère pour gagner l'affection d'une mère manipulatrice.

— Alors, comme elle se trouve entre bonnes mains, nous pouvons aller prendre quelque chose en bas, affirma la religieuse.

Justine appuya sur le bouton de l'ascenseur pour revenir au rez-de-chaussée. En entrant dans la cafétéria, le frère et la sœur cherchèrent une table à l'écart sans plus se soucier de manger quoi que ce soit. Cependant, Maurice proposa à sa fille :

— Veux-tu un Coke, un Seven-Up ?

— Non, mais si vous voulez parler entre vous…

Déjà, elle faisait mine de s'éloigner afin de les laisser entre « grandes personnes ».

— Pas du tout, à moins que Justine…

L'hospitalière secoua la tête de droite à gauche.

— Dans ce cas, reprit Maurice à l'intention de la religieuse tandis que sa fille prenait place près d'eux, peux-tu me parler de sa condition ?

— Un sérieux problème de tension artérielle, qui peut avec le temps entraîner diverses conséquences funestes. Mais elle n'en est pas là.

— Elle ne court pas de risque à court terme ?

— Je ne pense pas. Elle ne boit pas, son poids est normal, son alimentation est bonne. Mais elle est tellement tendue… Des fois, je me demande si ce n'est pas sa colère qui la rend malade.

La religieuse regarda son frère dans les yeux un long moment. Elle n'ignorait rien de sa petite rébellion au sujet des repas dominicaux, et de ses conséquences sur l'humeur de la vieille dame. Maurice résista à l'envie de lui demander son opinion sur la question.

La scène survenue quelques minutes plus tôt lui demeurait en travers de la gorge. L'accroc qu'il s'apprêtait à faire à la vérité le mettait mal à l'aise, mais il souhaitait fragiliser un peu le piédestal du prêtre aux yeux de sa cadette.

— Adrien t'a-t-il déjà entretenue de ses inquiétudes au sujet de son engagement religieux ?

Sa sœur arqua les sourcils, incertaine de bien comprendre.

— Il m'a demandé d'en parler à maman, pour faciliter les choses, mais dans les circonstances actuelles…

Marie-Andrée écoutait attentivement, surprise de voir son père aussi vindicatif. Car si ce dernier disait vrai au sujet des confidences d'Adrien, il trahissait la confiance qu'avait mise en lui son frère, avec pour objectif de nuire à son statut dans la famille.

— … Non, fit sœur Saint-Gérard, visiblement ébranlée.

— Ah! Pourtant je croyais… Dans ce cas, je ne t'en dirai pas plus.

Un silence lourd pesait maintenant sur eux. Justine le brisa en se levant :

— Je dois reprendre mon travail. Je passerai voir maman tout à l'heure. Veux-tu que je lui dise quelque chose de ta part?

— Souhaite-lui un prompt rétablissement.

Les échanges de baisers furent totalement dépourvus de chaleur, puis ils se quittèrent sur un «À bientôt» sans grande conviction.

❖

Quelques minutes plus tard, Maurice se tenait immobile derrière le volant, stupéfait d'en être venu ainsi à trahir la confidence de son frère. Et tout cela à cause d'une jalousie profonde qu'avait suscitée la préférence affichée de Perpétue! L'attitude de cette femme reposait sur une réalité toute simple : son second fils avait accepté de suivre le chemin tracé à son intention. Que le dépit de Maurice demeure aussi vif à ce sujet, passé quarante ans, révélait un manque de maturité flagrant.

À ses côtés, Marie-Andrée demeurait silencieuse, un peu sonnée par les indélicatesses précédentes, incertaine du sens à leur donner. La scène rejouerait dans son esprit quelques fois, puis la lumière se ferait.

Maintenant, Maurice craignait que sa mesquinerie ne réduise considérablement l'estime de sa fille à son égard. Finalement, cette dernière demanda dans un murmure :

— Peux-tu m'expliquer pourquoi grand-maman est comme ça avec toi… et avec moi ?

— Son attitude à ton égard ne vise qu'à me blesser. Tu n'es pas la vraie cible de sa hargne. Ne t'en fais pas pour ça.

— Mais pourquoi ?

Il fut sur le point d'ouvrir la bouche, puis secoua la tête. Mieux valait d'abord se soustraire aux règles que Perpétue lui avait instillées afin de regagner un peu de liberté.

— Ça te dit de venir manger un morceau de tarte aux pommes avec moi ?

Comme elle restait coite, dans cette obscurité il imagina la surprise sur son visage.

— Au café de la gare d'autobus.

— … D'accord.

Le premier pas de son émancipation était peut-être de cesser d'avoir honte de Diane. Il la voyait en secret depuis des semaines, pour une seule raison au fond : son intense désir pour elle.

Quand ils arrivèrent au café, une bonne douzaine de clients y étaient attablés, des routiers pour la plupart. Diane Lespérance se figea en les voyant, cafetière à la main. Maurice s'approcha pour lui dire :

— Chacun un morceau de tarte aux pommes, un verre de lait pour elle, un café pour moi. Là, on va parler d'affaires de famille, mais quand ce sera vide, nous converserons à trois.

La jeune femme donna son assentiment d'un signe de la tête. Peu après, le propriétaire des lieux lui faisait un gros clin d'œil : son fameux client chanteur de pomme révélait son jeu devant témoins. Cette connivence vulgaire, non souhaitée, agaça terriblement la serveuse. De son côté, le père entraîna sa fille vers une table à l'écart, près de la vitrine.

— C'est elle? demanda Marie-Andrée, rougissante.

L'homme répondit d'un signe de la tête, tout en esquissant un sourire emprunté. Il se demandait s'il allait trop loin, trop vite.

— C'est une jolie femme.

« Trop jeune pour moi », se dit-il. Derrière le comptoir, Diane gardait les yeux en leur direction tout en s'affairant. Bientôt, elle s'approchait timidement avec les morceaux de tarte pour les poser sur la table. Devant toutes ces personnes, dont sa fille, Maurice n'osa pas se lever pour l'embrasser. Les interdits formulés par Perpétue demeuraient bien ancrés.

— Tu as certainement deviné qu'il s'agit de Marie-Andrée...

Puis, en regardant sa fille, il présenta :

— Diane, la femme que j'ai souvent vue ces derniers temps.

La poignée de main et les « Enchantée, mademoiselle » témoignèrent de l'embarras de chacune.

— Je reviens avec les breuvages.

Maurice se retint difficilement de lui dire : « Boissons. Breuvages, c'est de l'anglais. » L'erreur pourtant si courante le dérangeait vraiment. « À dix-sept ans, ma fille s'exprime beaucoup mieux. » De nouveau, la distance entre lui et cette femme lui parut trop grande. Quand le café et le lait furent devant eux, il commença :

— Tu veux comprendre l'attitude de ma mère. Moi-même, je commence tout juste à m'expliquer la situation. Je veux bien te faire part de mes idées sur le sujet. Tu jugeras par toi-même si tout cela te semble plausible.

La jeune fille hocha la tête, impressionnée par le ton de son père et par l'émotion qui affectait sa voix.

— Ton grand-père a une maîtresse depuis près de quarante ans. Je ne sais pas s'il y en a eu d'autres, mais je connais l'existence de celle-là.

— Quarante ans…

— Un peu moins, tout de même. Juste après la naissance de Justine, ta grand-mère lui a signifié qu'ils ne coucheraient plus ensemble. C'était sa façon d'empêcher la famille. Je pense que cela tenait surtout au fait que le sexe ne lui plaisait pas, car il existe bien d'autres moyens.

Après un moment de silence, il demanda :

— Tu comprends ce que je veux dire ?

La jeune fille opina du chef. Dire que deux mois plus tôt, il se sentait incapable d'aborder certains sujets avec elle, et que l'idée même d'acheter le livre du docteur Gendron lui faisait honte ! Tous les deux changeaient, et rapidement.

— Il a cherché ailleurs sa satisfaction.

Avec ce genre de confidence, il convenait de laisser les informations faire leur chemin dans l'esprit de son interlocutrice. Aussi Maurice s'intéressa à son morceau de tarte pendant un moment.

— Je comprends qu'elle déteste son mari. Mais pourquoi s'en prendre à toi ?

— Elle voulait se construire un époux sur mesure, toujours fidèle : son fils aîné devenait le candidat idéal. Pour le garder pour elle, pour empêcher qu'une autre femme ne vienne de nouveau lui voler son homme, quoi de mieux que d'en faire un prêtre ?

Lors du voyage à Terre des hommes, il avait évoqué devant Diane le jeu du parfait petit prêtre qu'elle lui avait offert : le surplis, la chasuble, la barrette, l'étole, et bien sûr, l'inévitable soutane noire. Ce présent lui apparaissait maintenant comme le pire geste que sa mère ait accompli dans cette grande machination.

— Malheureusement pour elle, dès son entrée à la petite école, son garçon trouvait les filles bien jolies. Malgré tous les sermons, les siens et ceux de ses professeurs au collège, il a persisté dans ce mauvais penchant. Au point de refuser d'entrer au séminaire, au point de se marier. En plus, il est devenu le père d'une jolie petite fille et il ne se souciait pas tellement de l'élever dans la crainte de Dieu. Quelle trahison !

Marie-Andrée hocha la tête. Ce récit correspondait aux commentaires entendus, à la hargne parfois exprimée.

— Cela explique qu'elle m'en veuille encore, des décennies plus tard. Du moins, c'est la seule explication que je trouve.

Le fait d'avoir mis ses pensées en ordre, pour être compris, et de les avoir formulées à haute voix lui permettait d'y voir plus clair.

— Heureusement, le deuxième enfant de Perpétue s'est plié à ses manipulations. Un petit mari qui ne couche avec aucune femme, contrairement à Ernest. Il marche sur le chemin de la sainteté, et elle aussi, parce qu'elle l'a donné à l'Église.

— Ce qui rend l'aîné très malheureux, car en plus de critiquer ses choix de vie, sa mère le prive de toutes les démonstrations d'affection pour les réserver au cadet.

« Vraiment, songea Maurice en regardant sa fille qui l'écoutait, pour être aussi sage à son âge, elle a dû avoir un père doué. » Cette autogratification ne le combla pas de plaisir. Après un court silence, il se dit : « Tant qu'à me confier, autant ne pas m'arrêter en route. » Cette fois, il cessa de parler de lui-même à la troisième personne.

— Bien sûr, dressé pour être un prêtre, coupé des autres pendant toute ma jeunesse, ça me laisse bien empoté auprès des femmes. Si j'avais rencontré ta mère dans une salle de

danse, jamais je n'aurais osé l'approcher. Ça n'a pas beaucoup changé aujourd'hui.

Marie-Andrée opina de nouveau. L'histoire de Jeannot
lui revint en mémoire : un garçon avait demandé sans succès
à huit filles de danser, pour entendre enfin un oui de la part
de la neuvième. À ce sujet, elle et son père logeaient à la
même enseigne. Comme elle était heureuse de ne pas avoir
à prendre l'initiative dans ce type de situation !

— Alors, je doute. Je me réjouis d'avoir rencontré une
femme jolie et plutôt gentille comme Diane, et la seconde
suivante, j'admets avoir honte de la présenter à mes collègues… ou à ma fille.

— Merci, fit-elle.

Inutile de se montrer plus explicite sur sa reconnaissance.
Toutes ces informations constituaient une extraordinaire
marque de confiance. Maurice avait craint de perdre le
respect de sa fille, mais la perspective de se dérober encore
lui devenait insupportable. Dorénavant, Marie-Andrée
comprendrait l'hostilité de sa grand-mère envers elle sans
chercher quelle faute elle avait bien pu commettre. Elle
comprendrait aussi le manque d'assurance de son père.

Lentement, le café s'était vidé. Bientôt, le propriétaire s'esquiva pour abandonner le reste du travail à son
employée. Vers neuf heures trente, Maurice et sa fille
vinrent occuper des tabourets près du comptoir. Pendant un
long moment, Diane, intimidée, s'occupa à diverses tâches
pas vraiment urgentes.

À la fin, il l'interrogea sur ses activités de la journée,
questions destinées à empêcher que le silence ne devienne
trop pesant. Marie-Andrée tenta avec plus ou moins d'en-

thousiasme de s'informer sur son horaire de travail, sur la difficulté de se retrouver toute seule une grande partie de la soirée.

La serveuse s'essaya bientôt à la même stratégie. Ses allusions à la vie scolaire laissaient percer son malaise de fille ignorante devant une forte en thème.

— Puis, vous voulez faire maîtresse d'école.

— Les occupations ne sont pas bien nombreuses pour les femmes, et j'aime les enfants, je compte bien en avoir un jour. Ça me semble un bon choix.

— Surtout, vous aimez l'école.

L'adolescente laissa entendre son rire franc, puis avoua en regardant son père :

— Avec un professeur dans la maison, je n'avais pas vraiment le choix.

Ensuite, Marie-Andrée marqua une pause, avant de proposer, un ton plus bas :

— Pourriez-vous laisser tomber le « mademoiselle » ? Ça me fait tout drôle.

— Et vous aussi ?

L'une et l'autre se renvoyaient le « mademoiselle ». Ce langage trop formel ressemblait à une barrière pour les empêcher de se rejoindre.

— Entendu.

Maurice suivait la conversation, touché de les voir si attentives à chercher le ton convenant à leurs échanges. Lasse de ces sujets en périphérie de leur réalité, l'adolescente remarqua :

— Diane, vous devez trouver très difficile d'être privée de votre garçon tous les soirs.

Un chauffeur de taxi alla se planter devant la caisse pour régler son addition. Cela donna à la serveuse le temps de penser à sa réponse.

— Oui, très difficile, convint-elle en revenant. Vous savez, il n'est pas… comme les autres. Il a besoin de beaucoup d'attention.

— Papa m'a dit. Les enfants trisomiques sont très affectueux, je pense.

— Je n'en connais pas d'autres, mais pour Antoine, c'est très vrai.

Cet intérêt sincère pour le sort de son enfant l'émouvait au plus haut point. Maurice découvrait en sa fille une personne sensible et attentionnée. En quittant les lieux, il se réjouissait de penser que les rapports entre ces deux-là ne causeraient jamais de problème, si Diane occupait une place grandissante dans sa vie.

Surtout, au moins pour un temps, il cessait de reprendre à son compte le mépris que sa mère aurait exprimé envers cette serveuse. Il la regarderait avec ses yeux à lui, pas avec ceux de Perpétue.

— Vraiment, les examens de fin d'année m'énervent deux fois moins que celui d'aujourd'hui.

Marie-Andrée descendit de la Volkswagen devant un édifice du Bureau des véhicules automobiles du ministère des Transports. Elle avait tenu le volant jusque-là. Même sans avoir le sien, elle pouvait conduire si un détenteur de permis occupait la place voisine sur la banquette.

— Ces examens, tu les as à peine commencés, ils auront lieu la semaine prochaine pour la plupart. Comment peux-tu en juger ?

Maurice ouvrit la porte du petit édifice et la laissa passer devant lui. Ils y découvrirent une véritable ruche. Une foule de jeunes gens attendaient, les uns debout, les autres assis sur les chaises placées de façon à former trois rangées. Des adultes se tenaient là aussi, car les personnes âgées de moins de dix-huit ans devaient fournir la signature de leur père pour obtenir un permis.

— Alors, je te montrerai mes mains chaque matin de la prochaine semaine. Je suis certaine que je ne tremblerai pas ainsi.

L'adolescente tendit le bras devant elle. En effet, ses doigts frémissaient un petit peu.

— Conduis comme tu l'as fait en venant ici, et tout ira bien. Viens, c'est par là.

Une file d'attente se formait devant le premier guichet. Ils firent le pied de grue pendant une vingtaine de minutes avant d'arriver devant le fonctionnaire.

— La p'tite demoiselle veut son permis de conduire, c'est ça ?

Les risques de se tromper étaient nuls : un panneau au-dessus de l'ouverture portait les mots « permis de conduire » écrits en grosses lettres. Marie-Andrée répondit un « Oui » timide.

— Bin, faut remplir ça, pis le donner au gars à côté.

Il lui tendit un formulaire, posé sur un carton épais pour faciliter l'opération, et un crayon long de trois pouces. L'utilisateur précédent en avait mâchouillé le bout. Des traces de salive demeuraient visibles.

— Merci, dit-elle en pinçant le nez.

Affligée de la même mauvaise habitude dans ses moments de nervosité, elle espérait ne pas le porter à sa bouche machinalement. Alors qu'elle se déplaçait vers la droite pour dégager le passage, un grand garçon efflanqué se leva en disant :

— Prenez ma chaise, mademoiselle.

Celui-là devait venir de la campagne, pour afficher un tel savoir-vivre. Les remerciements s'accompagnèrent d'un sourire, puis elle inscrivit les renseignements habituels, nom, adresse, lieu et date de naissance. Quand elle arriva à la signature, elle tendit le formulaire à son père, qui s'exécuta sur-le-champ. Un second fonctionnaire prit ensuite le document.

Les travaux d'écriture terminés, le père et la fille se rangèrent le long du mur, laissant les places assises à ceux qui commençaient le processus.

— Maintenant je vais passer un test sur la route ? demanda Marie-Andrée.

— Je ne sais trop. Dans mon temps, on donnait un beau deux dollars au député, puis on avait notre permis. C'était le bon temps.

Devant les yeux sceptiques de l'adolescente, il précisa de son ton moqueur :

— En réalité, l'employé prenait le deux, mais je suppose que le député s'arrogeait la part du lion pour avoir permis l'embauche de l'un de ses électeurs.

Après une pause, il reprit sérieusement :

— Obtenir un permis était une vraie farce. Duplessis a mis un peu d'ordre il y a une douzaine d'années. Depuis, les candidats passent successivement un examen de la vue, un examen théorique sur le code de sécurité routière et un essai routier.

Seule la dernière étape suscita le froncement de sourcils de Marie-Andrée. Bientôt, un gros homme appela son nom à haute voix, pour l'emmener ensuite dans une salle adjacente. Dès l'entrée, un panneau identique à ceux ornant le mur des cabinets d'optométriste attira son attention.

— Tu voués clair, j'suppose, commença l'employé.

— Je suppose.

— Alors, lis ça en bas.

Du doigt, il montrait la dernière ligne. Marie-Andrée nomma les lettres sans se tromper.

— C'est correct. Vingt sur vingt.

Il écrivit le score sur le formulaire, puis lui tendit un questionnaire.

— Va t'assir pour remplir ça, pis tu m'le r'donnes après.

Une vingtaine de petites tables s'alignaient devant elle. Un garçon dans la première rangée vint justement remettre ses réponses au fonctionnaire, et elle prit sa place. Il s'agissait de marquer d'un « X » la bonne réponse à chacune des vingt questions. Ce fut fait en trois minutes. Le gros homme afficha sa surprise au moment de recevoir sa feuille.

— Bin, t'es vite, toé.

La correction fut encore plus expéditive. Après avoir inscrit un score parfait, il lui dit :

— R'tourne à côté, un examinateur va t'appeler.

En retrouvant son père, la jeune fille glissa entre ses dents :

— Quelle perte de temps !

— Pourtant, des gens échouent à l'examen théorique. Mais ne t'en fais pas pour eux, ils finissent quand même par prendre la route. L'un de ceux-là a tué ta mère.

Moins d'une heure dans cet endroit avait ramené Maurice au moment le plus triste de sa vie. Le jour où Ann avait eu son permis, il l'avait accompagnée. Son humeur demeura morose jusqu'à ce qu'un nouvel employé, plutôt jeune cette fois, vienne lancer à la ronde :

— Marie-Andrée Berger.

Son père lui souffla un « bonne chance » à l'oreille. Quand elle rejoignit le fonctionnaire, ce dernier dit à la jeune fille :

— On prend ton char ou le mien ?

La formulation avait quelque chose d'équivoque. « Le mien », dit-elle en regardant l'examinateur de la tête aux pieds. Dans la vingtaine, il portait un veston trop petit et un pantalon trop grand. La peau grasse de son visage était grêlée par les cicatrices d'une acné ancienne.

— Bin, j'te suis.

Le jeune homme la soumettait aussi à un autre genre d'examen. Devant son regard, elle s'en voulut de porter sa nouvelle robe. Le vêtement d'un bleu pâle susceptible de rehausser son teint, allait deux, peut-être trois pouces au-dessus du genou et laissait les bras dénudés. Pourtant, cette belle journée de juin méritait d'être soulignée avec quelque chose de léger.

Arrivée à la voiture, elle s'installa à la place du conducteur, puis tendit le bras pour ouvrir la portière côté passager.

— Moé, j'aime mieux les américaines, remarqua-t-il en montant.

L'absence de réponse à son effort d'entamer une conversation l'offusqua. Alors qu'elle tournait la clé pour lancer le moteur, il demanda :

— T'ajustes pas tes miroirs ?

— Comme j'ai conduit pour venir ici, mes miroirs sont déjà ajustés.

— Bin moé, j'peux pas te mettre un point pour ça, j't'ai pas vue le faire.

La colère de Marie-Andrée risquait-elle de nuire à sa performance ou de l'améliorer ? D'un geste brusque, elle frappa sur le rétroviseur, puis le remit en place soigneusement.

— Ça ira comme ça ?

Puis, après une pause, elle demanda encore :

— Je fais quoi maintenant ?

— Roule jusqu'à la lumière là-bas, pis tourne à gauche.

«Bon, si je ne trouve pas le maudit point de friction maintenant, j'aurai l'air d'une idiote», songea-t-elle. Pourtant, elle y arriva sans peine, puis s'inséra prudemment dans la circulation. L'arrêt à la première intersection ne lui échappa pas.

— J'm'appelle Michel, fit l'examinateur après un moment.

« Dois-je dire "enchantée" ? » Elle préféra demeure coite. Il tendit la main pour allumer la radio, chercha une station à sa convenance. Quand elle tourna à l'intersection, une chanson envahit l'habitacle :

I got you babe

Sonny et Cher. Elle se souvenait d'avoir vu ce couple à la télévision, l'homme, plus âgé que la femme d'au moins dix ans, vêtu d'une curieuse veste sans manches en fourrure synthétique. En lâchant le bouton permettant d'augmenter le volume, la main du fonctionnaire décrivit un arc curieux, comme pour se poser sur son genou, l'évitant finalement de justesse. Le geste la rendit suffisamment nerveuse pour qu'elle fasse crier la transmission lors du changement de vitesse.

« Une once de pouvoir, et cet abruti veut en profiter. » Enfermée avec lui dans l'habitacle, elle désirait quelque chose qu'il pouvait lui refuser. Cela l'amenait à se servir de cet avantage pour satisfaire sa petite infatuation. Dans une semaine, elle souhaitait avoir un emploi ; il s'accompagnerait d'un patron et de collègues sans doute aussi grossiers que celui-là. La perspective l'embêtait bien un peu.

— *I got you babe*, commença à chanter l'examinateur.

Finalement, dans cette aventure, la conduite automobile ne s'avérait pas l'aspect le plus difficile à gérer. Heureusement, la nécessité de donner des instructions mit fin à la sérénade. Elle dut stationner l'auto dans des espaces réduits, puis montrer son habileté à reculer sur une courte distance. Il chercha une pente où la faire s'arrêter et repartir, afin de l'exposer au risque de faire caler le moteur, mais Saint-Hyacinthe se révéla amicalement plat.

Les derniers virages firent comprendre à Marie-Andrée que le jeune homme lui faisait décrire un grand rectangle afin de revenir au Bureau des véhicules automobiles.

— J'comprends pas qu'les filles se donnent la peine de passer leur permis. Moé, quand j'sors avec une, j'conduis.

— … Vous êtes un modèle de bienséance, mais pensez à toutes celles, nombreuses, qui n'auront jamais la chance de se faire conduire quelque part par vous. Ce serait injuste de les laisser au bord de la route.

Dans les histoires que se racontaient ses camarades à la cafétéria du couvent revenait souvent celle du gars désireux de se livrer à du *heavy petting* en voiture et qui, devant les réticences de sa compagne, y allait du fameux : « Bin, si tu marches pas, marche. » Cette attitude condamnait la rétive à revenir à pied d'un endroit nécessairement lointain, parce que discret.

— Moi en tout cas, je tiens absolument à ce permis, précisa encore l'adolescente.

Le fonctionnaire se douta qu'il y avait dans ces mots quelque chose de pas vraiment gentil pour lui, mais le temps qu'il démêle le sens de la phrase, ils étaient de retour au local du ministère des Transports. Quand elle fut stationnée, l'examinateur finit de remplir le formulaire.

— Vous aurez un temporaire aujourd'hui, pis le vrai arrivera dans la malle.

Marie-Andrée mit quelques secondes à réaliser qu'elle venait de réussir son examen. Son compagnon souleva la première page du formulaire pour inscrire quelque chose sur la seconde, puis l'arracha, la plia en trois et la lui tendit.

— Ça, c'est vot' copie. Le gouvernement ménage su' l'papier carbone, fait qu'c'est dur à lire. En d'dans, y vont vous donner l'temporaire d'icitte dix minutes.

Déjà, il quittait son siège. Après avoir verrouillé sa portière, la nouvelle conductrice le rejoignit au moment où il passait la porte. À l'intérieur, il lui tendit la main en lui disant :

— À bientôt, mademoiselle Berger.

Comme de raison, sa paume se révéla moite. Décidément, il n'avait rien pour plaire. Quand elle revint vers son père, son sourire témoignait du résultat.

— Tu as donc réussi, comprit celui-ci avec une note de nostalgie dans la voix.

La société lui donnait le droit de prendre sa place dans les rues et sur tous les chemins de la province. C'était une autre façon de lui accorder un sauf-conduit pour le monde des grandes personnes.

— J'ai réussi. J'espère juste que ce n'est pas par charité.

Curieuse, la jeune fille déplia la feuille pour constater qu'effectivement, on n'y distinguait à peu près rien. Toutefois, sept chiffres se découpaient très nettement. Ils n'avaient rien à voir avec son score. « Maudit ! » Comme son père fronçait les sourcils devant le petit écart de langage, elle lui tendit le formulaire :

— C'est un numéro de téléphone ?

— Le sien. Il réserve probablement la même attention à toutes les filles. Sur le nombre, il doit en attraper quelques-unes.

« La stratégie vaut sûrement celle de mettre une annonce dans *Nos Vedettes* », pensa Maurice. Quelques minutes plus tard, on remettait un petit carton à la jeune fille. Son permis ! Le mot « Temporaire » bien visible en haut réduisait à peine son plaisir. Dehors, quand elle tendit les clés de la Volkswagen à son père, celui-ci répliqua :

— Tu ne réalises pas dans quel engrenage tu viens de mettre le doigt. Maintenant, tu dois t'entraîner à conduire ton vieux père.

— Dans ce cas, je t'ouvre la portière, papy, dit la jeune fille, moqueuse.

L'instant d'après, Marie-Andrée démarrait. Son plaisir fut un peu gâché par une soudaine prise de conscience. Désormais, elle pouvait conduire sans qu'un détenteur de permis doive être assis à ses côtés, mais le jour où elle piloterait sa propre voiture lui paraissait fort loin.

Chapitre 26

Le vrai permis de conduire était arrivé dans la boîte aux lettres la veille. Marie-Andrée le portait sur elle, dans un petit portefeuille glissé dans une poche de son pantalon. Pour mesurer l'étendue de sa nouvelle autonomie, dès le premier jour, elle « faisait du parking ». Et si cela tournait mal, Jeannot serait celui qui rentrerait à pied à la maison.

— Ton père ne cesse de m'étonner. Te laisser sa voiture toute la soirée !

— Il n'en a pas besoin pour faire ses corrections.

— Le mien n'a pas non plus besoin de la sienne pour vendre ses meubles, pourtant je suis toujours piéton.

La jeune fille avait stationné la Volkswagen dans un coin discret, l'avant en direction de la rivière Yamaska. D'après des conversations entendues à l'école, il s'agissait d'un bon endroit pour « ça ». Ce petit mot de deux lettres revenait bien souvent dans ses oreilles pour désigner tout un ensemble d'expériences différentes, toujours à la fois effrayantes et excitantes.

Avec un ami si attentionné, la frayeur comme l'excitation n'atteignaient pas un niveau bien élevé. Puis ce soir, la tristesse de celui-ci devenait palpable. Il avait pris sa main dans la sienne pour la tenir en silence pendant un moment. Bientôt, il exprima la raison de sa peine.

— Si tout va bien pour toi demain, nous ne nous reverrons plus.

— Tu exagères. Je ne travaillerai pas sept jours par semaine.

— Mais tu auras des choses plus intéressantes à faire à Montréal que dans notre ville ennuyante.

— Ne t'en fais pas, papa ne voudra pas me perdre de vue pendant trop longtemps.

Pourtant, cette réponse, qui se voulait apaisante, donnait une excellente raison à son compagnon de s'en faire davantage. Pour le rassurer, elle aurait dû dire : « Je ne pourrai rester longtemps sans te voir. »

— Puis, en septembre, ce sera l'école normale, renchérit-il.

Sa compagne n'arrivait pas à se sentir réellement triste. Ces changements à son existence la rendaient plutôt fébrile. Lassée de ses jérémiades, ce fut elle qui se tourna à demi pour l'embrasser. Le *french kiss* n'était pas le moyen le plus désagréable de faire taire quelqu'un. Jeannot se laissa prendre au jeu, et après une minute, un sein menu et chaud se trouvait dans sa paume. Marie-Andrée le laissa glisser sa main sous son chandail et même s'insinuer un peu sous son soutien-gorge. Les territoires au sud de la ceinture de son pantalon, cependant, resteraient *terra incognita* pour une période encore indéterminée, mais vraisemblablement longue.

De son côté, la jeune fille se révéla casanière, ne se livrant à aucune exploration. Pas même sur sa poitrine à lui. Elle demeurait sage. Les courriéristes du cœur auraient collé un petit ange dans son carnet d'apprentissage de la vie.

En se levant le dimanche matin, 24 juin, le père et la fille montraient des traits tirés, conséquence d'une mauvaise nuit. Pourtant, pour un enseignant et une élève, ce jour marquait le début des grandes vacances. Devant le petit déjeuner, Maurice essaya de prendre la chose à la légère :

— Peut-être seras-tu en train de vendre des souvenirs à des touristes avant l'heure du dîner.

— Ne te moque pas. Beaucoup de jeunes ne dénicheront rien de l'été. Je garderai peut-être le fils du voisin un soir par semaine jusqu'en septembre.

À ce jour, il s'agissait de la seule offre d'emploi qu'on lui avait faite. Le père considérait cependant les chances de sa fille comme plutôt bonnes. Le gouvernement provincial embauchait des étudiants pour des occupations sans aucune utilité, et les commerces rêvaient de recevoir des hordes de touristes.

— Hier soir, ta cousine se montrait plutôt optimiste.

Maurice n'avait entendu que la moitié de la conversation – les réponses et les questions de sa fille –, mais cela l'amenait à penser que l'hôtesse de l'Expo avait vraiment à cœur le sort de Marie-Andrée.

— Tu me disais qu'elle t'avait ménagé des rencontres avec trois ou quatre personnes.

— Tout en me précisant qu'elle ne me promettait rien, que ce serait à moi de faire bonne impression.

Les mots exacts n'auraient peut-être pas plu à l'enseignant : « Oublie tes robes de couventine et montre un bout de tes cuisses. Les patrons préfèrent toujours les employées qui améliorent leur paysage. » Aussi portait-elle sa petite robe bleue depuis son lever. Son père, lui, considérait que jamais elle ne produirait autre chose qu'une excellente impression.

— Je suis sérieux, tu devrais mettre quelques vêtements dans ton sac de voyage. Si les choses se précipitent, ta marraine pourra te recevoir dès ce soir. Peux-tu imaginer porter la même robe jusqu'à ton prochain jour de congé ?

— Vendre la peau de l'ours… ça porte malheur.

Une superstition toute simple pour une jeune fille que la vie avait déjà cruellement déçue. Pourtant, après un long silence, elle hocha la tête. Elle apporterait les vêtements nécessaires.

Un peu avant huit heures, ils descendirent de la Volkswagen près de la gare d'autobus. Marie-Andrée tenait un sac de voyage à la main. Finalement, si quelqu'un voulait bien recourir à ses services dès le lendemain, elle pourrait se présenter propre au travail.

Quand elle se rendit au comptoir pour acheter son billet, Maurice contempla la jolie silhouette mince, soulignée par la robe bleu pâle. Il lui aurait ajouté une bande de tissu pour la rallonger. Son attitude s'avérait bien étrange : ce qu'il appréciait tant chez Diane, il souhaitait que personne ne le voie chez sa fille.

Quand elle revint vers lui, il voulut lever toute ambiguïté sur ses sentiments :

— Je te souhaite la meilleure des chances, et en même temps, tu sais combien tu me manqueras.

— Je sais. Je pourrais te dire la même chose. Mais…

Comme elle hésitait, il compléta :

— Mais nous sommes tous les deux des adultes.

Ils s'enlacèrent, attirant l'attention des voyageurs se massant autour des autobus en partance pour tous les coins de la province. Après quelques secondes, Marie-Andrée intervint, d'une voix maintenant un peu amusée :

— Papa, regarde.

Maurice se tourna à demi pour apercevoir Diane Lespérance marchant dans leur direction. À ses côtés, ils virent un petit garçon. Son handicap se remarquait au premier coup d'œil. Son corps affectait la forme d'une poire, avec des fesses et un ventre trop gros, des jambes trop courtes. Il n'atteignait pas l'épaule de sa mère, pourtant d'assez petite taille. Quant au visage, avec ses sourcils effacés, sa bouche tombante, il offrait des traits vaguement asiatiques. Mongoloïdes.

Le père et la fille cessèrent de s'étreindre pour faire face aux nouveaux venus. Sans marquer la moindre hésitation, le garçon se précipita vers Marie-Andrée pour mimer la scène précédente. L'adolescente vacilla un peu sous l'impact du corps de l'enfant, laissant tomber son sac de voyage pour entourer ses épaules de son bras. Le garçon la ceinturait totalement, la serrait contre lui. Sa tête arrivait juste sous les seins.

— Antoine, ne fais pas ça. Souviens-toi de ce que je t'ai appris, pour saluer les gens.

Le malaise rendait la voix maternelle sévère, au point de pousser le gamin à s'accrocher encore plus fort, comme pour chercher la protection de cette inconnue.

— Belle… belle.

Il s'agissait bien d'un coup de foudre pour lui.

— Tu t'appelles Antoine ?

Le timbre de la voix, la caresse sur les épaules avaient un effet apaisant.

— Oui… 'toine.

— Moi, c'est Marie-Andrée.

« Elle trouve spontanément le langage de la gentille institutrice, pensa Maurice. Les garçons seront tous entichés d'elle, et les filles aussi. » Son hypothèse se confirmait du moins avec celui-là. Les mots murmurés par la grande adolescente avaient rassuré l'enfant. Maintenant, il s'éloignait pour attraper ses cheveux dans ses doigts, pour répéter: «Ils sont doux.»

Diane Lespérance montrait un visage désolé.

— Je m'excuse, mais ce matin je ne pouvais plus le tenir. Cette promenade l'excite tellement. Quand nous avons quitté la maison, je pensais qu'il prendrait son temps, comme d'habitude… Nous nous serions retrouvés après le départ de l'autobus.

D'ordinaire, le garçon s'arrêtait pour contempler une fleur, un oiseau ou même un nuage. Au contraire, cette fois, Antoine ne s'était pas détourné une seconde de sa destination.

— Là, je gâche tout à fait vos adieux.

«Elle va probablement être de retour à la maison pour le souper, se dit le père en pensant à sa fille. Ce ne sont pas des adieux.» S'il souhaitait la voir prête à l'éventualité d'une embauche immédiate, il doutait que les choses se passeraient ainsi. Le mot «adieux» lui paraissait une exagération ridicule.

— Ce n'est pas grave… Cela me permet de connaître enfin ce jeune homme.

Maurice ne disait peut-être pas toute la vérité. Pas avec son visage déconcerté. Craignait-il qu'on prenne l'enfant handicapé pour son fils? Cette pensée effleura Diane. De son côté, Marie-Andrée ne semblait pas ennuyée le moins du monde par les regards posés sur elle. De l'échange des prénoms, elle était rendue à l'évocation du programme de la journée. Trop tard pour qu'elle se sente bien accueillie, Maurice fit la bise à son amie, tout en s'inquiétant que des personnes parmi ses connaissances ne le voient.

Du côté des autocars, un mouvement se produisit. Les passagers désireux de se rendre au métro de Longueuil montaient à bord.

— Antoine, maintenant je dois y aller. Tu vois, il risque de partir sans moi.

Le garçon ouvrit de grands yeux, comme si le sens de ces paroles lui échappait, mais qu'il comprenait tout de même qu'il s'agissait d'une mauvaise nouvelle. Quand la jeune fille lui plaqua une bise sonore sur chaque joue, il trouva une nouvelle contenance.

Puis elle se pencha pour prendre son sac, s'élança vers son autobus en lançant :

— Papa, Diane, bonne journée. Je ne veux pas faire le trajet debout !

Puis, un peu comme l'enfant que Maurice s'entêtait à voir en elle, Marie-Andrée leur envoya une bise avec la main.

— Belle, dit encore le garçon en la suivant des yeux.

En redonnant son attention à sa mère, il parut abandonné. Toutes ses émotions se lisaient sur son visage, et il en changeait très vite. Pour éviter une crise de larmes, Diane misa sur cette particularité en disant :

— Antoine, voici Maurice. C'est lui qui va nous emmener au zoo.

Les mots firent leur chemin, les traits s'éclairèrent, puis le petit garçon répéta les mêmes gestes qu'avec la jeune fille, se précipitant pour encercler la taille de cet homme avec ses bras.

— Des lions ?

Maurice resta les bras pendants, sans aucune réaction. « Vraiment, il a honte de se montrer avec nous ! » songea Diane.

— Il te demande s'il y aura des lions.

— Oui, il y aura des lions… et aussi des tigres, des girafes.

En même temps, il posa une main sur sa nuque pour esquisser un mouvement caressant. Comme s'il décidait enfin de cesser de copier les réactions de Perpétue pour renouer avec les siennes.

— Sais-tu à quoi ressemblent les girafes ?

« Finalement, sa fille tient ça de lui », se dit encore la serveuse. Elle songeait à l'amour des enfants. Pendant un moment, le professeur décrivit les girafes, tout en se demandant quel traitement le garçon faisait de ces informations. S'il demandait à Antoine de dessiner une représentation de cet animal sur la base de sa description, le résultat ressemblerait sans doute à un Picasso.

Pendant ce temps, il vit Marie-Andrée monter dans l'autobus. Un moment plus tard, son visage lui apparut à une fenêtre. Souriante, elle posa une main contre la vitre. Après lui avoir adressé un petit geste de la main, il demanda, poussant Antoine pour regarder ses yeux :

— Bon, maintenant, nous allons voir les lions ?

D'un signe de la tête, Antoine dit oui.

— Alors, rejoignons la voiture.

En se mettant en marche, Maurice garda son bras droit autour des épaules du gamin, puis offrit sa main gauche à Diane. Celle-ci ressentit un picotement aux yeux. Elle ne put prononcer un mot avant d'être montée dans la Volkswagen.

❖

Heureusement, il restait toujours un fond de politesse chez les jeunes Québécois. Des garçons laissèrent Marie-Andrée passer devant eux. Bon, certains caressaient l'espoir de partager la même banquette, et l'attention n'était pas tout à fait désintéressée. Un grand gaillard l'aida à placer son sac sur le porte-bagages au-dessus des sièges, la laissa s'asseoir près de la fenêtre, puis occupa le siège à côté du sien.

Quand elle vit le profond embarras de son père lorsque l'enfant passa ses bras autour de sa taille, un « Papa ! » désolé éclata dans sa tête. Puis la caresse sur la tête, le bras autour des épaules l'émurent beaucoup. Ce qu'il avait de plus beau en lui s'exprimait.

Son sourire devait être resplendissant, car son voisin demanda :

— C'est ta famille ?

— … C'est mon père.

— La fille peut pas être ta mère, a l'air toute jeune.

— Sa blonde.

L'autre émit un petit sifflement, comme pour souligner la veine du monsieur à l'allure un peu pépère de s'être gagné les faveurs d'une beauté.

— Le ti-gars ?

— Son fils à elle.

La jeune fille acceptait de bonne grâce les questions légèrement intrusives de son voisin. Quand Antoine s'éloigna, son handicap se vit très bien. Que dirait ce curieux devant le petit accroc à l'image du joli couple ? Rien, tout d'abord. Puis, lorsque Maurice leur tourna le dos pour s'éloigner, un bras autour des épaules d'Antoine et la main de Diane dans la sienne, l'inconnu donna son évaluation finale.

— Y a l'air d'être un bon gars, le chanceux.

— Le meilleur.

Par la suite, Marie-Andrée accepta de faire la conversation avec lui jusqu'à Longueuil. Ce devait être une nouvelle technique de drague en vogue au Québec : dire du bien du père afin d'obtenir l'oreille sympathique de la fille.

Encore un mot

D'habitude, j'essaie de me montrer rigoureux dans la description des lieux où se déroulent mes romans. Toutefois, dans celui-ci, je me suis fait vague de façon volontaire. Ne cherchez pas la rue Couillard, le café de la gare, le couvent Sainte-Madeleine : je les ai inventés.

La plupart de mes lectrices et de mes lecteurs ont vécu l'année 1967. Je ne voulais pas que quelqu'un s'imagine se reconnaître dans mes personnages, ou reconnaître un proche. En ce qui concerne les événements politiques, sociaux, culturels, et aussi la vraisemblance des personnages, j'ai essayé de rendre compte le plus soigneusement possible de cette époque qui a laissé le meilleur souvenir dans l'esprit de la plupart d'entre nous.

Si vous désirez garder le contact avec moi entre deux romans, vous pouvez le faire sur Facebook en indiquant les mots suivants dans l'outil de recherche :

Jean-Pierre Charland auteur

Au plaisir de vous y voir.

Jean-Pierre Charland

Suivez-nous

Achevé d'imprimer en mars 2015
sur les presses de l'imprimerie Marquis-Gagné
Louiseville, Québec